NARRATORI DELLA FENICE

Visita *www.InfiniteStorie.it*
il grande portale del romanzo

ISBN 88-8246-939-5

www.guanda.it

GIANNI BIONDILLO, CHRISTINE VON BORRIES,
ENZO FILENO CARABBA, MASSIMO CARLOTTO,
TERESA CIABATTI, MARCELLO FOIS,
EMILIANO GUCCI, GIANLUCA MOROZZI,
MARCO VICHI

CITTÀ IN NERO

A cura di Marco Vichi

UGO GUANDA EDITORE
IN PARMA

CITTÀ IN NERO

GIANNI BIONDILLO

Un dono di Dio

1

La chiamavano Giovanna per via di quella fessura fra gli incisivi, proprio come la cantante degli anni Sessanta, quando i cantanti li chiamavano per nome: Adamo, Michele, Giovanna..., e in effetti le assomigliava pure da ragazza: una bella biondona, dal sorriso facile. Aveva battuto per anni in via Eritrea, la conoscevano tutti nel quartiere. Ferraro se la ricorda da sempre. Quand'era ragazzino passava con tutto il gruppetto di delinquenti amici suoi in bicicletta, fischiavano, la prendevano in giro, le facevano proposte oscene. Lei non reagiva quasi mai. Ogni tanto però ne prendeva uno per le orecchie e lo minacciava di chiamare il padre se non la smettevano. Ché lei il padre lo conosceva in senso biblico, non so se mi spiego. A fare i conti non era così vecchia, solo che quando hai dieci anni gli adulti sembrano tutti vecchi, ecco la verità.

Insomma faceva parte del panorama. Si faceva i cazzi suoi, non rompeva le palle a nessuno. Aveva una figlia, Samantha con l'acca, che non ha mai saputo del mestiere della madre. Ha sempre creduto fosse un'infermiera, una di quelle a domicilio. Questo le bastava a spiegare i suoi orari curiosi.

La Giovanna adorava Francesca, glielo diceva sempre a Ferraro, quand'era ancora un ragazzo, di tenersela stretta, che lei sì che aveva le idee chiare! Capitò una volta che Ferraro incrociò Giovanna con la figlia, dalle parti di Vittorio Emanuele. Erano in coda per andare a vedere un film, c'era anche Francesca, che iniziò a raccontare a Samantha di quanto fosse brava e professionale la madre. Che, anzi, sua zia doveva fare delle punture e se la Giovanna era d'accordo potevano prendere un appuntamento. Forse anche per questo la adorava. Perché le reggeva il gioco.

Questo però fu un bel po' di tempo fa, quando avevano ancora vent'anni e volevano fare i rockettari nella vita. Poi Ferraro venne trasferito. Quando tornò a Milano, Samantha già viveva in Germania da alcuni anni. Quella al cinema fu l'ultima volta che la videro.

La Giovanna continuò a battere a Quarto Oggiaro per molti anni, ormai aveva la sua clientela fissa, fidelizzata. Prima i padri, poi i figli. Ma soprattutto i padri. Da qualche anno si era trasferita verso la Comasina, che a Quarto, con tutti quei cantieri, non sapeva più dove mettersi. Quando Francesca passava in macchina si salutavano sempre. «Come sta la mia principessa?» chiedeva accarezzando il volto di Giulia, che timida si ritraeva sempre. «Che bella bambina che hai, Fra'» diceva con gli occhi dolci. «I figli sono una ricchezza, Fra', un dono di Dio.»

Francesca la canzonava. Ogni volta che si toccava l'argomento figli, alla Giovanna venivano gli occhi lucidi.

«Dai, Giovanna. È ora di andare in pensione e di goderti un po' la vita...»

Allora la Giovanna sorrideva. Ma gli occhi le rimanevano tristi.

«Rifarei tutto, Fra'. Per mia figlia sarei pronta a rifare tutto quello che ho fatto.»

«Samantha sta bene, no? È ora che pensi un po' a te stessa.»

Francesca ricorda ancora l'ultima volta che l'ha vista, due giorni fa, mentre portava Giulia dalla pediatra, ché aveva una brutta febbre che non voleva proprio scendere.

«Siamo animali, Fra'. Guai a chi ce li tocca i figli. Siamo pronte a sbranare per difenderli, ricordatelo.»

2

Tutte le mattine era la stessa storia. Mai che si svegliasse sua sponte. Bisognava fare tutta una manfrina di carezze, di lievi scossoni, di bacetti, e poi un primo ordine perentorio e un secondo subito dopo a voce più alta. Lei annuiva, faceva finta di muoversi, di alzarsi, in realtà si girava dall'altra parte. Allora il terzo ordine era una vera e propria intimidazione urlata a mezza voce.

Lei alzava il capo, faceva scivolare le gambe fuori dalle coperte e restava così, con gli occhi chiusi, a metà fra l'alzarsi e lo stare seduta. Una faticaccia.

«Ha preso dal padre» diceva tutte le volte Francesca, lasciando Ferraro impotente di fronte a una affermazione che non capiva mai se era da interpretare come insulto o come complimento. «Ha preso dal padre» quindi ti assomiglia, quindi è figlia tua, del nostro eterno amore, ma anche «ha preso dal padre» che è un dormiglione, uno svogliato, un fancazzista.

Alla fine Ferraro riusciva a trascinare la figlia in bagno. E ogni mattina c'era una scusa per non lavarsi o per non alzarsi dal vaso. «Dai, tesoro, ti prego, facciamo tardi» insisteva Ferraro. E Giulia con gli occhi socchiusi metteva i piedi sul piccolo sgabello di fronte al lavabo, si innalzava e intingeva dueditadue nell'acqua per poi passarle di tutta fretta sugli occhietti. Allora toccava a Ferraro lavarle la faccia con vigore, spesso con l'acqua fredda, così da svegliarla definitivamente.

Tutte le mattine così. Anche questa mattina. Oggi, in più, c'era una tosse secca che faceva sussultare Giulia impedendole le faticose abluzioni d'uopo. Forse era una scusa per non lavarsi. Così piccola e già così furbetta. Tossì ancora. No, no. La tosse era vera, oppure a Giulia dovevano dare l'Oscar alla carriera. Ferraro le toccò la fronte. Era tiepida.

«Non ti senti bene, Giulia?»

«Ho così sonno che mi addormenterei sul dentifricio.»

Aveva solo cinque anni, ma come le pensava?

«Ti prego, Giulia. Dimmi la verità: non stai bene? Non tirarmi fuori scuse, però.»

Apparve Francesca sulla porta del bagno: «Forza, forza, la colazione è a tavola».

Giulia tossì. Questa volta sembrava un po' forzata, come per farsi notare anche dalla madre.

«Forse dovremmo tenerla a casa» disse, preoccupato, Ferraro. «Io inizio il turno alle due, potrei restarci io con lei.»

«E il pomeriggio?»

«Non so... prendi un permesso...»

Nel frattempo Francesca si era avvicinata alla bambina e le stava misurando la temperatura col dorso della mano.

«No. Non è calda. Ieri sera le ho dato una tachipirina...»

«Perché?»

«Perché aveva la febbre, ecco perché. E ce l'aveva da due giorni, mio caro, sei tu che non te ne sei neppure accorto.» Poi alla figlia: «Dai, vai a tavola, che il latte si fredda».

Giulia eseguì con piacere. Era riuscita a sfangarsi la pulizia del volto senza che i due genitori se ne rendessero veramente conto.

«Come sarebbe a dire che è due giorni...»

«Dev'essere l'influenza che gira.»

Ferraro sembrava cadere giù dal pero: «Io non me ne...»

«Tu non te ne sei accorto perché sei sempre in giro, ecco perché.»

«Ma allora, scusa, non conviene veramente tenerla a casa?»

«Non posso prendere un altro permesso, il mio capo mi uccide. Sarebbe il terzo questa settimana e non ho nessuno che può andarmela a prendere oggi pomeriggio. A meno che non ci pensi tu.» Glielo diceva con un tono accusatorio. «Allora? Lo prendi tu un permesso?» insisteva. «Resti a casa oggi pomeriggio?»

Ferraro non rispose. Sembrava stretto da chissà quale dubbio amletico. Francesca si mosse lasciandolo lì, impotente. «Forza, Giulia» disse, uscendo dal bagno, ad alta voce. «Finisci la colazione, che poi papà ti porta a scuola.»

3

Tutti i giorni Amina fa un pezzo di strada a piedi fino alla stazione delle Ferrovie Nord di Rovello Porro, aspetta il treno quasi sempre fuori, sulla banchina, anche quando fa freddo preferisce non restare insieme agli altri avventori nella sala d'aspetto. Conta diciotto passi e si ferma. Quando arriva il treno le si spalancano di fronte le porte d'accesso al vagone. Pochi metri ed è già accoccolata sul sedile, con lo sguardo fuori dal finestrino. Non guarda in faccia nessuno, nessuno la conosce.

Amina è scappata da Bari due anni fa. Non sa neppure lei com'è che non l'hanno ancora ammazzata, ma il giorno che la trovano la fanno fuori di sicuro. C'erano quasi riusciti, a dir la verità. A furia di calci e pugni il suo protettore la stava massacrando sotto gli occhi della *maman*. Poi lei ci ha messo una buona parola, «vedrai che Amina fa la brava, non si ribellerà più» e lui l'ha lasciata stare. Amina è sempre stata un po' così. Disubbidiente. Ma deve restituire centomila euro a John se vuole tornare in Nigeria, lo sa. Lo deve fare perché se no, glielo ha detto la *maman*, se la prendono con la sua famiglia. Se poi la *maman* si arrabbia, le hanno detto le altre ragazze, forse è ancora peggio: mangia il fegato di un vitello e ti fa una magia, e tu non puoi più liberarti. Ti conviene lavorare.

Amina non sa se crederci o meno. In effetti ce la vede benissimo la *maman* mangiarsi il fegato di un vitello. Anche mangiarsi tutto il vitello, a dir la verità. È così grassa che fa fatica pure a camminare.

Amina a Caronno Pertusella sorride. I treni le piacciono. In Italia ci è arrivata in nave. Da Bari però è scappata nascosta nel cesso di un treno. È per questo che le piacciono i treni, per lei sono la libertà, e che la *maman* mangi un po' quello che le pare!

Ha avuto fortuna, pensa. John la starà ancora cercando, è sicuro. Ha in mano il suo passaporto, a casa non ci torna. Il giorno che la trova la ammazza. È certo.

Però ora Amina vive qui, non dà fastidio a nessuno, si fa i fatti suoi. Ha scelto una zona tranquilla, lavora solo il pomeriggio, i soldi che tira su le bastano. Forse riesce a metterne via un po'. O forse no, a che servirebbe, in fondo? A Novate Amina si ridesta, alla prossima deve scendere.

Non si può dire che il suo lavoro le piaccia. Ma è l'unico che sa fare, in fondo. Ha scelto una zona tranquilla, non ci sono quei clienti cattivi, quelli che poi neppure ti pagano. È una questione anche di età, glielo ha spiegato la Giovanna, una sua collega. Quelli giovani se ne approfittano, per non parlare di quelli che si divertono a picchiarti!, e se si rendono conto che non hai un protettore sei fregata. Meglio la clientela anziana. I vecchi sono tranquilli, pagano sempre, danno pochi fastidi.

La Giovanna lavora vicino a dove Amina apre il suo seggiolino e aspetta i clienti. È un'amica, la Giovanna. Lei la chiama zia, per rispetto.

Amina scende dal treno; poche persone con lei. Sale le scale del cavalcavia. Potrebbe farsela a piedi ma non ne ha voglia. Aspetta l'autobus. Sale, timbra il biglietto. Non devi farti notare, non devi dare fastidio. Giovanna le ha insegnato molte cose. Amina non sopporta le altre nigeriane che ogni tanto incontra, che sono sempre lì che urlano come delle matte. Fatti i fatti tuoi, le dice la Giovanna, e camperai a lungo. Scende in via Comasina, va verso il prato affianco alla superstrada. Oggi ha fatto presto, chissà se la Giovanna è già arrivata. L'ultima che arriva offre all'altra un tè al McDonald's che c'è lì vicino. Così da due anni.

Il mondo è cattivo. Ma chi trova un amico trova un tesoro, le dice sempre la Giovanna.

Amina è arrivata finalmente. Non vede la macchina dell'amica. Bene, oggi il tè non lo paga lei. Poi guarda meglio verso gli alberi. Il cuore inizia a battere più forte, quasi che lui avesse capito qualcosa che neppure lei ha inteso. Attraversa la strada e si inoltra nell'erba, mentre sulla sua testa scorrono le macchine, indifferenti.

«Giovanna» dice, così piano che nessuno la potrebbe

sentire. «Giovanna?» più forte, più spaventata, maledettamente sola.

4

«Chi l'ha trovata?»

«Abbiamo ricevuto una telefonata anonima. Una donna, dall'accento sembrava marocchina, o africana, non so...»

Forse qualcuno dovrebbe spiegare al poliziotto che il Marocco si trova in Africa, pensò Ferraro, mentre si avvicinava alla fettuccia che delimitava l'area.

«Sappiamo chi è?»

«C'era la sua borsetta. I soldi se li sono portati via, naturalmente.»

«Naturalmente.» Ormai è tutto così naturale.

«Federica Scaiola, cinquantasei anni, di Cuneo, ma residente a Milano, in via Flumendosa. È dalle parti di via Palmanova, non so se hai presente.» Lo diceva come se la cosa fosse determinante ai fini dell'indagine.

Arrivarono alla fettuccia, il medico legale la alzò per farli passare.

«Ciao Ferraro.»

«Che mi dici?»

«Povera donna, l'hanno conciata per le feste. È stata picchiata, soprattutto sul volto. Ha fratture scomposte ovunque. Adesso la porto in laboratorio a fare un esame autoptico, ma direi che non ci sia molto da scoprire.»

«Era una prostituta» disse il collega della volante.

«Tu che ne sai?»

Il poliziotto sembrò arrossire, come se fosse stato testé accusato di aver conosciuto e usufruito più volte delle arti amatorie della vittima.

«Beh, ci passo spesso qui con la volante, la vedevo... soprattutto il pomeriggio. Anche la sua amica, la negra.»

«La sua amica è quella che ha telefonato, probabilmente.»

«Forse se la cerchiamo...»

«Quella non la troviamo più, te lo dico io.»

Ferraro abbassò finalmente lo sguardo sul cadavere.

«O Cristo santo!» disse a mezza voce.

«Che succede?»

Ferraro si sedette sui talloni e allungò una mano verso il corpo, sfiorandolo appena.

«Oggesù... Giovanna.»

Il collega della volante non capiva. «Federica Scaiola.»

Ferraro alzò gli occhi verso il collega, interdetto. «Cosa?»

«Forse la scambi con un'altra. Si chiamava Federica, non Giovanna.»

Come poteva Ferraro spiegargli che per lui, per tutti i ragazzi del suo cortile, per l'intero quartiere anzi, quel sacco inerte, quel mucchio di stracci strappati, quel volto tumefatto, non si è mai chiamato Federica Scaiola?

«La conoscevi?» chiese il medico.

Ferraro appoggiò la mano sulla tempia. Iniziò a massaggiarsela.

«Sì.» Si alzò. Prese fiato, cercava di mantenere la calma. «La chiamavamo tutti Giovanna. Come la cantante, te la ricordi? Per via della fessura fra i denti davanti...»

«Non ho visto nessuna fessura. Chi l'ha uccisa le ha spaccato gli incisivi, a forza di pugni.»

5

L'aveva visto sorgere dal campetto di via Lopez, oltre la ferrovia. Una corte quadrangolare con in mezzo una stecca alta una decina di piani. Planimetricamente era anche interessante, sembrava ben distribuito, ma i prospetti erano paurosi: il classico casermone di periferia, tutto intonaco e vetrocemento, senza nessuna concessione al bello, all'ornamento. Come se chi ci entrava a vivere non avesse interesse alcuno se non quello di passare la notte al coperto. Che cosa curiosa è la memoria, in fondo. Averlo visto crescere dal nulla, ancora ragazzino, gli faceva pensare a quel falansterio come a una specie di novità. Eppure ormai aveva trent'anni. Stava già cadendo a pezzi. Come quasi tutte le periferie milanesi. Un giorno o l'altro prenderanno una decisione, tutte insieme; si suicideranno. Sarà il loro atto di accusa, pensava. Crolleranno tutte insieme, saranno un mucchio indistinto di macerie. Moriranno, non rimarrà più nulla del secolo che le ha fatte sorgere. Moriremo tutti, forse siamo già morti.

Povera Giovanna.

Entrò nella corte di via Cerkovo. La pavimentazione in lastre prefabbricate di cemento era tutta sgretolata dal peso delle automobili che gli abitanti continuavano imperterriti a parcheggiare, anche dove non era previsto parcheggio. Se potessero le porterebbero in casa, le farebbero riposare nel tinello, come i contadini di cento anni fa che dormivano insieme all'asino o al maiale. (Ne aveva visto ancora qualcuno, su nelle valli del bergamasco, mica tanti anni fa, ora che ci pensa.)

Ferraro entrò nell'androne, non aveva bisogno di citofonare, il portone d'ingresso era spalancato. Quand'era stata l'ultima volta che aveva parlato con la Giovanna? La vedeva più spesso Francesca, lui era sempre troppo preso dal lavoro. È sempre stata la sua scusa, in fondo.

Non aveva voglia di aspettare l'ascensore, imboccò di slancio la prima rampa. Alla seconda maledì il pacchetto di sigarette che si fumava quotidianamente da troppi anni. Colpa di Mimmo, che gliele procurava a prezzo politico. Era sempre colpa di qualcun altro, per lui. Si fermò a prendere fiato. Forse poteva prendere l'ascensore, chi glielo impediva? No, dai, un po' di dignità. Ancora due piani.

Suonò alla porta, venne ad aprirgli un uomo, in mutande e canottiera. Indossava anche delle calze di lana, tirate su fino alle ginocchia e due ciabatte tutte sbrindellate. La *mise* non era certo delle più *trendy*, ma il padrone di casa sembrava disinteressarsene.

«Ciao, Chiodo, entra. Stavo facendo il caffè» gli disse,

poi gli diede le spalle lasciandolo sull'uscio di casa. Ferraro entrò e chiuse la porta dietro di sé. C'era un odore di chiuso che faceva quasi girare la testa, come se ormai fosse stato respirato tutto l'ossigeno a disposizione.

«Cazzo, Max, non puoi aprire un po' la finestra?»

Si sentì una voce dal cucinotto: «No, sono freddoloso, lo sai».

«Ma se te ne vai in giro in mutande...!»

«È che il riscaldamento è saltato. Da me si muore di caldo, mentre al piano di sopra battono i denti...»

Ferraro si accasciò su una sedia. «Se hai caldo perché tieni le calze di lana? Solo a guardarti mi viene da grattarmi!»

Max riapparve con due tazzine scompagnate: «Te l'ho detto, sono freddoloso». Gli appoggiò la tazzina sul tavolo. «L'ho già zuccherato. Uno e una punta, giusto?»

Caffè. Sigaretta. Pavlov docet. Tempo due minuti e l'ambiente sembrava una camera a gas.

«Che succede?» chiese poi Max, come se parlasse del tempo.

«Hanno ucciso la Giovanna.»

«Cazzo! Chi è stato?»

«Non lo so. Speravo me lo dicessi tu.»

Max accavallò le gambe. Il gesto era persino elegante, riusciva a dargli una certa dignità.

«Quando è successo?»

«L'ora esatta non te la so dire. L'abbiamo trovata mezz'ora fa. Vicino al cavalcavia della statale dei Giovi.»

Max annuì. «È dove batte da un po' di tempo. È sempre lì insieme a una negra, una nigeriana.»

«Non abbiamo nessun indizio, nessuno ha visto nulla. Il medico legale ha detto, però, che non deve essere accaduto molto tempo fa, il *rigor mortis* non era ancora risolto.»

«Morta ammazzata in pieno giorno. E nessuno ha visto nulla.»

«Già» disse Ferraro, spegnendo la sigaretta nel portacenere colmo di cicche. «Pensavo... magari è stato un cliente...»

«No. Non ci credo. La Giovanna ormai faceva marchette solo a vecchi bavosi. Diceva che non avevano pretese ed erano gentili con lei. Ne ho conosciuto uno che ogni anno a Natale gli regalava il pacco... sai quello con lo zampone, le lenticchie e tutto il resto...»

«Lui a lei?»

«No, no... lei a lui. Sai, come le ditte ai clienti fedeli. Mi sono sempre chiesto come lo giustificasse alla moglie...»

Ferraro si alzò. Fece due passi verso la finestra. «Apro, solo uno spiraglio, dai...»

«Va bene» disse Max. Però poi si avvolse lo strofinaccio che aveva in mano attorno al collo. Se fosse passato da quelle parti Salvador Dalì lo avrebbe assunto come modello.

Ferraro fece un lungo respiro, col naso fuori dalle imposte.

«Magari la nigeriana che stava con lei sa qualcosa. Magari è stato il suo protettore...»

Max si massaggiò la pianta del piede. Il tallone della calza era liso in modo disgustoso. A Ferraro venne un attacco di orticaria, ma si trattenne dal grattarsi.

«No... cioè, non so...»

«Che significa?»

«Da quello che so io Amina non ha un protettore.»

«Si chiama Amina?»

«Sì. È una ragazza con un culo enorme. Me la sono scopata un paio di volte, ma non è un gran che come puttana. Comunque il protettore non ce l'ha. In un certo senso chi la proteggeva era proprio la Giovanna. La teneva con sé come fosse una figlia. Sembra che sia scappata dalla terronia, mi pare da Bari, dove la tenevano come una schiava. È senza permesso di soggiorno, senza famiglia, senza passaporto. Se la trovate, tu e i tuoi amici, la spedite subito in Nigeria con il primo cargo merci.»

«I miei amici?» Ferraro si scostò dalla finestra. L'aria era fresca ma puntava decisa sul collo, sembrava fatta apposta per scatenargli l'infiammazione al trigemino.

«Sì, insomma. Tu, gli sbirri, la Bossi-Fini...»

Ferraro sbuffò. Era uno sbirro, doveva saperlo. C'era poco da sbuffare. Francesca glielo ricordava sempre: poteva lasciar perdere, poteva rimettersi a studiare, poteva cambiare mestiere, che quella dei soldi le sembrava sempre più una scusa.

« Dove abita questa Amina? »

« Fuori Milano. »

« Fuori Milano dove? » Max lo guardò, in silenzio. « Allora? Me lo dici o no? »

« Chiudi la finestra, per piacere, che sto gelando. »

Il poliziotto la chiuse, scocciato.

« Dove abita questa Amina? » ripeté.

« Che te lo dico a fare? Tanto non la trovi più, Chiodo. Lo sai anche tu, vero? »

Ferraro si accasciò sulla sedia, che scricchiolò pericolosamente.

« Non so dove sbattere la testa, Max. Se non trovo subito una traccia, perdo la pista, lo capisci? »

6

In macchina cercava di fare il punto della situazione. Morte violenta. Nessun testimone. Anzi, no. Un testimone, Amina. No, no. In realtà Amina potrebbe non aver visto nulla, solo il cadavere. È una clandestina, ha troppa paura di noi per venire a testimoniare. Forse alla Scientifica sanno qualcosa. Sì. Avranno scoperto qualcosa, qualche prova, qualcosa a cui attaccarsi.

Lo squillo del cellulare quasi lo spaventò.

« Mic... Mic, mi senti? »

« Pronto, Francesca, che c'è? »

« Mic... ma tu mi senti? »

Ferraro diede un'occhiata al display del cellulare. Due tacche. Doveva cambiarlo, ormai era da rottamare, appena si scaricava un po' aveva subito problemi di campo.

« Sì, Fra', ti sento benissimo. »

«Mic, ti prego, vai subito alla scuola materna di Giulia.»

«È successo qualcosa?»

«Mi ha appena telefonato un'educatrice. Giulia ha 39 di febbre.» Ferraro ingranò la marcia e superò di slancio un giallo tendente al rosso. Più rosso che giallo. Diciamo arancione. «Mi hai sentito, Mic?»

Lo sapevo, io. Te l'avevo detto che era meglio che rimanesse a casa, pensò. Ma ebbe l'accortezza di non dirlo.

«Francesca... io non posso, sto lavorando.»

«Che cazzo vuol dire, scusa? Perché io sto giocando a rubamazzetto? Tu sei in zona, fai prima.»

«No, Fra', ti prego, vacci tu... io proprio non posso.»

La moglie neppure lo ascoltava: «Devi smetterla di credere che il tuo lavoro sia più importante del mio, cazzo! Questa settimana è già tre giorni che io chiedo al mio capo...»

«Fra', Fra'... Francesca ti prego, ascoltami un attimo...»

«No, sei tu che non mi ascolti. C'è tua figlia che ha la febbre, lo hai capito o no?»

«Certo che l'ho capito. Ti sto solo chiedendo di farmi un favore...»

«È tutta la vita che ti faccio favori, Mic. Vorrei capire quando tocca a me riceverli!»

«Cazzo, Francesca, smettila di rompere le palle. Come te lo devo dire: non posso andarci. Non ora.»

«Non te ne frega un cazzo della salute di tua figlia, ecco la verità.»

«Perché quando te la sei portata sulle spalle, a Genova, te n'è fregato molto, vero?»

Ecco. Questa era una cosa che forse era meglio non dire. Non ora, quanto meno. Com'è che gli era uscita così naturale? Da quant'è che la covava?

«Ma che cazzo dici brutto stronzo?» Francesca era furibonda. «A Genova io ero andata ad una festa, ci hanno pensato i tuoi colleghi a trasformarla in una tragedia!»

«Francesca...»

«Vaffanculo, Michele. Questa me la paghi!»

Francesca chiuse la comunicazione e Ferraro inchiodò, di botto. Questa volta era un rosso tendente al rosso. Meglio fermarsi. E prendere fiato.

7

Alla Scientifica trovò Comaschi, tutto intento a tubare col medico legale.

«Eccoti» gli disse il collega appena lo vide. «Ti ho cercato sul cellulare, ma non rispondevi...»

«Si sta scaricando... perché mi cercavi?»

«Sono qui per il caso della prostituta. Ci lavoriamo assieme...»

«Assì? E chi l'ha deciso?»

«Io! Non voglio lasciarti solo in questa giungla d'asfalto.»

«Comaschi, non è giornata, non ho nessuna voglia di ridere...» Poi, al medico: «Allora? Hai qualcosa da dirmi?»

«Lo stavo appunto spiegando al tuo collega...» Il medico estrasse da una busta alcune radiografie. «La donna ha subito un pestaggio selvaggio. I colpi sembrano inferti dall'alto verso il basso e soprattutto da destra verso sinistra.»

«Dunque l'assassino non è mancino.» Mai un colpo di fortuna che sia uno.

«Chi l'ha pestata, un gigante?» chiese Comaschi.

«No, no... probabilmente la donna era seduta.»

«Forse l'hanno legata ad una sedia, non so...»

«In realtà non ha segni di legacci ai polsi o sulle braccia.»

«Non ha senso... perché non è scappata?»

«Da dove? Neppure sappiamo dov'era!» disse Comaschi. «Le analisi sulla scena del delitto non hanno trovato nessun riscontro. Tieni, guarda...» Diede al collega il referto della Scientifica. Ferraro iniziò a leggere. «Vedi? Niente di niente. Non l'hanno ammazzata lì, ce l'hanno portata dopo l'omicidio.»

Ferraro sbuffò nervosamente. Poi cercò di riordinare le idee.

«Di cosa è morta, esattamente?»

«Trauma cranico» rispose il medico. Indicò con una matita sulla radiografia. «Qui e qui, vedete? L'osso occipitale è stato fracassato, c'è stata una grossa perdita di materia grigia...»

«Cazzo... le hanno spappolato la nuca...»

«Qualcosa di rigido. Un bastone, una spranga, non so... forse è un delitto d'impulso. C'è una violenza inaudita in tutto questo. Forse un cliente...»

«Non so cosa dire... non mi sembra la situazione. Un cliente, in macchina, non ha lo spazio per prenderti a pugni in quel modo. E poi come ha fatto a colpirla sulla nuca con un bastone? Non è comodo. Ci sarebbero frammenti di vetro rotto...»

Ferraro parve illuminarsi: «A proposito...»

«Non si sa. Te lo dico io» lo interruppe Comaschi.

«Cosa?»

«Ti stavi chiedendo della macchina, giusto?»

«Appunto. Dov'è la macchina della Giovanna?»

«Non era lì. La stiamo cercando.»

Rimasero tutti e tre zitti, per alcuni secondi. Poi, proprio mentre il medico sembrava volesse dire qualcosa, riprese a parlare Ferraro: «Quindi... ricapitolando... non l'hanno uccisa dove l'abbiamo trovata. Ce l'hanno portata, probabilmente con un altro mezzo, non con la sua automobile. Perché deturparla così? Perché portarla proprio lì, dove batte, in pieno giorno, a rischio di essere visti da qualcuno? Mi sembra tutto poco impulsivo. Assomiglia più ad un avvertimento, ad un messaggio.»

«Già» disse solo Comaschi. E non era da lui. Se c'era da fare una battuta la faceva. E invece se ne stava zitto zitto, rimuginante.

«Che c'è?» gli chiese sospettoso Ferraro.

Comaschi lo guardò un attimo, prima di parlare.

«La Giovanna era una mia informatrice.»

«Cosa?»

«Sì, hai capito bene. Ogni tanto le davo qualcosa. Lei mi teneva d'occhio la zona, mi riferiva dei vari maneggi in giro.»

Ferraro sembrava quasi irritato dalla notizia. Conosceva quella donna da quando era un ragazzino, si sentiva come se fosse stato tradito.

«Non lo sapevo...»

«È ovvio che non lo sapessi. Io mica conosco i tuoi informatori, giusto? Lei mi dava qualche informazione e io la lasciavo lavorare in pace... proprio ieri mi ha telefonato, dovevamo vederci oggi pomeriggio.»

«E perché?»

«È questa la cosa che mi fa incazzare. Non lo so! Mi ha accennato a qualcosa, che voleva parlarmi della sua protetta, di Amina. Doveva dirmi qualcosa, ma non so cosa, cazzo!»

«Magari ha saputo qualcosa di importante.»

«Non lo so puttanaeva. Non lo so per niente. Magari l'hanno ammazzata proprio perché ha saputo qualcosa. O forse perché hanno scoperto che era una mia informatrice... magari l'avvertimento è rivolto proprio a me...»

«Mi sembra un'ipotesi azzardata. Sembra più un messaggio nell'ambiente della malavita. Qualcosa da riferire alle altre battone. Qualcosa tipo: qui non si lavora senza la protezione adeguata. A modo suo la Giovanna era un'anomalia.»

«Lei e la sua amica, Amina...»

Un altro attimo di silenzio.

«Scusate» intervenne il medico. «È mezz'ora che cerco di dirvelo...»

«Cosa?»

«Abbiamo il DNA dell'assassino.»

I due poliziotti guardarono interdetti il medico.

«E cosa aspettavi a dircelo? Babbo Natale?»

«La donna ha avuto un rapporto orale. Ecco perché pensavo ad un cliente. Abbiamo trovato del liquido seminale. E pure dei frammenti di pelle e del sangue sotto le unghie. Il DNA è lo stesso. È con tutta probabilità quello di chi l'ha ridotta così.»

8

Forse era meglio telefonare, non si era lasciato nel migliore dei modi con la moglie. Era già da tempo che c'erano tensioni in casa, doveva trovare il tempo per appianarle. Magari un fine settimana da qualche parte, una cena fuori porta. Insomma, qualcosa. Ormai tutto quello che facevano era evitarsi. O litigare.

Digitò il numero: «Francesca?»

«Mic...» Aveva un tono dolente.

«Come sta la bambina?»

«Non lo so, Mic. Sono preoccupata.»

«Che vuol dire che non lo sai?»

«Le ho dato un altro antipiretico, ma la temperatura non si abbassa. Io, io...» Stava trattenendosi. Non era una dalla lacrima facile.

«Dai, su calmati... l'hai detto tu, magari è l'influenza che gira. L'abbiamo presa tutti.»

«Non lo so, Mic. È tre giorni che va avanti così. Ho telefonato alla sua pediatra ma non mi risponde, c'è la segreteria telefonica. Ho chiesto alla sciura Carla di dare un occhio a Giulia e sono passata in farmacia.»

«Cosa ti hanno detto?»

«Sai come sono fatti. Quello che vogliono, alla fine, è venderti qualcosa.»

«Su, non preoccuparti. Ai bambini la temperatura si alza sempre in modo impressionante, poi scende.»

«Tre giorni, Mic. Non è normale. Tossisce in un modo spaventoso. Vieni a casa, ti prego.»

Era veramente preoccupata. Non è mai stata la tipa che chiede aiuto.

«Non posso, Fra'...»

«Perché non puoi? Stiamo parlando di tua figlia, lo capisci?»

«Francesca, non metterla così. Sto seguendo un'indagine molto delicata.»

«Me ne frego della tua indagine.»

«Fra'...» (Che faccio, glielo dico?)

«Poi... poi... ha anche chiamato Luca... dovevamo vederci stasera, te lo ricordi?» (Figuriamoci se se lo ricordava.) «Io ho rimandato, Giulia non sta bene. Poi lo so già che tu fai tardi, non ho voglia di vedere Luca. Sua moglie mi sta sulle palle...»

«Francesca, cerco di sbrigarmi, te lo prometto.» (Non promettere, è meglio.)

«Io la porto in ospedale.»

«Francesca...»

«Ho paura, Mic. Non ho mai visto la bambina così. Se passi subito la portiamo assieme.»

«Non posso, Francesca. Te lo giuro, non posso.»

«Ma che cazzo c'è di così importante che non puoi lasciare il tuo di lavoro, si può sapere?»

«Hanno ammazzato la Giovanna.» Glielo disse così, quasi senza emozione.

«C... cosa?»

«Sì.»

Dalla cornetta Ferraro ora sentiva un singulto strozzato. Si figurava la moglie con la mano sulla bocca, per cercare di trattenersi. Vedeva le sue lacrime scendere copiose. Forse non era il caso di dirglielo, non ora, non così, non al telefono.

«Francesca?»

«Oddio, Dio, Dio... quand'è successo?»

«Poche ore fa.»

«Chi è stato?»

«È proprio quello che non so. È quello che voglio scoprire.»

Ancora un miagolio sommesso. Comaschi lo guardava interrogativo, Ferraro si sentì quasi in imbarazzo. Fece un'espressione come a chiedere ancora un momento tutto per sé. Poi diede le spalle al collega.

«Francesca... mi senti?»

«La porto in ospedale, Mic. La porto subito. È mia figlia, lo capisci?»

9

L'ipotesi era questa: la Giovanna doveva dire qualcosa a Comaschi. Qualcosa che c'entrava con Amina. Forse il pappone della ragazza l'aveva trovata, anche se non si capisce perché fare fuori la donna. A meno che, appunto, non fosse un avvertimento per tutte le puttane che lavoravano in proprio. Care mie, sono arrivati dal buco del culo del mondo i nuovi padroni della strada. Nessuna impresa ad accomandita semplice era più accettata. Solo multinazionali del crimine. Niente più ditte artigianali, solo monopoli. Ed anzi non era inverosimile pensare che Amina l'avessero presa loro. Che a furia di schiaffi l'avessero obbligata a telefonare in polizia proprio perché volevano che si sapesse, e in fretta. Una punizione spettacolare, un sigillo sul territorio.

Una cosa così, normalmente, fa scoppiare una guerra. A meno che non si tratti di una fusione fra società per azioni: tu mi porti le troie dalla Nigeria, io ti carico la cocaina afgana dalla Puglia o dalla Calabria, lui ci smercia la roba qui a Milano, l'altro ce la porta in Germania. È il libero mercato, baby; c'è da mangiare per tutti.

Avevano il DNA, però. Che, scartabellando sul database della Scientifica, non aveva prodotto nessun risultato. A cosa serve averlo se non sai a chi appartiene? È come avere una risposta senza conoscere la domanda.

Così non ne uscivano.

C'era Mamadù, però. Un pusher che va in giro col macchinone dalle parti di corso Como e spaccia lo sniffo a veline, calciatori, onorevoli, e tutto il ciarpame umano che ha trasformato l'Isola da vecchio rione di periferia (trent'anni fa, non trecento, ancora lo chiamavano il rione dei *locch*, dei balordi) a quartiere di tendenza, pieno di bella gente, fighe paurose, ombelichi scoperti, cravatte regimental, chiome ribelli, giubbotti che costano come due stipendi di un operaio della Breda, scarpe in pelle di coccodrillo, jeans strappati ad arte, rinoplastiche, liposuzioni, tette di gomma, e tutto l'armamentario e i cazzi&mazzi di serie del rutilante mondo del nulla cerebrale.

Mamadù smercia al dettaglio, ma qualcuno gliela dà la roba. E chi tiene l'ingrosso della coca tiene in mano anche le troie, si sa.

Eccoli allora sfrecciare dalla Scientifica di nuovo verso nord. Bruzzano. Che Mamadù c'ha un pacco di soldi, ma ufficialmente è un disoccupato con tanto di permesso di soggiorno. Una casa popolare non potevamo mica negargliela. Come l'abbia ottenuta così in fretta, come abbia scavalcato la graduatoria dei poveri cristi, lo sa solo il buon dio, o il suo santo in paradiso, che nel caso specifico lavora in chissà quale assessorato. Uno di quei santi che adora sciare sulle piste, comunque. Di neve.

10

Quattro torri di diciassette piani fatte di elementi prefabbricati in cemento armato vibrocompresso. In facciata, vezzosi, pannelli di cemento e sassi di fiume. Quattro torri assemblate a secco, come un lego gigantesco, gli impianti elettrici corrono dentro canaline a vista, il tetto è piano. Due ascensori sempre guasti, un montacarichi devastato dai teppistelli del cortile, che distribuisce al piano su un piccolo ballatoio con una ringhierina di ferro mezza arrugginita. Mamadù abita al quindicesimo. I due poliziotti salgono sul montacarichi, che si innalza arrancando. Produce certi rumori che fa venire i brividi. Arrivano al piano. Da lì si vede tutta la Comasina, Novate, Paderno. Quando la giornata è limpida anche tutto l'arco alpino, quasi ti pare di contare una per una le casette mollemente adagiate sulle prealpi. Ma oggi c'è foschia. Meglio così.

Comaschi suona il campanello, due giri di chiave e la porta si apre ma non del tutto, una catenella la tiene bloccata; dallo spiraglio della porta appare una faccia assonnata.

«Cazzo, Mamadù, ma stai ancora dormendo? Ancora un po' ed è ora di cena, devi darti una regolata ragazzo mio...»

«Cosa vuoi?»

Niente presentazioni, sembrano vecchi amici. Sempre se tenere i vecchi amici sull'uscio di casa sia l'uso di queste parti.

«Non apri la porta, Mamadù?»

«No.»

«Non sei cortese.»

«Cosa vuoi?»

«Ho bisogno di un'informazione.»

«Io non so niente.»

Mamadù fa per chiudere la porta, ma d'istinto Ferraro ci mette un piede. La porta si blocca.

«Non mi fare incazzare, Mamadù» insiste Comaschi. «Facci entrare o ti spacco le corna e te le infilo su per il culo.»

«Non puoi dire queste cose. Non puoi. Io conosco i miei diritti. Non puoi.»

«Apri, negro di merda.»

«Tu sei razzista. Non puoi dire queste cose. Non hai il mandato, non puoi entrare.»

Ferraro sbuffa, plateale: «Vi date una mossa? Mi sono rotto le palle di stare in questa posizione da ballerino del Bolscioi».

«Apri, stronzo.»

«No.»

Comaschi si passa le mani nei capelli. «Va bene» dice a se stesso. «Non abbiamo il mandato, è vero, hai ragione.» Poi, a Ferraro: «Togli il piede. Ce ne andiamo».

Ferraro lo guarda interdetto. Ma il piede lo toglie, che gli è venuto un formicolio fastidioso. Si sposta. Mamadù prova a chiudere la porta ma non fa in tempo. Comaschi ha già alzato il piede destro a mezz'aria. La suola impatta sul legno della porta prima che lo spacciatore riesca a chiuderla del tutto. La catenella esplode, l'anta va a sbattere sul naso del padrone di casa che caccia un urlo bestiale.

Comaschi lo prende per il bavero e lo sbatte per terra, sul ballatoio.

«Hai visto, stronzo? Non sono entrato in casa tua, sei contento? Non c'è stata violazione di domicilio...»

Poi gli tira un calcione sulle reni, così per capirci su chi comanda e su chi esegue. Mamadù guaisce.

«Allora, figlio di puttana, adesso tu mi ascolti, va bene?» Lo tira su, lo appoggia sul muro. «Hai capito?» gli urla in faccia.

Lo avranno sentito tutti. Da dietro le finestre della torre di fronte lo stanno guardando. Ferraro è lì, un po' interdetto, un po' no. Non lo ammetterà mai, ma quasi gli piace questo sfoggio gratuito di potere. Menomale che Francesca non è qui. Devo chiamarla, chissà come sta la bambina.

«Cosa vuoi? Io sono pulito.»

«Non mi rompere i coglioni con la favoletta della buonanotte. Voglio sapere chi ti fornisce la roba.»

«Quale roba? Io non ho niente, io sono pulito.»

Comaschi gli piazza una testata sul naso, che già sanguinava. Mamadù sembra afflosciarsi su se stesso.

«Comaschi...» dice Ferraro, imbarazzato.

Ma il collega neppure lo sente. «Senti, negro di merda. Voglio un nome da te, non ti chiedo altro. Va bene? Mi devi dire dove lo trovo...»

Mamadù ha gli occhi rossi. «Non puoi farlo, non puoi.» Sembra un disco rotto.

Comaschi cerca di prenderlo per i capelli, ma sono troppo corti, allora gli agguanta la camicia e lo sposta di peso sulla ringhiera.

«Non mi rompere i coglioni con i tuoi diritti, va bene?»

Lo piega di più verso il vuoto. Mamadù strilla come una gallina. È mezzo fuori e non si può dire che si stia godendo il panorama. Anche Ferraro ha paura ora.

«Va bene amico, va bene amico, ti dico tutto, ti dico tutto...»

Comaschi lo tira su: «Allora?»

«Se scoprono che ti ho parlato mi uccidono.»

«Ti uccido io se non me lo dici.»
«È uno nuovo. Viene dalla Nigeria.»
«Un tuo paesano...»
«Io sono del Senegal» dice, con un moto d'orgoglio incomprensibile, in quel frangente.
«Che fine hanno fatto i calabresi?»
«È uno di loro. Lavora per loro...»
«Come si chiama?»
«Non lo so. Lo chiamano Johnny, so solo questo...»
«Dove lo trovo?»
«Non lo so.»
Comaschi gli pianta un ginocchio nello stomaco. Fa male. Molto male. Mamadù si piega in avanti.
«Ti giuro, non lo so. Io lo aspetto dietro il cimitero... Prima fa il giro delle puttane e poi mi porta la roba.»
«Dove?»
«Dove ci sono i vigili.»
«In via Messina» dice Ferraro, tassonomico.
«Mi metto al terzo lampione. Mi dà la roba e va via. Te lo giuro.»
«A che ora vi vedete?»
«Presto, presto... alle dieci... dieci e mezza al massimo...»
Comaschi gli mette a posto il bavero, gli liscia la camicia.
«Se so che hai parlato con qualcuno sei un uomo morto. D'accordo?»
«Sì, sì... d'accordo...»
La gente da dietro le finestre non dice nulla. Nessuno chiama la polizia. Se lo merita quel negro di merda, pensano, all'unisono. Mi parcheggia la macchina sempre davanti alla rampa, non riesco mai a passare col carrello della spesa. Torna a casa sempre ubriaco. Urla tutta la notte. C'è sempre un viavai di puttane in casa sua. Se lo merita. Dovevano buttarlo di sotto.

Ferraro esce dal montacarichi e si ritrova in cortile. Sente gli sguardi su di lui, tira dritto verso la macchina.

Un altro schizzetto di merda. Ancora uno. Piano piano la stiamo infangando tutta questa uniforme da sbirro, pensa entrando nella vettura, con Comaschi che già fa rombare il motore.

11

Francesca è sempre più convinta di aver sbagliato. Ha guidato come fosse in trance, neppure ha pensato di andare al Sacco. Però poteva andare al Buzzi, l'Ospedale dei bambini. Credeva che qui al San Carlo avrebbe fatto prima, conosceva qualcuno alla reception, ma le è andata male. È un'ora che aspetta, Giulia è un codice verde, le passano davanti barelle, gente azzoppata, braccia rotte, sedie a rotelle. Non è stata razionale, diciamocelo, doveva andare al Buzzi. Le hanno assicurato che il pediatra sta arrivando, dal reparto, ma un'ora è un'ora. Giulia, povera cara, se ne sta accoccolata nelle sue braccia. Brucia da fare paura. È debolissima, non dice nulla, come se non bastasse i colpi di tosse si sono fatti ancora più frequenti.

Guidava con le mani tremanti, quando ha incrociato la circonvallazione ha girato a destra, d'istinto. Quando fai sempre le stesse strade capita, te ne rendi conto dopo. Alla fine ha pensato che le conveniva andare al San Carlo. Conosceva la strada, ci è passata davanti per anni, quando veniva a trovare Marina, insieme a Paola, che abitava in via Postumia (ora non più. Da quanto tempo non la vedi?) in quel quartiere dai nomi rivoluzionari, Constant, Carlo Marx, costruito con una logica urbanistica di gusto razionalsovietico, fatta di strade che sottopassano gli edifici sopraelevati su pilotis di cemento armato, sempre con quel tono austero, inflessibile, il colore degli intonachi marrone scuro, plumbeo, come se gli architetti milanesi, in quegli anni, fossero convinti che un operaio non avesse diritto a un ghiribizzo, a una follia. Nulla: *humilitas*, rigore, gravità.

Ci veniva anche Mic, da giovane, quando accompagnava Luca o Totino. Suonavano tutti, tutti volevano fare il botto. Solo Totino continua a fare il musicista. Marina ha aperto uno studio, Paola lavora in Comune, Luca sta facendo i soldi col commercio di pietre preziose. Proprio Michele doveva fare lo sbirro?

Francesca si alza, lascia Giulia addormentata sul sedile di plastica. Protesta con l'infermiera, non è possibile aspettare tutto questo tempo, la bambina sta molto male. Ancora pochi minuti, la conforta l'infermiera. Lo dice poco convinta, ma cosa potrebbe dire a una madre spaventata? È qui, tutta sola, magari è separata, pensa l'infermiera, magari la bambina non ha neppure un padre.

Francesca torna al suo posto, dà una carezza alla bimba, che socchiude gli occhi. Come stai principessa, le chiede, e mentre lo dice pensa alla Giovanna, poveretta. Giulia non dice nulla, la guarda soltanto e Francesca si sente sotto accusa: tu sei mia madre, tu devi fare in modo che io non stia male. Si taglierebbe un braccio se servisse, ma non serve.

Ogni tanto prova a chiamare il marito, ma è inutile, il cliente non è raggiungibile, dice la voce preregistrata, provi a chiamare più tardi. Più tardi quando? Io ora devo parlargli. In cinque anni di vita l'ho curata quando stava male, le ho dato lo sciroppo per la gola, l'antinfiammatorio, l'antipiretico. Mi sono fatta una cultura di farmaci, di rimedi, di terapie. Mic ci giocava, le faceva fare la lotta, ma se c'era da mettere una supposta io sapevo quale darle, se c'era da passare una pomata io sapevo come fare. Questa volta ho paura. Le madri le sentono queste cose: guai a chi ce li tocca i figli. Siamo pronte a sbranare per difenderli. Mi dispiace per la Giovanna. Mi dispiace veramente. Ma ci sono altri poliziotti, non sei indispensabile, Mic. Ci sono altri poliziotti, ma Giulia ha un solo padre. Dove sei Mic?

12

«Stiamo lavorando alla cazzo di cane» disse rabbioso Ferraro. «Tu e le tue manie da Rambo. Dovevamo venire prima ad interrogare i vicini di casa.»

«Che cazzo abbiamo ottenuto, alla fine? Nessuno sa nulla. Qui la Giovanna, cioè, anzi, Federica Scaiola, non la conosce nessuno. Tipa appartata, tranquilla, morigerata. Casa sua, l'hai vista anche tu: linda, in perfetto ordine...»

Camminavano verso la macchina, i lampioni erano accesi già da un paio d'ore, l'aria si era fatta fredda.

«Sì, però la sua automobile è qui, cazzo!»

«E allora?» Comaschi alzò gli occhi verso un'insegna luminosa. «Ehi... ci facciamo un panino? Io muoio di fame...»

«Ma come cazzo ti viene voglia di mangiare, quando...»

«Senti un po', missionario. Io sto lavorando, d'accordo? E ora mi prendo la pausa dovuta, come da contratto. Ancora un paio d'ore e stacco, e buonanotte ai suonatori.»

Entrò nel bar senza neppure aspettarlo. Ferraro gli si fece dietro.

«Comaschi...»

«Vaffanculo, Ferraro, non ti sopporto quando ti metti a dare lezioni di vita.»

Si sedette. Ferraro fece lo stesso.

«Cosa vuoi dire?»

«Hai capito benissimo. Mi dispiace per la Giovanna, era simpatica, un po' troppo frollata per i miei gusti altrimenti un pensierino ce l'avrei pure fatto. Ma è lavoro, d'accordo? Noi stiamo facendo il possibile. Io i miracoli non li so fare e non mi interessa neppure farli. Sono quasi le nove, ho fame, tempo di mangiare un panino e andiamo al Monumentale. Se Mamadù non ha fatto lo stronzo magari abbiamo una pista. Altrimenti lascio la patata bollente a qualcun altro e me ne vado a dormire.»

Era il bar più anonimo del mondo, uno di quelli «avanti happy hour» (cioè di quelli che se chiedi un aperitivo ti danno un crodino schizzato col bianco e se ti va di lusso due patatine smorte e una pacca sulle spalle). Praticamente vuoto, con alcune sedie già girate sui tavoli e un ragazzo che passava lo straccio per terra.

Arrivò il gestore: «Noi staremmo chiudendo, a dir la verità...»

Comaschi sbuffò, scocciatissimo.
«Non ce li può fare due panini? Siamo poliziotti» mostrò il distintivo.
L'uomo fece una faccia arrendevole. «Se mi promettete di fare in fretta... non vorrei che poi i vigili...»
«Ci parlo io con i vigili, non si preoccupi.»
«Come li volete?»
«Faccia un po' come le pare.» Poi a Ferraro: «Tu hai delle preferenze?»
«No, va bene tutto... magari mi porta anche una birra.»
«Ecco, bravo. Due birrette fresche fresche.»
«D'accordo. Allora ci penso io, le faccio la specialità della casa.»
Se ne andò, tutto contento di far assaggiare ai due poliziotti l'invenzione culinaria che lo riempiva d'orgoglio davanti agli amici e ai conoscenti tutti. Basta poco, alla fine, per fare felice un uomo.
«Tu dici: la macchina. È vero, è ancora qui. E allora?»
Mentre lo diceva si svuotava le tasche. Sul tavolo appoggiò di tutto: chiavi, monete, il portafogli, il cellulare, anche un paio di foto della Giovanna che gli erano servite per gli interrogatori con i vicini di casa.
«E allora vuol dire che non è andata in Comasina in macchina.»
«Questo lo sapevamo già.»
«No, no... intendo... che forse l'hanno ammazzata qui, e poi l'hanno portata lì, sul prato.»
«Perché? Magari semplicemente aveva un appuntamento in centro e non voleva guidare. Magari la macchina è rotta, dovremmo farla visionare dalla Scientifica. Come fai ad essere così certo?»
Voleva rispondergli: l'istinto. Ma non bastava neppure a lui. In realtà girava a vuoto, non sapeva dove sbattere la testa e la cosa gli dava talmente fastidio che cercava in tutti i modi di dare la colpa al suo collega, per non dover ammettere a se stesso che si era incaponito a voler trovare una pista, e subito, come se lo dovesse personalmente alla Giovanna. Ma

questo era un errore macroscopico, Comaschi aveva ragione: non è una missione, questa, è lavoro. Bisogna saper prendere le giuste distanze altrimenti non si ottiene nulla, se non una fastidiosissima gastrite duodenale. Si invecchia in fretta a voler fare il poliziotto in questo modo. Ma, alla fine, voleva invecchiare facendo il poliziotto? Aveva ragione sua moglie, alla fine?

«E anche se fosse?» continuò Comaschi. «Sapevano dove abitava, l'hanno aspettata sotto casa, caricata in macchina e portata chissà Cristo dove. L'hanno massacrata di botte e poi scaricata sul prato della Comasina. Mi pare plausibile, no?»

In effetti lo era.

Proprio in quel momento arrivarono i panini. «Ecco qua. Ci ho messo la bresaola e la robiola. E anche...»

«Sshh... non mi dica tutto che mi toglie la sorpresa» disse ammiccante Comaschi.

Il barista appoggiò sul tavolo le birre. Ferraro si accorse che guardava le foto con attenzione. Ne prese una e la avvicinò all'uomo: «La conosce?»

«Certo. È una mia cliente.»

«Davvero?»

«Viene qui quasi tutte le mattine. Fa colazione e poi va via.»

«Sa come si chiama?»

«Beh... sì... cioè so che si chiama Federica. La signora Federica. Ma se mi chiede il cognome io non lo so...»

Si avvicinò anche il ragazzo che faceva le pulizie, curioso. «Perché la state cercando?» chiese.

«La conosci anche tu?»

«Viene sempre qui.»

«Sai che lavoro fa?»

«L'infermiera.» Guardò meglio la foto, come per accertarsi che non stesse sbagliando. «Ma è successo qualcosa?»

«L'hanno uccisa» disse Comaschi addentando il panino.

I due parvero smarriti. «Ma... e perché? Com'è successo?»

Comaschi non perse l'occasione di diffondersi in particolari, roba da far ribaltare lo stomaco anche ad un anoressico. E mentre spiegava addentava, indifferente. Ad un certo punto i due si allontanarono, allucinati, ognuno con una scusa diversa.

Giusto il tempo di un sorso di birra e poi Comaschi si rivolse al collega: «Non ti fermi mai, eh? Che bisogno c'era di fargli tutte quelle domande?»

«E tu che bisogno avevi di fare lo stronzo? Il ragazzo sembrava stesse svenendo da un momento all'altro.»

«Che ti devo dire? È la mia indole melodrammatica.»

Proprio in quel momento il cellulare di Ferraro iniziò a squittire. Gli erano arrivati tutti assieme una decina di messaggi dal suo gestore di rete che lo avvertivano che era stato chiamato, nelle ultime due ore, sempre dallo stesso numero. Francesca. Ma dove cazzo ho la testa? Questo cellulare di merda che va quando gli pare. Devo chiamarla subito. Compose il numero, ma dall'altra parte non c'era segnale. Strano.

Comaschi era già in piedi. «Lascia stare, pago io» disse al collega, mentre si rimetteva in tasca tutte le sue carabattole.

«A buon rendere.»

«Mi dice quant'è?»

«Niente. Offre la ditta.»

«Non se ne parla proprio. Che poi dicono che ce ne approfittiamo.»

«Ho chiuso la cassa, se la faccio pagare senza darle lo scontrino sono un fuorilegge» disse, sorridendo, l'uomo.

«In quel caso l'arresto io» chiuse Comaschi. Poi fece ciaociao con la mano andando verso l'uscita.

«Prendetelo quel figlio di puttana» disse il ragazzo ai due.

«Cosa?» chiese Ferraro.

«Prendetelo quel bastardo» riprese l'uomo alla cassa.

Forse era per questo. Per questa retorica da film poliziesco di quart'ordine che lo faceva. Forse solo per il suo narcisistico orgoglio da sbirro.

13

«Che brutta tosse» continuava a ripetere il pediatra mentre auscultava i polmoni di Giulia. «Facciamo subito una radiografia» aveva concluso. Ora la bimba è nella sala radiologica e la madre continua a fare avanti e indietro per il corridoio. Un'infermiera zelante le ha chiesto di spegnere il cellulare, che in ospedale dentro quelle corsie deve stare spento, interferisce con i macchinari, com'è che bisogna sempre spiegarvelo?

Eccoli che escono. Francesca si avvicina alla bimba: «Come va, tesoro?» Che domanda stupida, sta malissimo, è pallida come un cencio.

«Aspettiamo la radiografia» dice l'infermiera. «Accomodatevi qui.»

Il dottore ha comunque somministrato un antipiretico alla bambina. La febbre sembra calata, ma di poco, Giulia continua a tremare.

«Hai fame, amore? Vuoi mangiare qualcosa?»

«Mi fa male la gola, mamma.»

Non ha fame, non vuole nulla. Vuole stare bene il mio cucciolotto spaventato.

«Adesso passa tutto, non ti preoccupare. Cosa ti ha detto il dottore? Devi avere pazienza.»

Come puoi spiegarlo a una bambina di cinque anni cos'è la pazienza, quando tu, proprio tu, non fai altro che ondeggiare avanti e indietro col corpo, continui ad agitare la gamba, che sembra impazzita, indipendente dalla tua stessa volontà?

Una volta portò suo padre in ospedale. Sembrava una visita di routine, niente di cui preoccuparsi. Il dottore le fece capire che la cosa era più grave di quello che sembrava. Francesca si stupì della propria capacità di mantenere la calma, della sua razionalità: chiedeva, si informava, quasi stesse accadendo ad uno sconosciuto. Eppure adorava suo padre. Cosa succede con i figli, perché tutta questa agitazione?

«Sai cosa ti dico? Abbiamo il gelato a casa. Quando torniamo ci mangiamo tutta la vaschetta, vuoi? Che gusti preferisci? C'è la crema, il cioccolato, il pistacchio.»

«Il pistacchio» dice la bimba, e sembra quasi voglia fare un piacere alla madre.

Gli stessi gusti del padre. Questo non me lo dovevi fare, Michele. Non questo.

Passa l'infermiera. «Signora, sono quasi le dieci, avete mangiato qualcosa?»

«La bimba non ha fame...»

«E lei?»

«Non ha importanza.»

Mia figlia sta male, non ho nessun diritto di mangiare. Devo stare qui, presidiare il territorio, proteggere il mio cucciolo dalle belve fameliche.

È passato un altro quarto d'ora, Giulia si è addormentata di nuovo. La fronte è più tiepida. Il duodeno di Francesca singulta, indifferente alle emozioni, ai turbamenti. È un corpo sano, il suo, che chiede energia chimica.

Ecco che arrivano le radiografie. Il dottore le alza verso il neon sul soffitto, pare voglia guardarci attraverso. Supera Francesca, va verso il fondo del corridoio, accende una lavagna luminosa, appende le lastre che sembrano disegnarsi davanti ai suoi occhi. Francesca non sa se deve avvicinarsi o se deve restare con la figlia. Sono in tre a guardare le lastre: un radiologo, il pediatra e l'infermiera. Francesca cerca di decrittare le loro espressioni, ma sono impassibili, statue di sale. Solo l'infermiera scuote la testa, serra le labbra, appare dispiaciuta. Il pediatra indica delle macchie bianche, piccoli cerchi perfetti, leggibili anche da lì.

Non ce la fa. Si alza, adagia la testolina della bimba sul sedile, supera il corridoio, va verso di loro. È a metà strada e qualcosa le esplode nelle orecchie. È una frase detta sottovoce dal pediatra, di spalle: «Sembrano delle metastasi» ha detto. L'ha detto. L'ho sentito benissimo. L'ha detto. Il cuore salta un paio di battiti, si sente svenire. L'infermiera si accorge di lei, guarda con disprezzo il medico, poi allunga il passo verso Francesca.

«Signora, torni al suo posto, non lasci la bambina.»

«Cosa succede?» chiede la madre. La Madre. Io sono la Madre. «Che cosa...» Non sa neppure come dirlo.

I due uomini si girano verso di lei.

«Stia calma, signora. Dobbiamo fare altre analisi.»

«Che cos'ha mia figlia?» È mia figlia. È mia. L'ho tenuta nella pancia per nove mesi. Ho urlato di dolore per farla nascere, ho pianto di gioia quando me l'hanno messa sul grembo. È mia figlia, io sono la Madre. Tagliatemi un braccio. Asportatemi il cuore. Non fate niente alla mia bambina, io sono la Madre, non fatele del male.

«Non si preoccupi, signora. Deve restare calma. Non lo sappiamo ancora che cos'ha. Magari è una sciocchezza.»

«Che cos'ha mia figlia?» La voce si fa stridula, le mani le formicolano, le gira la testa.

«Gliel'ho già detto. Non lo sappiamo ancora. Conviene fare una TAC, così ci togliamo ogni dubbio.»

Francesca ha un conato. Ma lo stomaco è vuoto, le esce un filamento di bile dalla bocca. L'infermiera la prende sottobraccio. I suoi occhi sono d'acqua. È una madre anche lei.

14

Non c'è maschio milanese che nell'età dei brufoli e degli ormoni impazziti che vagano grossi come padelle in giro per l'aria, non abbia fatto il suo patetico rito di passaggio: il *puttantour*. Ciclicamente cambia la zona, ciclicamente c'è qualche retata, dopo l'ennesimo appello pubblico di indignati padri di famiglia (gli stessi che poi la notte vanno a troie), ciclicamente ne parlano i giornali. Poi tutto rimane com'è. Gli automobilisti arrapati annusano l'aria, la voce gira di bocca in bocca, basta poco e tutti sono di nuovo lì, in fila, a metà strada fra Sodoma e Gomorra, a godersi lo spettacolo dei travesta che ti fanno la linguaccia, dei troioni che mettono una mano nell'abitacolo e ti saggiano la consistenza dei testicoli, delle puttane attorno al fuoco, che ridono, fumano, si accapigliano.

Lo sanno anche loro, povere anime, che quando in macchina sono in tre o quattro non c'è trippa per gatti. Sono solo ragazzi che vogliono trasgredire, qualcuno ha preso da poco la patente e si carica gli amici per un sabato sera diverso. Qualche birra per pomparsi e via a farsi un bel *puttantour*. I clienti abituali si scocciano. Insomma, tutto questo traffico inutile! Non si può andare a puttane che rischi di trovarci tuo figlio che fa il coglione con gli amici della parrocchietta. Che brutta cosa invecchiare. Come fanno a non ricordarsi che pure loro, vent'anni prima, facevano le stesse cose? È per questo che le puttane sono accondiscendenti. Diciamo che si curano la clientela fin da ragazzi. Ché appena uno di questi sbrocca e si ammazza di pippe sotto il banco di scuola, pensando a una di queste femminone che gli ha palpato i pettorali la sera prima (e lui ne rideva sbruffone con gli amici), statene certi che farà il matto per andarci da solo, una sera, goldoni nuovi nel portafogli regalato per la cresima, ad appartarsi con l'oggetto dei suoi desideri, dietro chissà quale anfratto.

Da un po' di anni sono arrivate anche le negre. Prima dal Brasile, poi dalla Nigeria. All'inizio aveva un che di esotico, poi, però, piano piano, vedere sempre meno zoccole nostrane faceva venire quasi nostalgia. È proprio vero, vengono qui e ci rubano il lavoro! C'era da prendere qualche misura protezionistica, altrimenti i nostri figli scoperanno solo con africane dal culo prominente! Nessun problema; il mercato (che cosa fantastica il liberismo!) si è subito autoregolato. Ecco il muro che crolla, ecco le slave, le ucraine, le bionde. La razza ariana è salva!

15

«Ma quanto cazzo fumi?»

«Una palata di cazzi tuoi, mai, eh?»

Nervosetti gli sbirri. D'altronde, sono qui al Monumentale che girano come due vecchi bavosi, in macchina, che fermi non possono stare per non dare nell'occhio, c'è da capirli.

«Che ore sono?»

«Ci siamo quasi. Vedi? Le sta scaricando tutte...»

Ferraro guardava. Un furgone stava facendo scendere un gruppo di prostitute. Uno di quelli bianchi, anonimi, identico a tanti che vedi alle cinque di mattina, i furgoni dei caporali che caricano i muratori senza permesso di soggiorno e li portano nei cantieri della Brianza, a fare la Padania più bella e più grande che pria. Forse, anzi, è lo stesso. La mattina carica negri, la sera scarica negre. Chi guida è sempre bianco però. No, non sempre, questo qui è più nero del carbone. Capace che è lui.

«Teniamolo d'occhio.»

La macchina si spostava a passo di lumaca, il traffico attorno alle puttane era degno di un esodo estivo.

«Occhei. Ha finito.»

«Lo seguiamo?»

«No, no... poi magari se ne accorge. Se Mamadù non ha fatto lo stronzo vedrai che fra dieci minuti va all'appuntamento.»

«Come ci muoviamo?»

Comaschi ordinò le idee: «Adesso parcheggiamo anche noi. Poi... io mi metto vicino all'ingresso dei vigili, tu stai sul marciapiede di fronte.»

«Ma mica è lì l'appuntamento! Ci sono le telecamere all'ingresso.»

«Sì, ma non posso mica aspettarlo vicino al lampione, no? C'ho la faccia da negro io?»

«Ma perché continui a dire *negro*?»

«Come dovrei dire? A me 'sta cosa del politicamente corretto mica l'ho capita! *Negro* è una parola italiana, da mille anni. Non è mai stata un insulto. È colpa degli americani, che dicono *negro* oppure *black*. Ma per noi è lo stesso, no?»

«Beh, non so...»

«Ma scusa... e gli spagnoli?»

«Cosa c'entrano gli spagnoli?»
«Sai come si dice *nero* in spagnolo?»
«Boh.»
«*Negro*. Si dice *negro*. Sono tutti razzisti?»
Pure un collega filologo dovevo trovarmi. Chissà cosa avrebbe detto Lanza...

Parcheggiarono e si misero in posizione. Cinque minuti. Dieci minuti. Quattro sigarette dopo, una figura intabarrata in un pastrano color piombo, berretto calcato sulla zucca e fare guardingo, apparve dal nulla a due passi dal lampione incriminato.

Comaschi si mosse, tranquillo come una pasqua. Ferraro fumava dall'altra parte della strada, saltellando leggermente. Per il calendario ormai era primavera, ma Milano non l'aveva ancora capito. Comaschi si avvicinò all'uomo, gli disse qualcosa. Ovviamente Ferraro non poteva sentirli, le macchine su via Messina facevano avanti e indietro come ad una sfilata di auto d'epoca.

Poi qualcosa andò storto. Il tipo si mosse all'improvviso, Comaschi non fece in tempo ad agguantarlo. Iniziò un fuggi fuggi concitato. Il tipo davanti, Comaschi dietro, dall'altra parte, in parallelo, Ferraro. Superato il secondo lampione era già in iperventilazione, al terzo malediva Philip Morris, sua madre e tutta la sua famiglia, al quarto erano arrivati all'incrocio con via Cenisio. Al posto di girare a destra, il fuggitivo attraversò la strada, evitò un tram, rimbalzò sul cofano di una macchina. Ferraro intuì il suo percorso e continuò di corsa verso il prosieguo di via Messina. Devo smettere di fumare, era l'unica cosa coerente che riusciva a formulare in quel momento. Il cuore pompava all'impazzata, ancora trenta metri a questo ritmo e avrebbe visto la madonna di Medjugorje baciarlo sulla bocca.

Il negro buttò un occhio dietro le spalle, vide Comaschi molto più indietro, bloccato da un tram di passaggio. Giusto il tempo di caracollare sul marciapiede, quasi rilassato, che Ferraro fece uno zompo e gli rovinò addosso. L'altro non se l'aspettava proprio, non se n'era neppure accorto di Ferraro. Il capitombolo fu doloroso. Ruzzolarono per un paio di metri, quando finalmente apparve Comaschi, con gli occhi fuori dalle orbite e la pistola d'ordinanza in bella mostra.

«Stai fermo, stronzo.» Doveva essere un urlo, era uno strazio. «Fermati ho detto, alza le mani, pezzo di merda.»

Puntò la pistola ad alzo zero.

«Ehi, ehi, che cazzo fai, che cazzo fai?» disse il tipo, spaventatissimo.

«Alza le mani, immediatamente...»

«Alzale tu, e subito» disse qualcun altro, apparso dal nulla.

Ferraro si guardò attorno. Saranno stati almeno in tre, tutti armati fino ai denti.

«Metti giù quella pistola. Con calma.»

«Chi cazzo siete?»

«Chi cazzo sei tu! Noi siamo carabinieri. E ora ti spacchiamo il culo!»

16

Tutti, andavano bene tutti. La guardia di finanza, i vigili urbani, i forestali, persino la guardia costiera. Ma cazzo, i carabinieri no. Fare la figura dei coglioni con i caramba è una cosa che uno sbirro non sopporta mai molto volentieri.

Se ne stavano stipati dentro un grosso furgone, TRASLOCHI PEPPINIELLO, PREZZI MODICI, parcheggiato a pochi passi dal cimitero. Uno di loro sempre con una cuffia calata sulle orecchie, intento ad ascoltare chissà cosa. La posa era professionale ma magari seguiva la partita. Gli altri tutti intenti a dimostrare quanto Ferraro e Comaschi fossero imbecilli in quanto pulotti.

«È tre mesi che stiamo addosso al racket, se ci avete rovinato la copertura vi faccio trasferire nel Sulcis.»

«Ma che ne potevamo sapere noi? Da quando avete un negro nell'arma?»

«Brutto stronzo.» L'ex fuggitivo si scaraventò addosso a Comaschi. «Come cazzo mi hai chiamato?»

Probabilmente la filologia romanza non era argomento da trattare in questa sede.

«Calma, calma, tutti quanti...»

Ferraro riassunse in poche parole l'intera questione: Amina, la Giovanna, Mamadù.

«Siete completamente fuori strada. Il giro delle prostitute è in mano ai calabresi in accordo con un gruppo di nigeriani. Sono nuovi del giro, ma dalle nostre informazioni non è gente che viene dalla Puglia. Non so chi sia questo Johnny di cui parlate, ma non c'entra nulla con l'omicidio della vostra prostituta. Poi, detto tra di noi, mi sembra addirittura troppo plateale come avvertimento. Avrebbero potuto fare il lavoro con più circospezione.»

Certo, da fuori sembra tutto facile. Voglio vedere te a trovare il bandolo della matassa nel giro di mezza giornata...

Li lasciarono in piazza Firenze, come due sfigati qualunque. Dovettero tornare a piedi alla macchina, occhi bassi, vergognosi.

«Chi lo fa il rapporto?» chiese all'improvviso Comaschi.

«Lo fai tu, che sei amante delle belle lettere...»

«Che due palle...»

«Se vuoi possiamo andare a cercarci un negro da massacrare di botte, così chiudiamo in bellezza la giornata.»

«Ferraro: vaffanculo!»

«Eh no caro mio, adesso ti dico una cosa...»

Ma non gliela disse. Proprio in quel momento gli squillò il cellulare. Ferraro diede un occhio al display. Mimmo?

«Pronto, Mimmo, che succede?»

«Ma che cazzo c'hai nella testa? Sterco di vacca?»

«Cosa?»

«C'è Francesca che sta telefonando a mezza Milano. Non riesce a trovarti, è disperata.»

Oddio, Francesca. Se l'era completamente scordata. Questo telefono di merda che funziona quando vuole lui! Come se poi fosse colpa del telefono...

«È successo qualcosa?»

«Brutto coglione! È al pronto soccorso, con Giulia. Non so che cos'abbia, non me l'ha detto. Ti cercava, era veramente a pezzi.»

Cristo santo. «Vado subito. Ciao.»

«Aspetta, imbecille, dove vai? È al San Carlo, hai capito? Che tu saresti capace di cercarla al Fatebenefratelli!»

17

«Signora, lei deve mangiare qualcosa.»

«Lasci stare, non ha importanza.»

«Ascolti. Adesso la bimba sta facendo la TAC, ha tutto il tempo per andare in fondo al corridoio, sulle scale ci sono le macchinette. Si prende un cappuccio, un cornetto...»

«No, no... la ringrazio, veramente...»

«Facciamo così. Vado io. Le prendo io qualcosa.»

Voleva confortarla, ci sarebbe stato da ringraziarla. Ma Francesca non era dell'umore giusto per essere grata ad alcuno. Mancava solo che questa tornava con una guantiera di pasticcini.

«Va bene» disse per togliersela dai piedi. «Mi ha convinto. Vado io, però...»

Si alzò: le doleva ogni giuntura del corpo.

«In fondo al corridoio» insistette l'infermiera, «sulla destra.»

Francesca sapeva benissimo dove andare, aveva passato l'ultima ora avanti e indietro su quelle scale, per non disturbare i pazienti, con il cellulare in mano a chiamare, chiamare, chiamare. Avrebbe potuto prendersi un caffè già da tempo. Ma lo stomaco era stretto come un pugno. Decise di camminare per cercare di abbassare la tensione. Uscì dal laboratorio, girò per il corridoio, le luci erano basse, oltre i vetri era tutto nero. Arrivata alla porta delle scale non girò a destra ma proseguì. Pochi passi e il corridoio voltava a sinistra, in un *cul de sac* al termine del quale qualche anima pia aveva messo un paio di sedie di fronte ad un altare improvvisato. Sulla parete in fondo una riproduzione oleografica del Padre Eterno, nimbo triangolare in testa, barba alla Zeus, mano tesa in una posizione che non si capiva se stesse benedicendo o lanciando qualche fulmine sulla testa del primo che passava di lì. Un piccolo lumino rosso faceva ondeggiare la sua fiammella agonizzante. Francesca si sedette, distrutta dalla fatica.

Padre nostro che sei nei cieli. Non smetterò mai di odiarti. Ogni giorno che passa io ti odierò, di ora in ora, di giorno in giorno, sempre di più, nei secoli dei secoli. Perché sei un padre egoista, un dio geloso. Perché sei un padre. E come tutti i padri sei assente. Nel giorno della morte di tuo figlio non c'eri. Ma sua madre era lì, sotto la croce, a straziarsi il cuore. Come si fa ad essere così crudeli?

Mia figlia non me l'hai data tu, non me la toglierai tu. Non hai riso insieme a me la prima volta che si alzò in piedi e ondeggiò verso le mie braccia, non ti sei commosso insieme a me la prima volta che mi chiamò per nome. Eri troppo preso a fare il tuo lavoro, eri troppo preso nella tua parte di padre. Non ti perdonerò mai. Non perdonerò mai mio padre che continua a fumare indifferente ai medici che gli hanno detto di smettere, e subito, se ci tiene alla pelle. Ma lui insiste, arrogante. La vita è sua, dice. Perché lui è un padre, non deve rendere conto a nessuno. Non a me. Non a sua nipote Giulia che lo adora con tutta se stessa. Non ti perdonerò mai. E non perdonerò mai Michele per quello che mi ha fatto oggi. Nessuna madre può essere così forte da sopportare uno strazio simile da sola. Non ti chiedo nulla, non ti prego, non ti imploro. L'ho fatto per troppi anni. Ho accettato tutto per troppi anni. Guardami. Guarda i miei occhi. Ho pianto tutte le lacrime. Tutte. I miei occhi sono stanchi. E asciutti.

18

«Lei chi è, scusi?»

«Sono il padre di Giulia Ferraro.»

«Ah» esclamò l'infermiera, con lo sguardo pieno di disprezzo. «Ha avuto un impegno di lavoro?»

«Come, scusi?»

«È la scusa tipica. Il lavoro.»

Ma chi cazzo è questa stronza?

«Dov'è la bambina? E mia moglie?»

«Venga con me...»

Attraversarono un corridoio, poi l'infermiera aprì una porta e fece accomodare Ferraro in una piccola sala d'aspetto.

«Francesca» chiamò.

La moglie stava parlando con il pediatra. Si girò appena, poi tornò a parlare col medico.

«La bambina è molto stanca e debilitata» continuò il medico, quasi che Ferraro fosse un fantasma. «Io la terrei una notte qui in osservazione.»

Ferraro si avvicinò ai due. Allungò una mano al dottore. «Sono il padre» disse solo. «Che cos'ha mia figlia?»

Il medico gliela strinse, con indifferenza.

«Le faccio vedere.» Si avvicinò allo schermo dove erano appese le lastre della bambina. «Sua figlia è arrivata al pronto soccorso con evidenti stati febbrili prolungati e una tosse assai perniciosa. Abbiamo subito fatto delle radiografie, vede?» Indicò la lastra.

«Sì» disse in trance Ferraro.

Ogni tanto guardava Francesca, come a chiedere una spiegazione. La guardava e quasi non la riconosceva, sembrava invecchiata di vent'anni. Non pareva neppure triste. Piuttosto pacificata, anzi no, di più: svuotata.

«Vede qui?» insisteva il medico. «Vede queste macchie bianche, circolari?»

«Sì, le vedo...» disse impaziente. «Dottore, cos'ha mia figlia?»

«Per toglierci ogni dubbio abbiamo preferito fare una TAC» continuava il pediatra, quasi fosse obbligatorio dover ripercorrere tutta la trafila. Non poteva arrivare direttamente alle conclusioni?

«Che dubbio? Quale dubbio?»

Solo allora il medico smise di guardare le lastre e degnò di uno sguardo Ferraro.

«Si calmi, signor Ferraro, sto cercando di spiegarle che le radiografie infantili sono sempre molto complesse da decifrare, proprio per non sbagliare diagnosi...»

Cazzo, questa passione dei medici di dimostrarsi sempre così dotti. Ogni volta che andava a Medicina Legale a Ferraro veniva sempre voglia di strozzare qualcuno.

«Dottore, che cazzo ha mia figlia? Me lo vuole dire o no?»

«Calmati, Michele.»

Era la prima cosa che gli diceva da quando si erano visti. Datti una calmata, finiscila di fare il buffone. Arrivi tu bello bello e vuoi subito arrivare al dunque. Sono tre ore, secondo dopo secondo, minuto dopo minuto, che mi si torcono le budella. Sta' zitto, ora. Zitto.

«Queste macchie potevano essere confondibili con una riproduzione neoplasica.»

«Ma che cazzo sta dicendo? Si può sapere? Me lo può dire in italiano corrente?»

«Calmati, Mic.»

«Col cazzo che mi calmo!»

Il medico apparve offeso. Mai un po' di rispetto per la scienza. È proprio vero, parlare con certi bifolchi è come dare le perle ai porci.

«Signora, ci parli lei con suo marito. Trovo veramente complicato comunicare in queste condizioni» disse tutto altero, lasciandolo lì come un coglione qualunque.

«Ma dove cazzo vai, stronzo?»

Il medico, però, era già uscito dalla stanza.

«La vuoi finire? LA VUOI FINIRE?»

«Francesca, io... insomma...»

«Come cazzo fai ad essere così stronzo? Dove sei stato fino ad ora? Dove cazzo eri?»

I suoi occhi luccicavano di un odio meditato, distillato, inevitabile.

«Fra', ascoltami.»

«Stai zitto. ZITTO. Vieni qui, ti metti a fare il padrone, urli, ma come ti permetti?»

La guardava ammutolito. No, di più. Spaventato.

«Fra'... come sta Giulia?» sussurrò.

«Come sta?» rise, isterica. «Sta che fino a un quarto d'ora fa le lastre... Queste qui» indicò anche lei i rettangoli di plastica appesi, «queste cazzo di lastre» iniziò a picchiare sullo schermo luminoso, «dicevano che Giulia aveva delle metastasi ai polmoni.»

Ferraro sentì cedere le spalle.

«C... cosa?»

«E tu non c'eri, brutto stronzo. Tu non eri qui quando me lo dicevano.»

«Giulia ha... vuoi dirmi che...»

«E invece no, cazzo. No. No. No!» Gli occhi erano gonfi. Ma lei faceva di tutto per non piangere, come se non volesse dargli anche questa soddisfazione. «Le hanno fatto una TAC e non ha un cazzo di niente. Ha una *polmonite a palla*. Ma si può avere un nome così stronzo, così stupido?»

«Che cos'ha?»

«Una polmonite di merda. Sarà stato un virus, l'avrà preso a scuola. Le diamo un antibiotico per una settimana e passa tutto. Capito?»

«Beh... ma... scusa... è una bella notizia, no?»

Francesca aveva tutte e due le mani sul volto, continuava a massaggiarsi le tempie.

«Tu» disse poi, calmissima. «Tu... vieni qui, tranquillo. I giochi sono fatti. Vieni qui e tua figlia ha una semplice polmonite. Ed è una cosa bellissima. È la cosa più bella del mondo. Ma dov'eri due ore fa?»

«Fra'... patata...»

«Non chiamarmi così...»

«Lo sai anche tu... stavo cercando l'assassino della Giovanna.»

Francesca si tolse le mani dal volto. Lo guardò negli occhi, spiritata.

«E l'hai preso? Almeno l'hai preso?» Ferraro fissava la moglie, in un silenzio colpevole. «Allora, l'hai preso?»

«No» sussurrò abbassando lo sguardo.

«No? No?»

Iniziò a picchiarlo sul petto, con tutta la violenza possibile, sfogando una rabbia repressa da troppo tempo.

«Francesca...»

«Non l'hai preso. Non l'hai preso...» E pestava, aggressiva. «A cosa è servito tutto questo, allora? A cosa?»

19

È che si è sempre creduta una gran dama, ecco la verità. Sì, è proprio così. Veniva qui, faceva tanto la timida, signora Federica di qui, signora Federica di là... il caffè ristretto in tazza calda, il cornetto senza crema che poi ingrasso. Tanto brava persona, tutta casa e chiesa, certo, come no. Il cornetto lo prendeva senza crema perché a lei ne piaceva un'altra di crema, a quella gran troia. Eh, ma io le conosco le tipe così, tutte uguali. Più hanno la puzzetta sotto il naso e più sono zoccole. Ma no, ma cosa dici, è una santa donna, ha la figlia che studia in Germania, una così brava ragazza. Sì, sì, come no... poi però, l'altro giorno, che passo in macchina per una consegna e mi faccio tutta l'Enrico Fermi, e mi perdo sul cavalcavia, poi però, quando passo vicino a quel prato e la vedo, quella puttana, che è lì che batte insieme a quella negra, ma dai, ma insomma, ma vedi che avevo ragione io? Fai tanto la sciura e alla fine, altro che infermiera!, sei una troia come tutte, alla fine, sì, è così! E mi vieni poi ieri mattina al bar, che ore saranno state?, e io che stavo ancora con la saracinesca mezza abbassata, me lo fa un caffè ristretto? E un cornetto senza crema, giusto? Certo, Luigi, lei sì che mi conosce bene. Certo che ti conosco, vorrei dirle, certo che lo so, sei una puttana, io l'ho sempre saputo, cazzo se l'ho sempre saputo! E poi lei che mi dice che vuole andare in bagno, e io, ma vada pure, attenta però che la chiave non funziona. Ma tanto c'è solo lei, signor Luigi, no? No? No? No? Allora, cosa dovevo pensare? Cosa credi che non ho capito? E allora io guardo in giro, lei entra, si starà tirando giù le mutandine ora. Mi guardo in giro. Asciugo i bicchieri, starà pisciando nel vaso ora. Mi guardo in giro. Lo faccio. Sì lo faccio. Abbasso la saracinesca, vado di là, entro, lei mi guarda con gli occhi di fuori. Ma signor Luigi, ma come si permette. Come? Come mi permetto? Puttana, sei una puttana. Ciucciami il cazzo, puttana. Lei si guarda, è ancora seduta sul vaso, il bagno è stretto, lo dico da anni che devo ristrutturare, se se ne accorgono quelli della ASL poi mi danno un multone, devo fare il bagno per gli handicappati. Ciucciamelo, dai, mi scoppia nei pantaloni, lo tiro fuori, è gonfio, lei caccia un urlo. Stai zitta puttana. Ti prendi nel culo i cazzi di tutti quei vecchi e mi rompi i coglioni? Cosa credi? Ti ho visto fare la battona, com'è, il mio manico non ti piace? Piglialo in bocca, le dico, e le do uno schiaffo che le stampo le mie cinque dita in faccia. Sono forte, io. Prova tu a portare tutte quelle casse di birra, giù in magazzino. Sono un lavoratore, io. Una persona seria, rispettabile. Mi tiro un culo così, pago le tasse, e questa troia scopa, si diverte e guadagna tutto in nero. Eh no, bella mia, adesso me lo prendi in bocca, che cosa sono io, l'ultimo degli stronzi? Così brava, così, lo vedi che ti piace alla fine? Fai tanto la preziosa, ti metti a piangere, ma poi, vedi, ecco cosa volevi da me. Neppure un minuto e le sborro in faccia. Cazzo se sei brava, sei proprio una professionista. Ma non ti credere che abbiamo finito. E no, bella. E allora lei, la stronza, mi dà un morso sull'uccello. Un male. E no, porca puttana, i gioielli di famiglia non si toccano, brutta troia. E le do un pugno in faccia che sento i denti spaccarsi. Sei una troia, guarda cosa mi hai fatto, e le prendo i capelli, le sbatto la testa contro il muro. Sei una troia, mi hai fatto male. Ma dietro la testa c'è la manopola del passo rapido.

Appena faccio la ristrutturazione metto il pedale, per l'acqua, è più comodo. La manopola invece è d'acciaio, al secondo colpo la testa mi scoppia in mano, ci sono pezzi di cervello che schizzano ovunque. Brutta puttana, guarda cosa mi hai fatto fare. Faccio in fretta, la metto in un sacco della spazzatura. Dopo torno e lavo tutto. Devo farla sparire. Via, in macchina, la porto lì, dove batte. Diranno che è roba di troie. Non mi trovano, non mi trovano. Non sospetteranno mai di me, io sono una persona seria, a modo. Non la conoscevo neppure, buongiorno e buonasera. Io sono sempre qui, faccio i miei panini, la mia specialità è quello con la bresaola e la robiola. Il trucco è che sopra ci metto uno schizzo di limone e un filo d'olio d'oliva, ma di quello buono, extravergine, che io i miei clienti mica li imbroglio. Che se fai bene il tuo lavoro, stanne certo che tornano.

20

La valigia è pesante ma ha le rotelle sotto e Amina si muove comoda. Ha messo dentro tutto quello che poteva, il resto l'ha lasciato a casa. Che ormai non è più casa sua. Ora deve solo decidere: per tutta la notte ha pensato alla Val d'Aosta. Non è mai stata sulla neve, potrebbe essere divertente. Ma poi, meglio di no, metti che si stufa? Allora vada per la Liguria, al sole. Ci vanno molti milanesi, magari ritrova qualche vecchio cliente. Ha un po' di soldini nel reggiseno, i primi tempi saranno duri, bisognerà trovare il posto giusto dove ricominciare a lavorare.

Forza, allora, andiamo al binario. Proprio in quel momento le passa di fianco una ragazza. È appena scesa da un treno che viene dalla Germania, Amina sa chi è, ha visto la sua foto tante di quelle volte! I figli sono un dono di Dio, le diceva la Giovanna. Che Amina chiamava zia, ma era un po' come una madre. Samantha le passa di fianco, Amina vorrebbe fermarla, avvertirla: non dare retta a tutto quello che ti diranno, non giudicare tua madre. Ti voleva bene. Era una brava persona.

Ma non lo fa. Giovanna glielo ha spiegato: fatti gli affari tuoi, non apparire, non farti notare. Devi scomparire, nessuno deve sapere che esisti. Non mi troverà mai John, pensa Amina, mentre oblitera il biglietto. Era una brava cristiana la Giovanna, pregherò per lei tutte le sere. Un giorno torno, fra qualche anno torno, John sarà morto, quel bastardo, torno e vado a trovare la Giovanna al cimitero. Cammina sulla banchina. Il treno è lì che la aspetta, al binario. Controlla il numero del vagone. Ad Amina piacciono i treni. È una seconda classe, meglio non esagerare, meglio non farsi notare.

Sali, Amina, sali. Ce la puoi fare, ce la fai, ce la fai.

L'hai fatto.

CHRISTINE VON BORRIES

Una notte a Brancaccio

La Mercedes grigio metallizzato cominciò ad accelerare non appena ebbe imboccato via dei Decollati. A quell'ora di notte il quartiere Brancaccio era deserto. Anche la temperatura, insolitamente fredda per Palermo, aveva contribuito a far restare la gente a casa.

«Hai fretta?» chiese ridendo l'uomo seduto accanto al guidatore.

Il ragazzo non rispose e continuò ad accelerare. Lungo la strada si vedevano costruzioni fatiscenti e campi incolti invasi dai rifiuti. Curvò a destra sfiorando un cassonetto della spazzatura, mentre con una mano afferrava la bottiglia di whisky mezza vuota che l'uomo gli aveva passato. L'alcol aveva iniziato a scaldargli la gola, quando intravide qualcosa muoversi nell'oscurità. Fu questione di secondi. Staccò la bottiglia dalla bocca, versando un po' di whisky sulla maglia e sui pantaloni, strinse più forte il volante con l'altra mano, staccò il piede dall'acceleratore e lo schiacciò sul freno con tutta la forza che aveva. Non poté fare altro. La macchina, con uno stridore assordante, scivolò sull'asfalto ancora lucido per la pioggia e davanti a lui qualcuno si immobilizzò accecato dai fari. Il ragazzo tentò di sterzare, ma non riuscì a evitare l'urto. L'ostacolo era un bambino appena un po' più alto del cofano dell'auto. I suoi occhi lo fissarono paralizzati dalla paura, come quelli di un cerbiatto sorpreso di notte da un cacciatore.

Slittando verso una cancellata, la macchina colpì il bambino facendolo volare in aria. Subito dopo cozzò contro le sbarre e l'impatto violento proiettò i due uomini in avanti. Non avevano le cinture di sicurezza e non andarono a sbattere contro il parabrezza per pochi centimetri. Il silenzio che seguì sembrò irreale, lunghissimo, anche se durò lo spazio di un istante.

«Buttana della miseria!» esclamò l'uomo accanto al guidatore, mentre cercava di aprire la portiera.

Bloccata. Lo sapeva che non avrebbe dovuto cedere alle richieste insistenti del figlio del suo capo. Si era messo in testa di guidare anche se non aveva ancora la patente e quella sera, dopo averlo accompagnato in giro per locali, al quarto whisky aveva acconsentito. Dopo tutto anche lui era stato ragazzo. Ora il suo posto, e anche la sua testa, erano in pericolo.

«Mi è sbucato davanti all'improvviso!» gridò il ragazzo con la voce impastata e resa rabbiosa dalla paura.

Un urlo acutissimo li raggelò. Dallo specchietto intravidero una piccola sagoma chinarsi a terra accanto al corpo del bambino che era stato investito. Il ragazzo rimase con gli occhi fissi su quella scena, mentre l'uomo imprecava stendendosi sul corpo del compagno per afferrare la maniglia dalla parte opposta alla sua. Con uno strattone spalancò la portiera e gridò al guidatore di uscire. Visto che rimaneva immobile, lo spinse fuori e lo seguì, dimostrando un'inaspettata agilità nonostante la corporatura massiccia. Poi prese il ragazzo per le spalle e lo scaraventò dentro l'abitacolo, sedette al posto di guida e provò a mettere in moto. Sospirò sollevato quando sentì il rumore del motore. In quel momento le luci del cortile oltre la cancellata si accesero, proprio mentre la macchina faceva una veloce marcia indietro e ripartiva sgommando.

Dalla chiesa che le luci avevano illuminato uscì un uomo, che si precipitò in strada. Vedendo il bambino riverso a terra, e l'altro che gli sollevava la testa con la mano, si voltò verso gli investitori. L'auto in quel momento imboccò corso dei Mille sparendo alla vista. L'uomo chiuse per un istante gli occhi e ripeté varie volte in silenzio il numero di targa che era riuscito a leggere. Quando fu certo di averlo memorizzato, si occupò dei due bambini. Si inginocchiò accanto al più grande e si accorse che stava mormorando qualcosa.

«Salvo» diceva, «Salvo, rispondi, parlami... Oddio, che ti hanno fatto? È colpa mia, è colpa mia... Salvo, rispondi, Salvo...»

«Rimani qui che vado a chiamare un'ambulanza» cercò di rassicurarlo l'uomo, dopo aver toccato il collo del ferito ed essersi reso conto che il battito si sentiva ancora, anche se era debolissimo.

Si maledisse per non avere preso il cellulare, ma non poteva immaginare cosa fosse successo quando aveva sentito quel frastuono. Aveva solo posato il libro che stava leggendo, per combattere l'insonnia che ultimamente lo perseguitava, e così com'era, in pigiama, era sceso di corsa dal suo appartamento sopra la chiesa.

Tornò in casa il più rapidamente possibile, prese il cellulare dalla scrivania della camera da letto e chiamò ambulanza e carabinieri. Infilò una vestaglia, spalancò il cassetto di un vecchio armadio vicino alla finestra e prese un paio di asciugamani. Fece il percorso inverso e si buttò di nuovo a terra.

Con un gesto gentile ma deciso, spostò il bambino più grande, che in ginocchio sull'asfalto bagnato piangeva, e mise un asciugamano sotto la testa del ferito. Poi osservò il piccolo corpo. La gamba sinistra, sicuramente spezzata, formava un angolo innaturale e all'altezza della spalla destra si vedeva una chiazza di sangue. Fortunatamente non doveva essere una ferita grave, dato che il sangue si era già fermato. Forse erano semplici escoriazioni. L'importante era che non avesse battuto la testa e che non ci fosse un'emorragia interna. Ma quello l'avrebbero potuto stabilire soltanto in ospedale.

L'ambulanza arrivò da corso dei Mille a sirena spiegata e fece l'ultimo tratto contromano dopo aver individuato il bambino in mezzo alla strada.

Padre Torres spiegò in due parole cos'era successo. Gli infermieri, posata una barella a fianco del piccolo, dopo un sommario esame, gli applicarono un collare per evitare ulteriori traumi e lo caricarono con cautela sull'ambulanza. Prima di ripartire, dissero al prete in quale ospedale lo avrebbero portato.

«Come ti chiami?» chiese padre Torres all'altro bimbo.

«Mario.»

«E Salvo chi è?»

«Mio fratello.»

«Tieni, pulisciti la faccia» disse porgendogli un fazzoletto.

Mario si asciugò gli occhi e si soffiò il naso, poi rimase con lo sguardo fisso a terra e il fazzoletto stropicciato tra le mani.

«Dove sono i tuoi genitori?»

Il bambino si chiuse in se stesso, gli occhi sempre fissi a terra. Padre Torres pensava che non avrebbe più risposto e invece sentì la voce flebile del piccolo mormorare qualcosa. Si chinò verso di lui fino a che le parole diventarono intelligibili.

«... è andato via tanto tempo fa. Noi viviamo con la mamma qui vicino.»

«Dove?»

«In via Oreto.»

«Ma cosa stavate facendo qui a quest'ora?»

«Mamma ci aveva mandato fuori e ora stavamo tornando a casa.»

«Vi aveva mandato fuori di notte?»

«Ogni tanto capita. È arrivato un uomo e lei ci ha detto di tornare alle due. Siamo andati a giocare vicino al fiume.»

Prima che padre Torres potesse fare altre domande, una macchina dei carabinieri svoltò l'angolo e venne a fermarsi davanti a loro. Il prete posò una mano sulla spalla del bambino. Mario doveva avere una decina d'anni, era esile, con una massa di riccioli disordinati che incorniciavano un viso dall'espressione vivace, illuminato da occhi molto più vecchi di lui.

Dall'auto scesero due carabinieri. Padre Torres sospirò. Il maresciallo anziano lo conosceva da anni. Era una di quelle persone forti con i deboli e deboli con i forti. Proprio il suo tipo. Il più giovane invece doveva essere un nuovo arrivato, perché non lo aveva mai visto.

«Padre Torres, è lei che ha chiamato il centododici?» chiese il maresciallo. Era così grasso che le guance cominciavano a cadere verso il basso attratte dalla forza di gravità.

«Sì» rispose padre Torres. «Un'auto ha investito un bambino, che è già stato portato in ospedale. Ho visto il numero di targa. C'erano a bordo due uomini... sono scappati.»

Il carabiniere giovane si affrettò a scrivere il numero della targa su un taccuino e poi guardò il suo capo in attesa di istruzioni.

«Me lo spieghi tu com'è andata?» disse il maresciallo rivolgendosi a Mario, dopo che padre Torres aveva dichiarato di non aver assistito all'investimento.

Mario guardò a terra e istintivamente fece un passo verso il prete.

«Non lo so... Salvo si è messo a correre... poi quell'auto è uscita di colpo dalla curva e l'ha preso sotto...»

«Ma cosa ci facevate fuori a quest'ora di notte?» chiese il maresciallo, mentre Mario si asciugava una lacrima.

Padre Torres intervenne:

«Adesso la cosa importante è trovare i colpevoli. Non crede?»

«È quello che stiamo cercando di fare» ribatté il maresciallo, secco, e aggiunse: «Il bambino viene con noi». Fece un passo verso Mario, ma il piccolo si avvicinò ancora di più a padre Torres.

Il prete avanzò di un passo e andò a mettersi tra il bambino e il maresciallo. Alto almeno un metro e ottanta per una novantina di chili, un viso gioviale ma che se smetteva di sorridere incuteva soggezione, padre Torres sapeva imporre la propria volontà anche indossando un pigiama e una vestaglia che a stento copriva il suo addome prominente ma muscoloso.

«Non credo che sia una buona idea. Il bambino ha già subito abbastanza traumi per questa notte. Mi occupo io di lui.»

«Aspettatemi qui» disse il maresciallo dopo qualche attimo, abbassando lo sguardo in segno di resa.

Salì sull'auto e il carabiniere lo seguì rimanendo in piedi accanto alla portiera mentre il superiore parlava via radio. Padre Torres lo sentì dettare il numero di targa che aveva annotato sul taccuino, poi sentì il maresciallo che lo ripeteva nel microfono. Dopo un paio di minuti una voce metallica gracchiò una risposta.

Dalla mano che teneva sulla spalla di Mario, padre Torres si accorse che il piccolo tremava. Probabilmente un misto di freddo e di shock. Gli circondò il torace con le sue grosse mani e lo prese in braccio senza sforzo. Un mucchietto di ossa. Poi si avvicinò all'auto dei carabinieri.

«Io andrei» disse, con la voce più calma che riuscì a trovare. «Il bambino ha bisogno di riposare un po'. Volete che veniamo in caserma più tardi?»

Il maresciallo scese dalla macchina e fermò con un gesto il suo sottoposto che aveva aperto la bocca per parlare.

«Non è necessario» rispose. «Tanto le ricerche dell'auto sono già partite. Potete venire tranquillamente domani mattina.»

Padre Torres fissò il maresciallo. Gli occhi, di un colore indefinito, sembravano sfuggire il suo sguardo. Sospirò, e pregò Dio di renderlo meno intollerante verso chi a pelle non gli piaceva. Ogni essere umano aveva dei lati positivi e lui aveva scelto di amare il prossimo come se stesso. Ci provava ogni giorno, ma con alcuni era un esercizio difficile.

Si congedò e si avviò verso la chiesa, parlando a voce bassa con il bambino. Gli offrì una tazza di cioccolata calda e ricevette un mormorio di consenso. Prima di superare il cancello, si voltò un'ultima volta verso l'auto dei carabinieri, ancora ferma con il motore acceso. Il carabiniere giovane si era messo alla guida e aspettava il suo capo, che a pochi passi dalla macchina parlava al cellulare.

Per quanto leggero, il peso del bambino cominciava a farsi sentire. Quando fu davanti alla chiesa, padre Torres lanciò un'occhiata intorno per accertarsi che tutto fosse tranquillo. L'ulivo secolare che dominava il cortile era ormai quasi secco, come il pozzo lì accanto, chiuso da un'asse con un lucchetto.

Era in Sicilia da pochi mesi, ma aveva la sensazione che fosse passato molto più tempo. Forse perché quell'isola aveva caratteristiche in parte simili alla sua Sardegna, dove aveva passato i primi quarant'anni di vita. Non riusciva ancora a spiegarsi del tutto perché avesse dato alla Curia la disponibilità a essere mandato a Palermo. Era stato assalito da una strana inquietudine, dal timore di non avere fatto abbastanza. La sua vita era stata troppo comoda e lineare nelle varie chiesette in provincia di Cagliari dove i suoi giorni si erano trascinati per vent'anni molto simili tra loro. Voleva fare qualcosa di più e non riusciva a liberarsi dall'idea, o forse dalla speranza, che il Signore avesse in serbo per lui una prova particolare. Alla fine lo avevano destinato alla chiesa dei Decollati, nel cuore di uno dei quartieri più duri ma anche più vivi di Palermo, Brancaccio. La piccola chiesa neogotica si trovava nel bel mezzo di una strada dissestata, a qualche centinaio di metri da corso dei Mille, dove c'era la chiesa che era stata di padre Puglisi.

Dopo aver spento le luci esterne, accese quella interna e per salire al suo appartamento attraversò la corta navata. Alle pareti erano appese poche immagini e sulla sinistra, a un passo dall'altare – un semplice tavolo coperto da una tovaglia ricamata –, c'era un reliquiario antico dove erano conservate le ossa dei Decollati. La teca di vetro che rendeva famosa la chiesa conteneva, sopra alle ossa, delle statuette in gesso raffiguranti le anime degli uomini morti per decapitazione, che piangevano circondati dalle fiamme dell'inferno, le braccia rivolte al cielo verso Gesù crocifisso. Chiedevano la grazia di essere ammessi in paradiso.

Secoli fa, nel cortile dove adesso giocavano i bambini che venivano a fare il doposcuola con padre Torres e i suoi aiutanti, si svolgevano le esecuzioni dei condannati. I corpi dei decapitati venivano poi gettati nel pozzo davanti alla chiesa, che era stato per anni una sorta di fossa comune. Si diceva che fossero stati uccisi, fino a epoche abbastanza recenti, anche dei religiosi, e soprattutto tanti innocenti considerati ingiustamente peccatori. Da allora, in quella chiesa costruita vicino al fiume Oreto, venivano in molti a pregare le anime dei Decollati. Fino ai primi anni del Novecento davanti alla chiesa c'era una lapide. Ogni lunedì delle donne che percorrevano la strada scalze venivano lì a pregare per i loro ammalati, appoggiando un orecchio sulla lapide e rimanendo in attesa del più piccolo rumore che facesse capire che le loro preghiere erano state ascoltate.

Padre Torres, con il bambino ancora in braccio, spense la luce nella chiesa, aprì la porta nascosta dietro l'altare, imboccò la rampa di scale ed entrò in camera da letto. Insieme a un bagno e a una piccola cucina quella stanza era tutto il suo appartamento. La finestra aveva le serrande alzate, segno di chi è abituato ad alzarsi prima che spunti il sole. Sistemò il bambino sulla sedia accanto alla finestra, aprì i vetri e gettò uno sguardo fuori. Di fianco alla chiesa c'era un campo di calcio in terra battuta. Un balcone fiancheggiava lateralmente tutto il primo piano dell'edificio e terminava con una rampa di scale che scendeva fino al campo. Da una casa vicina si sentì abbaiare un cane.

Padre Torres chiese a Mario il numero di telefono di casa sua e lo compose sul cellulare che aveva posato sulla scrivania ingombra di carte e libri. Con delicatezza informò la madre dell'incidente, poi le passò il bimbo. Lui mormorò qualche parola con le lacrime agli occhi e interruppe la comunicazione.

«Allora?»

«Ha detto che va in ospedale. Io devo tornare a casa.»

«Prima bevi la tazza di cioccolata che ti ho promesso...» gli sorrise padre Torres.

Mario infilò una mano nella tasca posteriore dei blue-jeans ed estrasse un pacchetto di sigarette e un accendino. Fece scattare la fiamma, sotto gli occhi di padre Torres che lo guardava inebetito dalla sorpresa. Gli tolse dalle labbra la sigaretta accesa e con un gesto brusco la gettò dalla finestra.

«Ma che fai?» sbottò. «Sei solo un soldo di cacio e cominci già ad accorciarti la vita con queste?»

Un rumore debole ma distinto lo interruppe prima che potesse continuare la predica. Era sembrato provenire dal basso.

«Resta qui» disse al bambino. «Arrivo subito.»

Uscì dalla stanza lasciando la porta socchiusa. Scese le scale e, arrivato al pianterreno, si accorse che stava trattenendo il respiro. Nessun rumore. Aprì piano la porta che dava sulla chiesa. Buio. Allungò la mano verso la parete in cerca dell'interruttore. Le dita, guidate dall'abitudine, lo trovarono quasi subito, ma prima che riuscissero a premerlo padre Torres ricevette in piena faccia la luce di una torcia.

«Tolga la mano di lì e venga avanti.»

Il tono fermo della voce lo indusse a obbedire. Ritrasse la mano e se la portò davanti al viso per proteggersi dalla luce. A pochi metri da lui intravide la figura massiccia di un uomo. Ce n'erano altri due poco distanti. Finalmente la luce si abbassò e si accorse che la porta sul cortile era aperta. Nell'oscurità, l'ulivo secolare e il pozzo dei Decollati parevano ombre informi.

Uno degli uomini gli passò vicino, premette l'interruttore e illuminò la chiesa. Un quarto uomo era in piedi accanto all'entrata. Tutti indossavano passamontagna e impugnavano armi. L'uomo massiccio, che sembrava avere il comando, infilò la torcia nella tasca del giubbotto, gli si avvicinò e gli puntò la pistola alla tempia. Padre Torres sentì il contatto della canna fredda sulla pelle e pensò per un istante a come doveva essersi sentito padre Puglisi quando si era reso conto che il killer gli stava per sparare, proprio il giorno del suo compleanno. Possibile che gli stesse per capitare la stessa cosa? Prima che potesse continuare a fare congetture l'uomo parlò.

«Dov'è il bambino?»

«Quale bambino?» chiese di rimando padre Torres.

«Prete, non farmi innervosire» sibilò l'uomo spingendo la pistola. «Dicci dov'è il bambino, poi dimenticati di quello che hai visto e continua a farti gli affari tuoi. Altrimenti...»

La pressione sulla tempia divenne insopportabile e padre Torres inclinò la testa da un lato. Aprì la bocca.

«Mario, scappa!» riuscì a urlare prima di venire colpito con violenza.

Cadde a terra tramortito mentre il suo assalitore gli metteva un piede sul petto impedendogli quasi di respirare. Dalla testa sentì una sostanza viscosa che gli colava sul viso. Sangue, sicuramente. Gli altri due uomini gli passarono accanto e corsero a passi pesanti su per le scale. Tornarono indietro poco dopo respirando affannati.

«Sopra non abbiamo trovato nessuno. La finestra è aperta, ma sul balcone e giù nel campo di calcio il bambino non c'è.»

«Date un'occhiata in cortile.»

Padre Torres sentì le forze tornare insieme a un dolore lancinante. Ormai era certo che non sarebbe svenuto e, nonostante un pulsare furioso alla tempia, tentò un movimento. L'uomo che gli teneva il piede sul petto reagì subito: si tolse qualcosa dalla cintura dei pantaloni e si chinò sopra di lui. Fu un breve momento di sollievo, dato che al posto del peso sul petto si ritrovò la lama affilata di un coltello contro la gola.

I due uomini che erano stati mandati fuori a cercare il bambino rientrarono.

«Non c'è. Il campo è vuoto e per strada non si vede nessuno.»

Padre Torres aveva la guancia sinistra premuta a terra e il freddo delle piastrelle di marmo anestetizzava in parte il bruciore che sentiva alla tempia ferita e al collo dove era appoggiata la lama. Se la pressione fosse aumentata, anche di pochissimo, era sicuro che la pelle si sarebbe lacerata. Si accorse di avere il viso rivolto verso il reliquiario dei Decollati. Non poteva immaginarsi un destino più assurdo e beffardo che fare la fine di quei disgraziati.

«Coraggio» disse il capo. «Dimmi dov'è il bambino altrimenti ti ammazzo con le mie mani.»

Padre Torres chiuse gli occhi per un istante, quando sentì la lama penetrare nella carne e un rivolo di sangue scendergli dentro il pigiama. Tentò di allontanarsi dal coltello, con il risultato che l'uomo, con la mano libera, gli afferrò ancora più saldamente la spalla. Riaprì gli occhi, che ora lacrimavano, e li fissò sulla porta aperta in fondo alla chiesa. Forse l'ulivo dal tronco largo e nodoso, che per tanti pomeriggi si era fermato a osservare assorto nei suoi pensieri, sarebbe stata l'ultima cosa che avrebbe visto in vita sua.

«Avanti, parla...» lo minacciò il capo. «Conto fino a tre...»

Ci mancava solo quella frase da film! Padre Torres continuò a osservare l'ulivo. L'uomo sopra di lui non avrebbe mai capito che le sue parole non lo tentavano. Erano state altre, nella sua vita, le tentazioni. Di certo la gola, e un carattere che si infiammava subito di fronte alle ingiustizie; e poi scarsa pazienza, e difficoltà a perdonare un certo tipo di persone, di cui c'erano fin troppi esemplari al mondo. Ora ne aveva uno proprio lì a portata di mano: peccato che tenesse un coltello conficcato nel suo collo e stesse per pronunciare la parola «tre», cioè la sua condanna a morte.

Uno strano rumore interruppe il corso dei suoi pensieri. Un crepitio. Torcendo gli occhi, riuscì a vedere le fiamme che inaspettatamente avevano avvolto i rami secchi dell'ulivo diventando ogni secondo più alte.

L'uomo sopra di lui si voltò verso la porta e il coltello si allontanò di qualche centimetro dal suo collo permettendogli di riprendere fiato. Vi fu un istante di silenzio, riempito solo dal rumore forte dell'incendio. Poi nella chiesa entrò di corsa un quinto uomo, forse il palo lasciato a controllare che non arrivassero visite inattese.

«Via, andiamo via» gridò. «L'incendio si vede perfettamente dalla strada e la gente ha già cominciato ad accendere le luci e ad affacciarsi alle finestre. Tra poco i vigili del fuoco saranno qui!»

Il capo si girò verso il prete e i due si fissarono negli occhi. Quelli dell'uomo con il coltello parevano buchi neri, dello stesso colore del passamontagna. Padre Torres pensò che avrebbe messo in atto la sua minaccia, ma non abbassò lo sguardo. In quelle pupille dilatate, dove si riflettevano le fiamme, percepì un attimo di indecisione. Poi si sentì spingere malamente su un fianco, mentre l'uomo si rialzava in piedi.

«Andiamo» disse agli altri. «E tu» rivolto al prete, «non credere che sia finita, noi ci rivediamo.»

Padre Torres rimase immobile, con una mano sulla gola sanguinante, mentre i cinque uomini, con le pistole in pugno, si dirigevano correndo verso l'uscita.

Il suono acuto di un clacson li fece sobbalzare. Dopo pochi secondi, a quel suono si sovrappose una sirena. Padre Torres si mise a sedere con una smorfia di dolore. Il suono del clacson cessò e il rumore di un'auto che partiva sgommando lo fece sorridere tristemente.

Una figura minuta si stagliò nel vano della porta. Le fiamme che avvolgevano l'ulivo erano altissime e un acre odore di fumo aveva cominciato a invadere la chiesa. Mario raggiunse di corsa il prete e lo abbracciò, strappando all'uomo un gemito. Il bambino si staccò da lui spaventato.

«Ti hanno fatto male?» disse guardando il sangue che imbrattava la vestaglia.

Padre Torres si sollevò in piedi con qualche esitazione.

«Non è niente. Ma dimmi tu, piuttosto... Ero così felice che fossi riuscito a scappare! Solo che ti credevo ormai lontano da qui.»

Mario abbassò la testa e i riccioli che gli caddero sul viso non riuscirono a nascondere un'espressione di trionfo.

«Mi sono nascosto tra il pozzo e l'ulivo.»

Padre Torres, che si premeva la gola con una mano, sentì il bambino prendergli l'altra e insieme si avviarono verso l'uscita. Il rumore della sirena ormai era vicinissimo.

«Non me lo dire, sei stato tu ad appiccare il fuoco!» esclamò, senza poter ancora credere al coraggio di Mario. «E il clacson?»

«Quando l'uomo che era fuori vicino alla macchina è corso in chiesa, sono strisciato fino in strada. La portiera era aperta e ho usato un trucchetto che mi aveva insegnato mio padre...»

Ora erano fermi davanti alla cancellata. Un'autobotte dei vigili del fuoco si arrestò proprio di fronte a loro. Padre Torres indicò con un gesto l'ulivo che ormai bruciava come una torcia, fra nuvole di scintille. Tanto la sua voce non avrebbe potuto sovrastare la sirena che non era ancora stata spenta. Alcuni uomini scesi di corsa dall'autobotte srotolarono una lunga pompa ed entrarono nel cortile dirigendo un getto potentissimo sull'albero.

Padre Torres rimase a osservare i pochi resti anneriti e fumosi che rimanevano del suo ulivo, fino a che arrivarono due volanti della polizia. Tra poco lui e il bambino sarebbero dovuti andare in questura a presentare la denuncia per tutto quanto era accaduto quella sera.

Sentì il piccolo rabbrividire e lo strinse a sé. Sorrise, il volto illuminato dalle luci intermittenti delle volanti che ormai bloccavano via dei Decollati.

ENZO FILENO CARABBA

Un soffio di ottimismo

1. *Le principesse prigioniere*

Lo spirito di Camilla aleggiava sulle stanze. E anche quello di Giulia, se è per questo.

Non che fossero Dio – una specie di Dio a due teste, eventualmente. Ma erano rinchiuse là dentro da così gran tempo che la realtà esterna si era indebolita. Uscivano solo per andare in taxi agli incontri culturali del giovedì, dove peraltro la maggior parte della gente dormiva.

Erano due donne splendide, delicate, riccamente vestite. Due signore di antica bellezza. Principesse prigioniere del tempo.

Il tempo stinge, scherzava sempre Camilla con quel sorrisetto. E in effetti la loro pelle con gli anni si era fatta grigia. Ma c'è grigio e grigio, e il loro era un grigio perla.

Vivevano nel lussuoso appartamento al primo piano, dominato dalla mente di Camilla, che determinava un ordine perfetto.

Dentro, a parte alcuni divani coperti dai lenzuoli per non fargli prendere la polvere, era tutto molto bello e armonioso, lasciava pensare a una vita degna di essere vissuta, o perlomeno ne suscitava il ricordo.

Fuori, le porte e le finestre erano blindate, sembravano attrezzate per respingere un attacco dei narcotrafficanti colombiani. Tutta quella corazza di sbarre e allarmi regalava un tocco di modernità.

Al piano di sotto invece divampava il caos, e quello era il regno di Giulia.

Anche se, dopo tanto tempo insieme, a volte le due personalità si confondevano.

Può anche darsi che non fossero poi così vecchie, ma anni di clausura in due non passano invano.

Non rispondevano mai al telefono, per nessuna ragione. A meno che non si trattasse delle telefonate di Piero, che erano annunciate da un segnale concordato.

Erano andate avanti così per molto tempo. Chiuse là dentro, a parte i giovedì, giorno in cui per due ore sognavano altrove.

Ora però era successo qualcosa che poteva ucciderle o stanarle: Piero era morto.

Sì.

Per quanto fosse più giovane di loro. Ed era su di lui che avevano sempre contato per i rifornimenti di pozione magica e quindi una serena vecchiaia.

E invece no.

Stavano lì, nel salotto, annichilite. Le sbarre alla finestra facevano passare il sole pulviscolare di fine gennaio come luce tra gli alberi.

Sono sempre i migliori che se ne vanno, disse Camilla, ma dove vanno?

Non poteva fare a meno di scherzare. Ma non è che si divertisse più di tanto, erano solo le vestigia di un'antica civiltà che uscivano dalla sua bocca, balzando via dal rossetto leggero, una civiltà a volte giocosa a volte cinica. Giulia vide che la sua amica di sempre stava quasi per piangere. D'altra parte, anche Giulia stava quasi per piangere.

Con Piero, se ne andava l'ultimo pezzo della vita di un tempo.

Giulia guardò la crepa nella carta da parati.

Recitò a memoria:

«Chi fabbrica una fortezza
attorno a sé s'illude
come ogni notte chi chiude

a doppia mandata la porta».

Con tutto quello che abbiamo speso per l'allarme! rispose Camilla.

A parte queste loro tipiche schermaglie, in cui una faceva finta di scherzare e l'altra citava poesie, c'era una cosa che sapevano tutte e due: più che altro la dipartita di Piero poneva dei problemi pratici.

Dopo una decina di minuti di silenzio Camilla osò affrontare la questione:

Come facciamo a trovare un sostituto?

Dobbiamo andare fuori a cercare, sparò Giulia. E appena ebbe pronunciato queste parole le mancò il respiro: si rese conto dell'enormità di quello che aveva detto.

Perché ormai da anni la verità che non osavano confessare era semplice: avevano paura di uscire.

Al massimo ogni tanto facevano capolino in cortile.

Il cortile era così piccolo che era un po' impegnativo chiamarlo cortile, più che altro era una specie di pozzo. Vi si accedeva da due porticine nell'appartamento al pianterreno.

E poi una cosa era prendere un taxi il giovedì sera per sedersi tra coetanei addormentati. Un'altra avventurarsi nella città selvaggia, ormai irriconoscibile, sconosciuta, alla ricerca di un sostituto di Piero.

Ma cosa dici, sei impazzita? disse Camilla, scandalizzata. Come puoi pretendere che due signore facciano una cosa simile? Andare in giro come ragazzine!

Eppure Giulia colse un bagliore negli occhi di Camilla, dietro il velo di lacrime. Un bagliore che conosceva bene, e rivedeva dopo tanto tempo. Volle credere che fosse la stessa eccitazione che sentiva lei, dietro il dolore e la paura. Il desiderio di azione.

Non abbiamo scelta: dobbiamo uscire.

Prima che il gioco resti, commentò Camilla.

Dopo una vita insieme, Giulia non era ancora riuscita a decifrare del tutto il senso delle cosiddette frasi fiorentine di Camilla, a volte le usava in un modo tutto suo. Ma quello doveva essere un sì.

Un'onda di emozione le attraversò. Non avrebbero saputo dire se era speranza o sgomento. Stava iniziando una nuova avventura.

2. *L'orco*

Suonò il campanello, era il suono prepotente di Emiliano.

Insisteva, come se fossero sorde.

È l'ora del pranzo, disse Camilla con un velo di debolezza nella voce. Ormai non c'era verso: Emiliano veniva quando gli pareva, a orari diversi, spesso assurdi, imponeva lui l'ora del pranzo.

Si parlava tanto delle giovani dell'Est schiave del racket della prostituzione, ma, a parte che quelle erano comunque assolutamente puttane, non si parlava mai delle mature nobildonne schiave dei rosticcieri.

Aprirono il portone corazzato.

La testa rossa dell'orco emerse dalle scale, sul pianerottolo, come un fungo malefico dal sottobosco, esibiva perfino delle macchie bianche che mutavano con l'umidità. Poi spuntarono quegli occhi dall'iride gigantesca, il naso che dilagava sulla faccia, gli orecchi troppo piccoli. La bocca brutale. Nell'insieme un bell'uomo.

Portava un sacchetto di plastica pieno di cibo a carissimo prezzo. Erano cose di lusso: gamberoni e roba del genere. Alimenti deliziosi, una settimana prima. Ora facevano schifo. Però il prezzo non era avariato.

L'orco spennava le principesse senza pietà, e le due non se ne rendevano conto, o non avevano scelta.

I primi tempi, quando Camilla era rimasta vedova e Giulia era andata a vivere da lei, le due principesse si curavano molto di più. È vero che avevano dovuto licenziare i domestici, perché non potevano più permetterseli, avendo calcolato almeno altri dieci lustri di vita. Però non se la passavano male. Erano donne vitali, e Giulia cucinava molto bene.

Andavano a fare la spesa personalmente, un'esperienza

nuova che le esaltava. Ed esaltava anche i negozianti. Il fruttivendolo, dopo qualche anno, con le zucchine vendute alle principesse si era comprato una villa ai Caraibi, così aveva sentito dire Camilla da un'ex domestica. Ma almeno era roba sana.

A poco a poco, mentre gli amici se ne andavano o perdevano di interesse, loro si erano ritirate sempre di più tra le ombre dell'appartamento, molto più vive e stimolanti: c'erano ricordi infrangibili, assolutamente veri nel presente. Giulia passava gran tempo nel caos dell'appartamento di sotto, al pianterreno. Avevano cominciato a farsi portare la roba a casa. Ed era andata a finire che il rosticciere era diventato il loro unico fornitore di alimenti.

Il fatto che nonostante ciò si fossero mantenute in buona salute dimostra di quale tempra fossero fatte.

Una tempra d'altri tempi, cara, diceva Giulia.

Il morto è sulla bara, diceva Camilla. Voleva dire che la cosa era chiarissima.

Tenete, dolci signore, disse l'orco mimando un inchino grottesco e porgendo la busta di plastica a Giulia, visto che considerava Camilla la padrona di casa e Giulia una specie di domestica, o un'amica di passaggio.

Le due lesbiche, le chiamava, anche se non era vero.

Emiliano sorrise e uno schizzo di saliva piovve nell'occhio di Giulia: Emiliano riusciva a sputare anche quando sorrideva.

Grazie, disse Giulia con assurdo entusiasmo, cercava di ingraziarselo e subito dopo se ne pentiva, perché sapeva che era inutile, anzi mostrare debolezza peggiorava la situazione.

L'altro giorno il fritto non era granché, osò dire Camilla, con il portamento altero di sempre.

Emiliano si rabbuiò all'istante. Quando si arrabbiava succedeva una cosa strana, unica nel suo genere: il naso, che di solito stava spiaccicato su tutta la faccia, si contraeva, diventava una specie di ascia.

Ebbero paura. Erano inermi nei confronti di quell'omone avvezzo a truffare i turisti. Le barriere di classe che giustamente un tempo proteggevano le persone civili dai bruti non esistevano più.

Fanno trenta euro, decretò Emiliano senza rispondere con le parole alla critica sul fritto: stava già rispondendo con la faccia. Adesso il naso si dilatava e si arricciava, gli orecchi sporgevano più del solito, gli occhi si allargavano, i peli delle sopracciglia si rizzavano come zampe di ragno. Sembrava addirittura che i denti si piegassero per l'indignazione.

Trenta euro? balbettò Giulia, era più del giorno prima. E aprì la busta di plastica bisunta vedendo che non c'era un granché.

Tra l'altro, un tempo Emiliano presentava i suoi troiai in cesti di vimini, ora invece anche la busta di plastica doveva sembrargli troppo.

Ehi signorina, vuoi mangiare o no, disse l'orco, improvvisamente di buon umore.

Poi indicando il pianoforte che si intravedeva nella penombra disse: Col pianoforte non si mangia, ah ah ah. Tanto sono i quattrini che fanno girare il mondo.

Gli sembrava una battuta irresistibile, perché la ripeteva spesso.

Era brutale e confidenziale: doveva esistere un sindacato dei rosticcieri che gli permetteva di spadroneggiare.

Se ne approfitta per via dell'età, diceva sempre Camilla. Diceva anche: Quando ero giovane i giovani non contavano nulla, ora che sono vecchia i vecchi non contano nulla, c'è qualcosa che non mi torna, mi hanno imbrogliato, però una signora resta sempre una signora.

È che mi sembravano tanti trenta euro, disse Giulia a Emiliano, comunque gli consegnò un foglio da cinquanta euro.

Emiliano lo intascò, « col ventre obeso e le mani sudate », come diceva Giulia, e poi rimase lì. Sembrava una statua di lardo.

Le due principesse avrebbero voluto rientrare e mangiare, perché comunque la cosa bella era che con l'età non gli era venuto meno l'appetito.

Ma quello rimaneva lì col grugno alzato, come un Benito Mussolini della gastronomia.

Lei mi ha dato un foglio da venti euro, disse, con un sibilo simile a un rutto.

Ma veramente, guardi, sono sicura che erano cinquanta, intervenne Camilla.

Forse, in quanto «padrona di casa», il suo intervento avrebbe avuto maggiore autorevolezza.

Si illudeva ogni volta, da troppo tempo.

Venti euro, ripeté inflessibile Emiliano.

E fu così che il fritto andato a male venne a costare sessanta euro.

Dopo, erano avvilite per essersi lasciate umiliare ancora una volta.

Gli ci volle qualche ora per riprendersi. Per fortuna innaffiavano quei cibi pessimi con gli ottimi vini della cantina di Ernesto, ancora gliene rimanevano. Questi elisir portavano sempre una ventata di ottimismo.

Decisero che dovevano reagire alla situazione sfavorevole. Dovevano attenersi al piano stabilito.

Domani andiamo nel grande mondo esterno, disse Giulia.

Inviti la lepre a correre, disse Camilla, ostentando una sicurezza che non era sicura di provare.

3. Nella città dolente

In piazza Santa Maria Novella gli spacciatori stranieri lavoravano con una certa supponenza, come fosse un'attività che avevano inventato loro.

Ma cosa si credono questi negri del Marocco, qua si spacciava già al tempo del Vasari, che infatti costruì il corridoio vasariano per spacciare meglio, disse Camilla.

Ma che idioti, a parte che alcuni sono negri albanesi, ti faccio notare, puntualizzò Giulia.

Così si spostarono in piazza Santo Spirito, di cui avevano sentito dire un gran bene.

Le due impeccabili signore stavano lì sulla scalinata della chiesa e osservavano l'andirivieni delle persone. In piedi, con portamento altero.

In generale, erano un po' elettrizzate e un po' atterrite dalla novità del mondo esterno. Non sapevano neanche loro quale era la sensazione prevalente.

Firenze era del tutto trasfigurata, se la guardavi ad altezza d'uomo: banche e negozi di scarpe sventravano le opere d'arte, irridevano la memoria e imbastardivano il futuro.

È come una bella donna con le gambe svuotate e riempite di pezzi di plastica, disse Camilla sistemandosi il cappellino leopardato.

Ma se alzi lo sguardo non è poi così cambiata, disse Giulia.

Neanche noi, se alzi lo sguardo, disse Camilla con una grande tenerezza verso se stessa.

La gente poi faceva schifo, una specie di incubo, ma divertente da guardare.

In realtà avevano parlato ancora, e lungamente, prima di decidersi a uscire davvero.

Ora che Piero è morto, il telefono non ci basta più, aveva insistito Giulia.

Forse potremmo provare a chiedere a Emiliano, aveva detto Camilla, senza crederci.

Ma sei pazza, cara? rispose Giulia scandalizzata. Non sarà che hai paura di uscire? la provocò.

Proprio in quel momento Camilla si rese conto che quello che provava non era propriamente paura. Quella casa era un serbatoio di ricordi. A Camilla bastava alzare i lenzuoli che coprivano i divani per tornare quella che era. Bella, sfolgorante, felice. E i ricordi avevano una tale potenza, erano così veri.

Per questo le doleva allontanarsi.

Ma si rendeva conto anche lei che la casa non bastava. Ci voleva anche tutto il resto.

Ma come andremo in giro? chiese.

Ma in taxi, come vuoi andare! fu la risposta di Giulia.

Camilla era un po' perplessa, vista la natura della missione.

La mole vaporosa di Santo Spirito le sovrastava.

Non me la ricordavo così bella, disse Giulia. Con quei due rigonfiamenti sembra che stia per spiccare il volo.

Adesso erano felici di essere fuori, si sentivano rinascere. Come certi funghi dell'olmo capaci di rivivere dopo un prolungato congelamento. Respiravano bene. Sarà stata la magia del luogo, una grazia dello Spirito Santo.

Ma la gente non era altrettanto bella.

C'era una ragazzina che muoveva passi veloci e parlava fitto al telefonino, più parlava fitto più accelerava, con aria di grande importanza. Muoveva il culo asfittico come l'avesse collegato alla Telecom.

Sui muri si leggevano scritte grottesche, del tipo: I nostri cervelli non sono in vendita.

Ma chi li compra, disse Giulia.

Cent'ori, disse Camilla.

Le due principesse guardavano tutti, e non si può dire che non fossero ricambiate. Sembravano due sfolgoranti cipree tra ruvide patelle. Tutti osservavano incuriositi quelle due eleganti signore, bellissime, appena appena truccate, con dei cappellini miracolosi, impettite sulla scalinata della chiesa. Scrutavano piene di speranza i movimenti dei loschi individui nel buio rossastro dei lampioni.

Le due erano eccitatissime. Ma dopo un po' l'eccitazione cominciò a smorzarsi.

Non erano due persone fuori dal mondo. Erano due persone che per un lungo periodo avevano messo fuori il mondo. Prima di autorecludersi ne avevano viste di persone, avevano una vasta esperienza della vita. Nonostante le novità sopravvenute durante la reclusione, sapevano ancora giudicare chi gli stava di fronte.

Non gli davano nessuna fiducia, quei tipi che vagavano nella piazza. Erano meno tracotanti dei negri di piazza Santa Maria Novella, ma non sembravano affidabili.

Secondo te, cara? chiese Giulia.

Questi qua sono ottimi per rifornirci di tè, disse Camilla.

In effetti l'aria losca delle ombre che transitavano nella piazza non era credibile. Erano loschi in modo troppo curato. Erano drogati finocchi figli di papà, da grandi – appurato che i loro cervelli non se li comprava nessuno – si sarebbero dedicati a fare carriera.

Tra l'altro, questi di sicuro sono protetti dalle forze dell'ordine, altrimenti non potrebbero stare in questa piazza, osservò Giulia, che era sempre la più concreta delle due. E noi alla nostra età non possiamo comprometterci, assolutamente.

Eppure io non ne posso più, disse Camilla.

Non fosse stato per la poca luce, si sarebbe visto che il suo volto cominciava a essere stravolto. Aveva bisogno della pozione magica: la classe è classe ma anche la chimica ha le sue ragioni.

Sta' calma, le intimò Giulia con lo sguardo del grande condottiero. E recitò ispirata:

«Forse conosceremo noi la piena
felicità dell'onda».

Con questi versi si riferiva alle sensazioni indotte dalla pozione magica.

Cara, sei tu la mia droga, disse deliziata Camilla.

Lo so, fu la risposta. Aveva parlato con tono sicuro, come sempre, per confortare l'amica di due vite. Ma anche lei segretamente vacillava. Comunque concluse: Cara, per conoscere la piena felicità dell'onda dobbiamo spostarci da qualche altra parte, qui non raccattiamo pallino.

Avevano esagerato a fare le sbruffone. Era solo il timore di non sapere come comportarsi che gli aveva impedito di intavolare una contrattazione. Di solito Piero pensava a tutto, faceva arrivare tutto a casa. Un gentiluomo d'altri tempi. Solo che gli altri tempi se li portava via il Tempo, era un cannibale.

Proviamo in piazza Dalmazia, aveva detto Giulia, ne ho sentito dire un gran bene. Ma neanche lì avevano trovato piena soddisfazione, tutto fumo e poco arrosto, o era sempre il solito timore che le bloccava.

E così si erano spinte sempre più oltre, avanti avanti, nella periferia. Avanzavano a piedi nella città dolente. Casermoni che neanche sapevano esistessero.

Chi ha potuto fare questo? diceva Camilla stupefatta. C'è stata un'altra guerra e il nemico ha costruito invece di distruggere?

Dev'essere una delle famose periferie degradate, disse Giulia, le ho sentite nominare.

Io non ce la faccio. Dovremmo smettere di cercare, fece Camilla.

Chi cerca trova e chi non cerca perde, sentenziò Giulia.

E questo? chiese stupita Camilla, di solito era lei che tirava fuori frasi così.

Tipico detto fiorentino, le fece il verso Giulia.

Sarà, mai sentito.

Un'ora dopo stavano per risolvere il problema dell'approvvigionamento.

Lo stradone si srotolava come la scia di una gigantesca lumaca verso la fine del mondo.

Lo sai dove porta? chiese Camilla.

Non hai visto il cartello?

È che per essere una ragazzina non ci vedo più tanto bene.

C'era una luna piena come al tempo degli etruschi.

Aspettavano un ragazzo.

Come al primo appuntamento, aveva detto Giulia.

Chissà perché gli era sembrato il tipo giusto. Intuito femminile, probabilmente.

Questo qua viene a pipa di cocco, aveva detto Camilla.

Cade a fagiolo, aveva fatto eco Giulia.

Gli era sembrato un così bravo ragazzo che, nonostante la situazione non del tutto legale, non si erano affatto peritate di dirgli la zona del centro in cui abitavano, anche per rimarcare la differenza di classe che c'era tra loro e quel periferico degradato, che comunque non aveva colto la sfumatura.

Il buon selvaggio di oltrelemura non si era mostrato stupito che due signore d'alto rango uscite da un'altra era come Veneri dal mare volessero concludere una transazione di affari con lui in quel tempio del cemento. E neanche era parso diffidente. Aveva solo detto che lui non aveva quello che cercavano e le doveva portare da un altro che ce l'aveva. Un tale Marco, in cui riponeva la massima fiducia.

Le due avevano aspettato dieci minuti sull'unica panchina di un giardinetto spelacchiato, di fronte a un antro orrendo con l'insegna luminosa Bar Eden, probabilmente autoironica.

Qui se chiedi un tè ti danno un topo morto da mettere nell'acqua calda tenendolo per la coda, al posto della bustina Twinings, aveva ipotizzato Camilla.

Guarda che secondo me te lo danno vivo, cara, aveva risposto Giulia.

Mentre Giulia guardava lo stradone, aspettandosi da un momento all'altro di veder spuntare la lumaca gigante di ritorno dalla fine del mondo, era tornato invece il ragazzo e aveva detto: il mio amico non c'è, faccio io.

La cosa non quadrava mica per niente.

*

Di colpo era sparita l'euforia dell'avventura ed era tornata quella consapevolezza di essere indifese.

Era terribile, chiunque poteva approfittarsi di due povere vecchie, quando venivano meno le convenzioni sociali che le proteggevano.

Il ragazzo era vago e ridacchiava a sproposito. Gli si erano gonfiati i brufoli e gli occhi, che poi erano molto simili. Era cambiato. In quei minuti doveva essersi fatto. Non era più rispettoso, per niente. Anzi. Invitava le due a seguirlo in un vicolo di cemento. Più che altro era un ordine.

Le guardava e rideva, rideva così tanto, piegato in due sulla panchina. Ma non era una risata allegra, era una risata minacciosa.

Eccoci all'acqua, disse Camilla.

Era più umiliante che con Emiliano. Questo qua era solo un ragazzetto. Che non aveva vissuto un decimo delle cose che avevano vissuto loro. Però questo non lo induceva a rispettarle, bensì a deriderle. Il mondo era in mano a persone deboli ma cattive. Almeno un tempo i cattivi erano forti.

E com'era brutto, il ragazzetto. Erano tutti più brutti, più deboli di un tempo.

Ernesto, il marito di Camilla, avrebbe potuto schiacciarlo con un mignolo, questo qua.

Giulia era in piedi accanto a lui e muoveva i piedi per il freddo e per la paura. Il ragazzetto, certo uno studente modello in qualche istituto con la didattica sperimentale, stava ancora piegato senza respiro e diceva: Ora mi seguite. Stava tirando fuori un coltello. Ma con calma. Sapeva che quelle due poverette non avevano scampo, come minimo le rapinava.

Giulia ai suoi tempi era stata campionessa di nuoto e faceva ancora ginnastica quotidianamente.

D'altra parte, finché sono viva sono ancora i miei tempi, pensò.

Lo prese per la nuca, e spinse in basso con tutte le sue forze.

Quello una cosa del genere mica se la aspettava. Non fece in tempo ad apprezzare il contatto con gli anelli di classe che impreziosivano la mano di Giulia, e del resto sarebbe stato comunque inadeguato. Lo spigolo della panchina entrò in rotta di collisione con la bocca del ragazzetto e ci fu uno strano rumore.

Piglia e porta a casa, disse Camilla.

Sulla panchina c'era una scritta volgarissima: i piedi delle fiche sono boni.

Il ragazzetto rotolò in terra senza un lamento, improvvisamente serio, ai piedi delle due signore disgustate.

Non ride più, osservò Giulia.

Non avrai esagerato? si preoccupò Camilla.

È andato, disse Giulia frugandogli in tasca.

Andiamo anche noi.

4. Il ritorno

Due principesse prigioniere hanno bisogno di incantesimi.

È per questo che le due amiche si drogavano.

Custodivano tutto l'armamentario in un cofanetto prezioso, che lo zio Neri (come minimo un prozio della nonna) aveva portato dall'India all'inizio del secolo.

Non usavano mai termini come « droga », o « siringa », o roba del genere. Parole brutte che non rendevano l'idea.

Passami la pozione magica, diceva per esempio Camilla a Giulia, che gestiva tutte le cose – anche quella cosa – dal punto di vista pratico. In realtà avrebbe potuto farlo anche Camilla, ma c'erano dei ruoli da rispettare, era come una recita, o un rito religioso.

Piero faceva arrivare la pozione magica dal lontano Oriente. E loro fantasticavano che la pozione viaggiasse su carovane di cammelli attraverso luoghi favolosi, prima di giungere a loro, anche se sapevano benissimo che era più comodo portarla in aereo.

Certo non potevano pensare di trovare la medesima ambrosia in piazza Santo Spirito o piazza Dalmazia, ma per il momento erano disposte ad accontentarsi ricorrendo a sostanze magiche più comuni e meno divine.

Non che fossero delle drogate vere, di quelle che fino da giovanissime rovinano la vita a sé e agli altri. Loro no. Non avevano mai dato disturbo a nessuno. Avevano cominciato a drogarsi da pochi anni, in tarda età.

Tanto non abbiamo nulla da perdere, aveva detto Camilla. Gli uomini non ci interessano più, la bellezza e la salute ci stanno abbandonando.

Veramente staranno abbandonando te, aveva ribattuto l'amica. Ma poi si era buttata con grande entusiasmo nella nuova avventura.

Però è vero che erano belle.

Quando erano giovani c'era in loro una specie di luccichio silenzioso e questo luccichio silenzioso con gli anni si era accentuato. Se pure un po' sepolto dentro di loro.

La morte è una siringa vuota, disse Giulia contravvenendo per la prima e l'ultima volta al tacito patto di non nominare mai la parola «siringa». Era scossa dagli avvenimenti del giorno prima.

Riempila, cara, rispose Camilla. Un po' tremava. Anche lei non si era del tutto ripresa.

Sei ancora giù per il ragazzo che è andato a sbattere contro la panchina? Ho avuto una certa responsabilità nell'incidente, disse Giulia. Sono cose che possono far venire l'esaurimento nervoso.

Più che altro parlava per sé. In fondo, non aveva mai ucciso un uomo, anche se poi quello era minorenne.

Neanche un po'. A volte non puoi fare la frittata senza rompere lo spacciatore, disse Camilla.

Risero.

E cominciarono il rito.

*

Emiliano era in grado di fare più cose insieme. Ora per esempio si puliva il naso, incartava del prosciutto e stava pensando a quali avanzi andati a male propinare alle due lesbiche, come le chiamava lui anche se non era vero. Sua moglie gli urlava nell'orecchio che lui era troppo generoso, e aveva ragione. Doveva essere meno ingenuo. Tra l'altro la sua era una famiglia di intellettuali: il figlio faceva il maestro di inglese. A parte questo, cosa portare alle vecchie? Era incerto tra le triglie rancide e un gatto in umido chiamato coniglio. Stava quasi per decidersi quando vide un ragazzino con la faccia tutta distrutta e rabberciata scendere da una macchina.

Emiliano era l'occhio del quartiere.

Dopo il ragazzino scesero una donna, e altri due ragazzi più grandi con l'aria dei delinquenti abituali o delle fiamme gialle in borghese. Si misero a fare domande al fruttivendolo.

Emiliano non li aveva mai visti prima. È vero che passavano continuamente fiumi di persone che non aveva mai visto prima, ma si trattava di turisti. Questi qua invece non erano turisti. E di sicuro non si informavano sul prezzo del cavolfiore.

Cosa stavano cercando?

Emiliano non uscì. Non voleva sembrare curioso. Aspettò che venissero da lui.

Perché la questione era questa: il ragazzino della panchina non era affatto morto, si era solo un po' sfasciato la faccia.

Aveva raccontato la cosa alla mamma, la mamma se l'era presa. Ma come potevano fare una cosa del genere al suo bambino, quelle streghe? E così lo sfasciato aveva ripensato al fatto che le due vecchie troie gli avevano detto dove abitavano, più o meno.

Adesso si trattava di trovarle.

Non avevano avvertito le forze dell'ordine perché non erano quel genere di persona, avevano una formazione diversa. E poi sarebbe stata dura spiegare cosa ci faceva lo studente modello con le due signore. Le autorità avrebbero d'istinto dato ragione alle vecchie.

La questione era da chiarire in privato. E si erano portati dietro due amici di quelli che chiariscono bene le questioni. Le streghe dovevano pagare per il danno, e pagare parecchio.

Le principesse deliberarono di uscire ancora: ci stavano prendendo gusto. Erano decenni che non uscivano per due giorni consecutivi. Sentivano dentro di sé tutta l'eccitazione dell'adolescenza.

Non sapevano cosa le aspettava.

Di solito il tempo passava di nascosto, invece ora era tornato a essere una cosa solida, dava soddisfazione.

Mi sento rinascere, disse Camilla respirando con voluttà.

«O sangue mio come i mari d'estate» recitò Giulia.

Ogni tanto ritornavano sull'argomento del ragazzo della panchina, un pessimo fornitore.

Non bisogna piangere sul latte versato, diceva Giulia.

D'altra parte noi non abbiamo versato latte, diceva Camilla.

Brava cara!

Erano euforiche.

Passavano davanti ai negozianti che anni prima avevano «tradito» per Emiliano. In passato gli avevano «tolto il saluto» per qualche torto subito, tipo una mela ammaccata o una busta di cibo per pesci con uno strappo. Ora invece li salutavano affabilmente, benevole verso i sudditi, e quelli le guardavano sbigottiti, come una doppia apparizione. D'altra parte i sudditi erano rimasti in pochi. Per lo più avevano chiuso, per far posto a sempre nuove banche.

L'unica cosa immutabile era il mendicante cieco all'angolo, doveva essere immortale. Anche perché, come tutti i mendicanti ciechi, in realtà oltre a vederci benissimo era miliardario e quindi poteva permettersi cure all'avanguardia e trattamenti di mummificazione che gli conferivano quell'aria solenne.

Erano così radiose che allungarono venti euro all'immortale.

Si spinsero fino al negozio degli animali per comprare il cibo per i Lorocari, come li chiamavano. Di solito gli arrivava insieme alla pozione magica, sempre grazie a Piero.

Infatti non è che fossero perfettamente sole in casa. Avevano un acquario dove nuotavano i Lorocari: tozzi pesci voraci che le due dame trovavano irresistibili, un po' perché erano il grande amore di Ernesto, il marito di Camilla. Ma anche perché rappresentavano una bellezza diversa rispetto a quella bellezza armoniosa nel cui culto erano state educate. Una bellezza più rude e selvatica. Passavano lunghe ore a guardare le lente evoluzioni dei Lorocari.

Dopo un po', a forza di fissarli, forse grazie anche alla pozione magica, la testa di quei pesci diventava la testa di persone che avevano amato, tra cui Ernesto, e allora la cosa si faceva ancora più interessante.

Non era pazzia, solo amore, nostalgia e sogno.

E poi Ernesto anche da vivo era un nuotatore formidabile.

Uno dei loro argomenti preferiti era la corretta alimentazione dei Lorocari. In verità i pesciolini – sleppe da mezzo chilo l'uno – andavano pazzi per gli avanzi di Emiliano. Il che forse significava che mangiavano qualsiasi cosa. Erano pesci della taiga, capaci di sopravvivere in situazioni estreme, così aveva detto il marito di Camilla quando li aveva portati da uno dei suoi viaggi in terre lontane.

Che schifo, era stato il commento della moglie.

Ma poi, nella sua seconda vita, aveva imparato ad amarli. E in effetti negli anni i Lorocari si erano adattati a situazioni estreme: come la vita da ectoplasmi delle due principesse. I pesci avevano prosperato, dimostrando che la natura selvaggia, cioè in definitiva la vita, si trova benissimo anche tra i fantasmi, e ora anzi c'era il problema che l'acquario era troppo piccolo. E da tempo le principesse cercavano altre soluzioni per i Lorocari che nell'estasi della pozione magica assumevano le sembianze degli affetti.

Quando li contemplavano non erano né sveglie né addormentate. E superavano il tempo.

Possessione sciamanica, diceva Camilla.

« Trasumanar significar per verba
non si poria » diceva Giulia.

Ora stavano tornando indietro, tutte giulive. Ripassarono dall'angolo presidiato dal mendicante. L'immortale probabilmente era il proprietario dell'intero palazzo e stava là seduto fuori a sorvegliare, o così per pigrizia e per vezzo. Alzò la testa, erano una decina d'anni che non lo faceva, di solito stava a capo chino. Le guardò e disse:

Attente, Senzafaccia vi cerca.

Probabilmente lo fece per riconoscenza, per via dei venti euro. Non che ne avesse bisogno, ma aveva apprezzato il gesto.

Le due si guardarono senza comprendere il senso dell'avvertimento, ma capivano che era un avvertimento.

L'immortale stava proprio sull'angolo. Sullo spigolo. Camilla sporse cauta il collo e li vide senza essere vista. Per primo riconobbe Emiliano. Ma non gli ci volle molto a capire chi era Senzafaccia.

Affrettiamoci, disse.

Si mimetizzarono nella folla dei turisti, una giungla in movimento. Intanto cercavano di capire il significato di quello che avevano visto.

Quando vedi un morto che va in giro di solito vuol dire che è vivo, disse Camilla.

Per me questo burattino è già morto, ma se per caso non fosse morto vorrebbe dire che è ancora vivo, recitò Giulia.

Vivi o morti, i giovani di oggi sono idioti.

Almeno quanto quelli di ieri, cara. Meno male che non dobbiamo preoccuparci delle cose di cui si preoccupano i giovani.

Questi giovani drogati mi fanno schifo.

Ma poi hai visto come si riducono, che aspetto trasandato? Con tutte quelle bende in disordine!

Ma secondo te Emiliano gli ha detto dove abitiamo?

Avevano paura a tornare a casa ma erano stremate. E poi non potevano abbandonare i Lorocari.

Emiliano non aveva resistito: era uscito casualmente e aveva intercettato i cercatori. Quando la madre premurosa di Senzafaccia gli aveva chiesto se sapeva dove abitavano le vecchie, Emiliano, stupefatto, aveva capito subito di quali vecchie parlasse. Però non gli aveva detto la verità: era rimasto sul vago, tra il sì e il no, come se stesse parlando di due nomadi.

Non capiva cosa volevano da loro e temeva che intendessero rubargli l'osso. Era lui il padrone delle due vecchie, cribbio! Se le era lavorate e aveva dei diritti, come gli diceva sempre sua moglie.

Mentì. Disse che voleva saperlo anche lui, dio santo, dove abitavano esattamente quelle, perché con tutte quelle arie snob in realtà erano delle barbone e gli dovevano un sacco di soldi. Lui era un onesto lavoratore e non era giusto che gli rubassero il pane che si sudava con la fronte.

Ma ora vedrai che le troviamo. Così disse, per prendere tempo e capire meglio.

Sul fatto che il suo pane fosse sudato aveva ragione.

Un trentenne lungo lungo, con aria scema ma furba, individuò le due vecchie nella folla. Gli si parò davanti. Raccontò una storia confusissima e penosa. La morale era: potevano le due signore anticipare dei soldi? Lui gli avrebbe lasciato una scatola, poi sarebbe tornato a riprendere la scatola e gli avrebbe reso i soldi, anzi un po' di più, per il disturbo. Si rivolgeva a loro perché si vedeva che erano due persone per bene. Con tutti i delinquenti che c'erano in giro non si fidava di altri. E sorrise amabilissimo.

Senta giovanotto, non è aria, disse Camilla.

Ma il tipo non capiva la metafora. Allora Camilla spiegò meglio: Dovresti levarti dalle palle.

Quello realizzò e sparì. Giulia rimase a bocca aperta, affascinata dall'uscita dell'amica.

La risposta fa la signora, disse Camilla compiaciuta.

Però non potevano vagare per l'eternità. Dopo un'altra mezz'ora non ne potevano più. Decisero di rischiare, di tornare a casa e di prepararsi all'assedio, sempre che quelli non fossero già lì e le stessero aspettando. Tutto questo fu espresso con una sola parola:

Andiamo, disse Camilla.

Sì, ma prima passiamo dal fabbro, disse Giulia.

5. *L'attesa*

Se il primo piano era un placido lago di ricordi, il pianterreno, regno di Giulia, era un mare di ricordi in tempesta. Bisognava attraversarlo per raggiungere il minuscolo cortile.

Tutto l'appartamento girava attorno a quel cortile, a cui era possibile accedere da due porticine, una di fronte all'altra, su lati opposti. Da tempo immemorabile erano chiamate porticina numero uno e porticina numero due, non si sa perché.

I muri del cortile erano coperti di una sostanza nera e verde. Una sostanza viva, probabilmente un incrocio tra muschio e muffa.

Il fabbro era confuso. Le due pazze lo avevano trascinato a casa con l'imperio di molto tempo prima, col piglio di quando l'intero quartiere si inchinava a un loro cenno. Ma l'appartamento al pianterreno testimoniava che qualcosa era mutato. Erano passati per miracolo: quel posto era un caos indescrivibile di stanze morte, sembravano i resti di un naufragio, come se quel disordine fosse un ritratto del loro cervello.

Poi attraverso la porticina numero uno lo avevano fatto entrare in quel cortile simile a un pozzo e ora chiedevano una grata che lo coprisse come fosse un tetto.

Ma perché volete una grata simile? Il fabbro non riusciva a capacitarsi.

Ma per i ladri, rispose prontamente Giulia, è già due volte che ci entrano in casa calandosi dall'alto.

Ma perché allora volete che la grata protegga solo il pianterreno e non anche il primo piano, visto che abitate là? Fece questa domanda cercando di essere paziente, come se più che una domanda fosse una spiegazione, ma non capiva.

Le cose preziose le teniamo al pianterreno, gli disse Camilla, e gli strizzò l'occhio.

La cosa non tornava, perché il primo piano era blindato.

È un trucco, rispose Camilla.

Gli chiesero di rafforzare le porticine e di metterci delle guarnizioni di gomma che non facessero passare l'acqua in casa. Un passo decisivo nella loro guerra ai reumatismi.

Poi basta, finestre sul cortile tanto non ce n'erano, al pianterreno.

Quei discorsi non avevano senso. Con la grata, che bisogno c'era di rafforzare le porte, e cosa importava se c'erano finestre o meno?

Poi saltarono fuori con altri dettagli che lui non capiva assolutamente.

C'era un buco da cui defluiva l'acqua, perché quando pioveva forte il cortile si allagava subito, con una velocità incredibile. Ebbene, gli chiesero di tapparlo, perché da lì arrivavano certi topi bruttissimi.

*

Erano richieste assurde e contraddittorie: da una parte pretendevano che l'acqua non entrasse in casa, dall'altra volevano tappare il buco che la faceva defluire. Ma il fabbro aveva una mentalità matematica: se pagavano avevano ragione loro. E nonostante il naufragio qualche soldo doveva essergli rimasto.

Potrei venire la prossima settimana, disse.

Ma noi ne abbiamo bisogno *adesso*.

Impossibile, ribatté pensoso carezzandosi i peli dell'orecchio con il metro. Ma quando Camilla con gesto soave tirò fuori il libretto degli assegni, il fabbro si risolse a fare tutto a velocità record, come gli chiedevano. In fondo era di buon cuore. E poi quelle avevano una strana determinazione negli occhi.

Chiamò i suoi figli e si sbrigarono.

La nottata passò. Senza che arrivasse nessuno.

I pesci planavano quieti. Le principesse non dormivano.

Forse ti sei sbagliata e Senzafaccia non era lo spacciatore, disse Giulia.

Eccome se era lui.

Forse non ci stanno cercando.

Coraggio a dargliene: eccome se ci stanno cercando. Ma ci troveranno pronte, stai tranquilla.

Certo cara.

Cercarono anche la pistola del nonno Ludovico, quella col manico di madreperla.

Non c'è, disse Giulia.

Sarà stata spostata con la guerra, disse Camilla. Ma non ne avremo bisogno.

Non era male la sensazione dell'attesa. Si sentivano forti.

Camilla suonava il pianoforte, Giulia guardava la carta da parati. Sia la musica che la carta da parati parlavano loro di storie lontane.

Parlavano. Ridevano. Ricordavano. Erano struggenti e sarcastiche. Pronte all'azione.

Secondo te quando arriverà? disse Camilla.

Quando *arriveranno* vorrai dire, ribatté Giulia, sempre pragmatica.

No, quando arriverà. Lei, intendo.

Ah... *Lei*, intendi. In realtà Giulia sorvegliava sempre, perché sapeva che sarebbe arrivata da una crepa nella carta da parati.

Sì, ormai non siamo più delle ragazzine.

Ti ricordo che non lo siamo mai state, siamo sempre state delle signore, cara. E comunque, mi interessa di più capire quando arriveranno loro.

Sì ma Lei non potremo tenerla fuori con una grata.

Così dicono.

Potrebbe essere il nostro nuovo fornitore, visto che non riusciamo a trovarne uno degno della nostra classe.

Giulia si illuminò:

Potrebbe essere, sono sicura che Lei è piena di pozione magica.

Se la roba è buona, non ne faremo una questione di prezzo, osservò Camilla con dolcezza.

Così come si erano progressivamente ritirate dal mondo, allo stesso modo si erano ritirate da certe zone della casa. Nella battaglia contro il tempo, concedevano territori fisici, ma ampliavano i sogni. L'appartamento al primo piano era spazioso, ma le due principesse trascorrevano gran parte del loro tempo in un'ansa del salotto dove avevano riunito le cose fondamentali: il pianoforte, l'acquario e la televisione. La carta da parati c'era già. Lo scrigno indiano dello zio Neri (come minimo un trisavolo), che custodiva gli strumenti per officiare il rito della pozione magica, era a sua volta nascosto in uno scrittoio pieno di intarsi e di cassetti.

Le buone cose di ottimo gusto, diceva Giulia.

Non faceva «le buone cose di pessimo gusto», la poesia di Gozzano? chiedeva Camilla.

Gozzano era un barbone.

Non è vero, fossi nata prima lo avrei assunto come arredatore.

Sarebbe stato un errore, il tuo gusto è impareggiabile.

In quel loro rifugio i divani non erano coperti dai lenzuoli.

La televisione era sempre accesa, senza audio. Un quiz condotto da Gerry Scotti dava la cultura alle masse.

Poi apparvero dei tipi con bandiere verdi: non si capiva se erano leghisti o militanti di Hamas.

Ogni tanto facevano ricorso alla pozione magica, quel poco che avevano sottratto a Senzafaccia.

Guardavano i pesci, sperimentando ancora una volta la possessione sciamanica nel centro di Firenze, uno dei posti più adatti. Vedevano i loro mariti galleggiare nel tempo e chiedere cibo.

L'ansa ombrosa che era il centro della loro vita aveva una finestra che dava sul cortile.

Ci pensi che nel Rinascimento riempivano d'acqua il cortile di palazzo Pitti e ci facevano le battaglie navali? Con vere navi. E i Medici guardavano la battaglia dalle finestre, disse Camilla.

Non era indifferente al lusso. Da bambina aveva letto queste parole in un libro di scuola: *Il lusso sfrenato dei Papi*. Era il titolo di un capitolo. Nelle intenzioni dell'autore doveva essere una critica severa, ma nella sua mente di bambina era suonata come una cosa irresistibile.

Già, rispose Giulia, dovremmo farla anche noi la battaglia navale. Potremmo riempire d'acqua il cortile con le sistole.

Chiamavano sistole i tubi di gomma, come tutti a Firenze.

Il discorso della battaglia navale lo avevano già fatto infinite volte ma gli piaceva sempre fantasticare.

In effetti erano piene di tubi di gomma, in bagno e in cucina. Risalivano al tempo in cui il cortile era pieno di piante, e ancora da laggiù saliva un profumo tetro.

Quelli arrivano, e non useranno le buone maniere, disse Giulia. Quanto resisteremo?

Ma Camilla non la ascoltava, si era rimessa al pianoforte. Suonava qualcosa di nuovo. Canticchiava, perfino.

Ma che roba è? disse Giulia. Di solito l'amica storpiava Chopin.

Camilla senza interrompersi disse:

È una nenia che la mia balia mi cantava da bambina. Me l'ero scordata, mi è tornata in mente ora, dopo tutti questi anni.

Per l'esattezza, non è che i pesci della taiga semplicemente mangiassero gli avanzi di Emiliano, così, di malavoglia. I Lorocari *adoravano* gli avanzi di Emiliano.

Giulia guardava il modo in cui si contendevano una crocchetta bisunta.

Gli animali totemici divorano il nemico, diceva sempre Giulia.

Il morto è sulla bara, rispondeva Camilla.

L'attesa non finiva mai. Non si sentivano più così forti.

Ma arriveranno? chiese per la ventesima volta Camilla smettendo di suonare.

Arriveranno arriveranno.

Non pensavo che ci tenessimo così tanto alla vita, alla nostra età.

Pensa per te, cara. Io sono di sei mesi più giovane.

Per cinque minuti stettero affacciate alla finestra, guardavano il cortile che pareva un pozzo.

Mi sembra tutto in regola, disse Camilla.
Ti ricordi quando era pieno di piante? Come sembrava più grande allora!
Ere geologiche fa, bambina.
Più che altro guardavano la grata, che arrivava a un metro e mezzo dalla finestra.
Che bella grata, disse Giulia come parlasse di un tramonto. Pensi che reggerà?
Vedrai di sì, prima che il gioco resti.

L'aveva appena detto che suonò il campanello.

6. *Nel labirinto del tempo*

C'erano stati tempi più giusti, tempi normali, in cui al suono del campanello accorreva la cameriera. Ora facevano tutto loro. Perfino le pulizie. Nonostante l'antico benessere dovevano stare attente con i soldi. Era soprattutto Giulia che teneva i conti: secondo i suoi calcoli aggiornati avevano soldi per soli altri tre lustri di vita.
Altrimenti potremmo derubare quelli che cercano di truffare le vecchiette, aveva detto una volta Camilla, nessuno ci denuncerebbe.
Era un'idea che dovevano rispolverare, se sopravvivevano.

Rita Rita, la nostra bellezza sfiorita, disse Giulia con aria ispirata.
Ogni tanto diceva delle cose così, assurde, per divertimento, o per infondere coraggio a sé e all'amica nei momenti critici.
Pensa per te, e poi io mi chiamo Camilla, fu la risposta. Era concentrata sull'azione prossima ventura.
Rimise con dolce calma la copertina sulla tastiera. Era

una specie di sciarpa da pianoforte, fatta dalla bisnonna. Poi chiuse il coperchio di legno.

Avevano anche indossato le perle del Mare del Diavolo. Loro le chiamavano confidenzialmente perle del diavolo. Non che non fossero sempre eleganti, ma oggi di più: aspettavano visite.

Il campanello suonò ancora. Rimbombava nella casa. Era il destino che bussa alla porta, ma un po' più isterico rispetto a quello della quinta di Beethoven.

Dobbiamo andare, disse Giulia.

Sarà Lei o saranno loro?

Potrebbero anche essere venuti insieme, sorrise Giulia guardando la crepa nella carta da parati.

Non facciamoli attendere troppo.

Salutarono con un cenno carico di sentimento i Lorocari e andarono. Potevano anche non vederli mai più.

Emiliano cominciava a spazientirsi. Quelle non aprivano. Che avessero capito tutto? Strano, visto che non aveva capito bene neanche lui. Era chiaro che i quattro a cui si era unito non volevano portare un regalo alle due galline pazze dalle uova d'oro. A occhio volevano dei soldi. Ma lui perché era lì? In prima fila, con il sacchetto del cibo a perfezionare l'inganno. Emiliano fu preso dal dubbio di aver sbagliato. Ma poi si ricordò che li stava aiutando perché non aveva scelta. Quella era gente che non scherzava, soprattutto gli amici della madre dello sfigurato. Non aveva scelta, li aiutava e al tempo stesso li controllava, dato che le due vecchie erano roba sua. E così se c'era da arraffare avrebbe arraffato.

Invece di aprire il portone col pulsante accanto al citofono, come facevano abitualmente, scesero giù. Alla fine delle scale c'era un corridoio e in fondo il portone. Sulla destra c'era la porta dell'appartamento del pianterreno.

Signore, aprite, lo so che ci siete, risuonava la voce di

Emiliano con un tono che secondo lui doveva risultare amichevole.

Non capiva perché non aprivano. Certo non potevano sapere cosa bolliva in pentola. Cominciava a provare una certa apprensione, anche per gli sguardi obliqui dei suoi compagni. Non è che davvero quei quattro volevano pestare le galline? E se poi la polizia incolpava lui? No, impossibile che arrestassero uno con una rosticceria così ben avviata.

Sentì la voce della vecchia sfiatata:

Sto arrivando, c'è il citofono rotto, arrivo arrivo.

Sentiva il rumore dei piedi che strisciavano freneticamente.

Le aveva in pugno, quelle vecchie. Era anche una rivalsa sociale. Rivolse un sorriso di trionfo alla madre del relitto, però quella rimase impassibile come i suoi due amici. Soltanto il ragazzetto sotto le bende ridacchiava tutto eccitato, come avesse sentito la parola culo durante una lezione scolastica.

Non andarono subito ad aprire il portone.

Camilla dischiuse la porta dell'appartamento del pianterreno: il regno lussureggiante di Giulia. Secondo la quale non era caotico, era ricco. Un regno a più strati, c'era di tutto. Dai tappeti berberi ai gusci di tartaruga marina. Sedie che spuntavano come scogli, armadi scuri che si ergevano come montagne. Lucerne. Ciarpame. Cose preziose. Cose incomprensibili. Pile di riviste. Un numero sorprendente di letti. Piantine bonsai secche, mummificate, chissà da quanto tempo. Corni di rinoceronte dell'avo esploratore, orologi a cucù. Qualsiasi cosa. E poi, sopra tutto, le conchiglie: splendevano appoggiate un po' ovunque, come sirene nella tempesta.

Aspetta me prima di metterti a correre, cara, disse a Camilla con dito ammonitore.

Si abbracciarono brevemente nell'ora fatale, con un'intensità senza smancerie. Se una delle due sentì le lacrime salire, non lo dette a vedere.

Stai attenta, bambina, rispose Camilla.

Ormai le abbiamo in pugno, disse Emiliano quando il portone cominciò ad aprirsi. La casa era la loro corazza, se ci entravi dentro erano inermi come grossi paguri.

La banda dei quattro fremeva di impazienza. Ma Emiliano sapeva essere cauto.

Vide solo la faccia della pagura Giulia, quindi la pagura Camilla doveva essere rimasta su. Bisognava essere gentili, o quella non avrebbe aperto la porta di sopra.

Oh, cara signora buon giorno ho qui degli amici che avrebbero piacere...

Ma non fece in tempo a finire la frase che Giulia si girò e schizzò via nel corridoio a una velocità insospettata. Li lasciò tutti a bocca aperta. Non sapevano che Giulia e Camilla facevano ginnastica tutti i giorni.

Però la principessa aveva fatto in tempo a vedere il volto feroce e determinato della madre di Senzafaccia. Una ferocia ordinaria, da donna del popolo.

Dagli, urlò la salariata della strada. Una specie di scimmia mascolina.

Giulia raggiunse Camilla e disse: Svelta seguimi.

Si buttarono nel caos dell'appartamento del pianterreno. Scavalcarono agilmente una montagna di antichi giocattoli e si ritrovarono davanti una specie di radura, uno spiazzo di terreno libero circondato dai resti delle maree del tempo come da una foresta. Dalla radura partiva un vialetto comodissimo: chiunque sarebbe andato di là, visto che la strada era sgombra. E infatti Camilla lo imboccò.

No, le disse Giulia tirandola per un braccio, è un inganno. Vieni.

E la fece strisciare sotto un letto che avrebbe potuto ospitare un'orgia di ippopotami.

Veramente quello non era il caos. Era un labirinto. Si inoltravano nel cuore del labirinto. Giulia si muoveva con sicurezza assoluta. Giulia era come il Minotauro e Camilla come Teseo, solo che il Minotauro e Teseo si intendevano benissimo.

Camilla la seguiva piena di fiducia. Per anni aveva chiesto a Giulia di mettere ordine in quel ciarpame, e per mettere ordine intendeva buttare via, o al limite mandare i cristalli di Boemia ai bambini del Terzo Mondo. Ma ora era contenta che Giulia non l'avesse fatto.

Avevano una paura che le esaltava. Se quella era la fine, era eccitante. Se Lei era entrata con Loro, non le avrebbe trovate piagnucolanti. Anche perché tra signore non sta bene, come diceva sempre Camilla.

Comunque intanto scappavano, non era ancora finita. Per niente.

I due solidi amici dell'impiegata dozzinale sorpassarono con una virile spallata Emiliano ed entrarono per primi nell'appartamento del pianterreno. Avevano un'aria temibile, sicura, e fecero subito vedere quello che sapevano fare inciampando nel tappeto persiano e battendo una boccata memorabile contro il canterano stile impero. La dentatura di uno di loro ne risultò notevolmente ridimensionata. Si vede che era un destino, perdere i denti, per Senzafaccia e i suoi amici.

Il tappeto dello zio Ale, ridacchiò Giulia, ci inciampo sempre anch'io. Ma sono più agile nella caduta.

Più avanzavano più sembrava una giungla viva. Tutti quegli oggetti si erano imbevuti di vita, negli anni. E ora la rilasciavano lentamente, come radioattività. Per non parlare delle conchiglie, che erano l'anello di congiunzione tra la Vita e l'Arte.

Per permettere i lavori del fabbro&famiglia Giulia aveva liberato un passaggio, una specie di sentiero nella foresta amazzonica. Ma dopo che la grata del cortile era stata piazzata e la porta rinforzata e tutto il resto era stato approntato, allora Giulia aveva rimesso tutto *a posto*, secondo lei. Gli antichi oggetti erano tornati a essere governati dalla Natura, che per quella volta si era fatta rappresentare dalla sua mente, e quello era di nuovo un territorio selvaggio.

Ma era un territorio selvaggio in cui lei si muoveva come Tarzan, o come Dersu Uzala.

Ma come fai, continuava a ripetere Camilla che non aveva più fiato. Mi farai morire.

No, *quelli* ti faranno morire se non ti sbrighi.

Ora la stava facendo strisciare sotto un canterano del XVIII secolo, sgusciavano come vietcong.

I due che avevano battuto la boccata si erano rialzati inferociti, più che altro per l'umiliazione pubblica, visto che anche tutti gli altri inseguitori erano ormai nell'appartamento del pianterreno. I cinque erano pieni di buona volontà. Ma non avevano metodo nell'inseguimento, non si aspettavano di dover agire in un posto simile, andavano a sbattere da tutte le parti. Anche perché gli oggetti che costituivano il labirinto avevano troppa classe per loro, troppa storia, e questo li disorientava. Erano entrati con l'irruenza e la sicurezza degli americani in Asia, e ora dovevano fronteggiare delle sorprese.

Sbong! Risuonò una botta. Qualcosa di grosso era caduto su qualcosa di vuoto. E poi l'urlo mostruoso dell'orco: Porca troia, tanto vi prendo, puttane!

La *Cassis cornuta*, osservò Giulia un po' in apprensione. Speriamo non si sia rotta.

Si trattava di una conchiglia da cinque chili posizionata in equilibrio precario sullo spigolo di un armadio.

I movimenti felini delle principesse non l'avevano fatta cadere, ma si vede che l'orco aveva scosso l'armadio.

Le due si muovevano tra i resti rinascimentali come pellerossa che combattono l'uomo bianco.

Non che i resti fossero tutti rinascimentali.

Ora per esempio si erano appiattite sotto una pelle di leopardo del Bengala portata un secolo e mezzo prima dallo zio Vanni (per loro anche gli avi erano zii).

Dobbiamo stare ferme, sussurrò Giulia.

In effetti gli inseguitori si erano fatti furbi. Non si sentiva più il frastuono delle cadute e degli urti. Evidentemente volevano capire con l'udito dove fossero le due vecchie.

All'inizio forse gli inseguitori volevano solo soldi. Ma ora di sicuro intendevano uccidere.

L'orco stringeva il sacchetto del cibo, perché non conteneva solo cibo.

Ma le due principesse stavano immobili e mute sotto il leopardo.

Non è poi così facile strappare il cuore di Biancaneve.

Solo che a Camilla sembrava che il cuore di Biancaneve le stesse per balzare via dal petto.

Giulia le strinse la mano, come tra compagne d'asilo.

Non si erano mai scambiate così tanti gesti di affetto in decenni di vita insieme.

Il cortile è vicino, disse Giulia. Il cortile è vicino, ripeteva come una preghiera.

E per un attimo Camilla ripensò ancora ai fastosi cortili rinascimentali in cui si combattevano le battaglie navali e gli parve di aver sbagliato tempo, anche se perfino in questo tempo poteva prendersi le sue soddisfazioni.

Ancora rumori e imprecazioni, gente che cadeva e andava a sbattere.

Si sono separati, per avere maggiori probabilità di prenderci, disse con un filo di apprensione Camilla.

Ma ora sono anche più vulnerabili, suggerì Giulia.

Ci fu un urlo più forte degli altri, terribile, una specie di barrito: Ho sbattuto la faccia ho sbattuto la faccia, piagnucolava Senzafaccia.

La voce violenta e ordinaria della madre, da un altro punto dell'appartamento, preoccupatissima, gli chiese come stava.

Giulia sorrise: Andiamo, sono lontani.

Strisciarono via dalla pelle di leopardo, scavalcarono l'ottomana della trisavola Domitilla, dai disinvolti costumi.

E la porta era lì. Ancora pochi metri e avrebbero raggiunto il cortile.

È fatta, disse Camilla. Sei una guida fantastica, dovresti lavorare per il Touring Club.

Un'ombra obesa si parò tra loro e la porta.

Voi siete fatte, tuonò il rosticciere.

Evidentemente era più furbo di quello che sembrava. O era stato fortunato, come quando un'onda ti prende e ti fa attraversare indenne un labirinto di scogli.

Quando si era unito al gruppo di Senzafaccia, Emiliano non aveva certo intenzione di sgozzare le galline dalle uova d'oro. Ma le cose cambiano. E la caccia nel labirinto aveva eccitato una regione selvaggia, sepolta nella sua mente.

Oddio, neanche troppo sepolta.

Ora l'orco estraeva dalla busta di plastica un coltellaccio da commerciante fiorentino.

Se almeno Giulia fosse riuscita ad arrivare all'argenteria. Quei coltelli della nonna Letizia sarebbero finalmente serviti a qualcosa. Li lucidava tutte le settimane, le dovevano un po' di riconoscenza.

La cassa era sotto l'ottomana della trisavola.

Ma l'orco intuì l'intenzione e sbarrò il passo. Poi avanzò verso di loro.

*

È la fine, bambina, disse Camilla.

Addio, cara.

Poi Giulia pensò che c'era qualcosa che non tornava. Lei non poteva avere le sembianze di Emiliano: c'è un limite al cattivo gusto. E poi Lei doveva arrivare dalla crepa nella carta da parati. Era un tacito accordo tra vere signore, la cosa più solida che esista. Fu allora che vide la *tibia fusus*.

«Sulla riva del mare Jannawath vide le sue prime conchiglie e gli parvero fiori» sussurrò con un filo di speranza.

La *tibia fusus* è una leggiadra conchiglia affusolata che ha una specie di lunga coda aguzza. Di solito vive nel Pacifico centrale. Ma al momento un esemplare di *tibia fusus* si trovava sul canterano della nonna Adelaide, un po' tarlato ma sempre magnifico.

Emiliano si avvicinava sprizzando litri di sudore. Aveva un tremito, non si capiva se perché era furibondo o perché era incerto.

Giulia brandì la *tibia fusus* ed eseguì un movimento velocissimo, come quando faceva saltare i sassi sull'acqua dell'Adriatico selvaggio, circa sessant'anni prima. Certi ricordi sono infrangibili, a differenza degli occhi. Alla fine del gesto di Giulia, Emiliano si trovò una *tibia fusus* ficcata nell'occhio e si mise a urlare come Polifemo.

Una conchiglia così elegante era sprecata in un corpo schifoso come il suo. Ma a volte il gioco vale la candela, come diceva sempre il confessore particolare di Camilla quando era giovinetta, un religioso che coltivava un'idea tutta sua di candela.

Ma non era quello il tempo per i dolci ricordi. Giulia si mise in tasca la perla della *Tridacna* che stava in equilibrio su una statuetta di Capodimonte. La perla della *Tridacna* non è pregiata, in compenso quella era più grossa di una palla da golf, come amava sempre dire Ernesto, prima di diventare un pesce della taiga.

Scavalcarono il bestione arenato nella risacca di antichi

stoini, Giulia aprì la porticina numero uno e il cortile era là, di fronte a loro come una terra promessa La tentazione era quella di scappare tutte e due là fuori. Ma sarebbe stato il loro ultimo errore. Dovevano attenersi al piano.

Vai, disse Giulia a Camilla indicando il terrificante gorilla nero impagliato a fianco della porta. Uno zio di King Kong. Mostrava i denti e teneva perennemente alzato in gesto di minaccia il braccio sinistro, infatti la maggior parte dei primati sono mancini.

Giulia era appena uscita in cortile e Camilla aveva appena finito di nascondersi dietro il gigantesco gorilla, quando improvvisamente dalla collezione completa della «Domenica del Corriere» emersero le teste di Senzafaccia, della donna del popolo e dei due energumeni muti, certo assistenti sociali.

Dagli dagli, urlava la salariata. Non fargli chiudere la porta.

Ma non è che esci facilmente da una collezione completa della «Domenica del Corriere», è peggio delle sabbie mobili. Giulia ebbe il tempo di raggiungere la porticina numero due sul lato opposto del minuscolo cortile, aprirla ed entrare in casa.

Ma non poteva chiuderla: non era finita. Ora veniva il momento decisivo. Sia Camilla che Giulia dovevano fare ognuna la propria parte, alla perfezione. Un assistente sociale è come una murena, può tirar fuori energie insospettabili.

La prima a raggiungere il cortile fu la madre di Senzafaccia, rivelando una certa vitalità plebea. Zoppicava, doveva aver battuto il ginocchio in qualche spigolo. Poi arrivarono gli energumeni che – inespressivi ma furibondi – quasi trascinavano Senzafaccia ormai piagnucolante e stremato.

Giulia, sulla soglia della numero due, prese la perla della *Tridacna* e la scagliò contro l'energumeno più vicino. Era sicura di sé. Troppo: gli sfiorò la tempia ma non lo prese bene.

Quelli ripresero ad avanzare verso di lei. Il cortile era così angusto che si chiese se avrebbe fatto in tempo a chiudere la porticina numero due.

Comunque non era il momento, perché la numero uno era ancora aperta. Forse il momento non sarebbe arrivato mai, forse qualcosa era andato storto.

Ma scappare e chiudere la numero due ora, con la numero uno ancora aperta, avrebbe significato condannare a morte Camilla.

La cosa buona era che quelli non si erano accorti che Camilla era nascosta dietro il gorilla.

Giulia doveva fare qualcosa. Tra poco l'avrebbero raggiunta. Bisognava prendere tempo, non sapeva come. Doveva giocare d'astuzia.

Allora disse: Basta, avete vinto!

Rallentarono.

Lei continuò: Sì, avete vinto, vi dirò dove nascondiamo il tesoro!

Si fermarono, pietrificati dall'avidità.

La parola «tesoro» non apparteneva al loro vocabolario abituale, ma qualcosa gli suggeriva che era collegata a un sacco di soldi.

In quel momento l'orco rotolò nel cortile. Evidentemente la *tibia fusus*, nonostante le apparenze vistose, gli aveva inferto una ferita superficiale, oppure Polifemo aveva una resistenza formidabile.

L'orco aveva appena finito di rotolare che la prima porta si chiuse dietro di lui.

SBAM!

Camilla ce l'ha fatta, pensò Giulia con sollievo. L'amica al momento opportuno, cioè quando tutti erano nel cortile, aveva abbandonato la protezione del gorilla e aveva chiuso la porta numero uno.

Ora tocca a me, pensò.

Quelli erano ancora lì, paralizzati dalle troppe sorprese. Giulia non gli lasciò il tempo di riprendersi: chiuse la numero due.

Poi girò più volte la chiave, mentre Camilla dietro la numero uno faceva altrettanto.

Non avrebbe mai dimenticato quel momento: il suono

delle due serrature era meraviglioso, sembrava il *Notturno* opera 148 di Schubert. Non a caso un adagio postumo.

Quelli adesso erano soli, nel minuscolo cortile, con le due porticine massicce chiuse e una grata metallica sopra di loro.

I due energumeni tirarono fuori le pistole, ma era troppo tardi.

Siamo in trappola, disse la donna del popolo atterrita.

Una frase assolutamente qualsiasi, neanche la morte in arrivo sembrava regalarle un briciolo di fantasia.

7. *I fasti del Rinascimento*

Le due principesse si ritrovarono commosse nel corridoio e risalirono al primo piano, quello padronale. A giudicare dal rumore, gli energumeni esplodevano colpi all'impazzata. Quei brutti ceffi sembravano cacciatori toscani contemporanei all'inseguimento di un fagiano d'allevamento.

Ma a cosa sparavano? Forse alle porte, nel tentativo di aprirle. Solo che erano appena state rinforzate dal fabbro. E poi magari quei due presi dall'agitazione non riuscivano neanche a colpire la serratura. Non è che fossero dei veri tiratori. Grandi e grossi, al massimo erano buoni a colpire i drogati sulle panchine da distanza ravvicinata. Ma neanche quelli. Le pistole più che altro gli servivano per far colpo sulle aspiranti veline della periferia, che in attesa di raggiungere la maggiore età battevano irretendo i turisti.

Il marito di Camilla invece era in grado di colpire un camoscio da cinquecento metri di distanza.

Comunque quando le principesse furono nella loro stanza preferita si sentirono più tranquille.

Uff, disse Giulia parlando a Camilla ma anche ai Lorocari, è stato faticosissimo ma ce l'abbiamo fatta.

Camilla si sistemò il vestito, che si era un po' stropicciato nella foga dell'azione, e chiese:

Ritieni che i vicini avranno sentito gli spari?

I rapporti di buon vicinato le erano sempre stati a cuore, per quanto non fosse facile mantenerli.

Ormai si fanno tutti i fatti propri, disse Giulia. E poi se li hanno sentiti meglio: possono testimoniare che siamo state aggredite. Due povere vecchie.

Erano distrutte, avevano avuto due giornate faticose. Tuttavia non potevano lasciare le cose in sospeso. Per via dei rischi, e poi una signora non lascia cose in sospeso.

Allestiamo lo spettacolo rinascimentale, cara? disse Giulia, che pregustava il gioco come una bambina.

Inviti la lepre a correre, disse Camilla.

I prigionieri, laggiù nella gabbia, cominciavano a realizzare che per loro non si era messa tanto bene. Quando ti svapora la furia omicida, di solito emergono le preoccupazioni. Cercarono ancora di sfondare le porte. Niente. Cercarono di sfondare la grata. Niente.

Sollecitati dalla salariata, presero a sparare al lucchetto della grata.

Arrivano dopo il semaio, disse Camilla.

Infatti avevano scaricato le pistole con la sfuriata di poco prima.

Che potevano fare?

Senzafaccia si illuminò tutto: Il cellulare, disse, chiamiamo rinforzi.

La madre fu fiera della genialità del figlio: anni di studio all'Istituto Tecnico non erano passati invano.

Tutti quanti frugarono nelle tasche alla ricerca dell'arma finale: i cellulari.

Secondo te Lorenzo il Magnifico usava le sistole? disse Camilla.

Lo escluderei, ma noi siamo l'evoluzione della specie.

*

E l'ansa ombrosa del salotto era attraversata da tantissime sistole, come serpenti. Ogni rubinetto della casa – e in quella casa non mancavano i rubinetti – era stato collegato a una sistola, come previsto dal piano Alfa.

Bisogna che il piano Alfa funzioni, perché non disponiamo di un piano Beta, aveva detto Giulia qualche ora prima, durante il briefing.

Insomma fecero penzolare le sistole dal davanzale della finestra, come capelli grassi di una principessa trascurata. Dopodiché aprirono i rubinetti.

Quando si affacciarono per godersi lo spettacolo videro i prigionieri che armeggiavano goffamente coi cellulari.

Forza, prendine una, disse Giulia.

Brandirono una sistola a testa e giocarono a «spegni il cellulare».

Quella contro i cellulari è una battaglia di civiltà, disse Camilla.

Poi lasciarono aperti i rubinetti del tempo.

Eccoci all'acqua, disse Camilla.

E per una volta l'espressione andava intesa alla lettera.

Meno male che Emiliano è rotolato nel cortile, prima, altrimenti non avresti potuto chiudere la numero uno, disse Giulia.

Sono io che l'ho fatto rotolare dentro, le chiarì Camilla, sono una ragazza atletica.

Hai avuto paura?

E te?

Cara, adesso non parliamo di queste cose.

Molte ore dopo, l'orco galleggiava a pancia in giù come un mammifero marino.

Tutto grasso che cola, disse Camilla.

L'acqua era alta, ma aveva tutta l'aria di voler salire ancora, niente da dire sull'acquedotto cittadino, per il momento arrivava al mento degli oranghi muti, mentre Senzafaccia e la donna del popolo si erano aggrappati alle sbarre e cercavano di respirare. Solo che le due principesse avevano ripreso una sistola a testa e giocavano a colpire il volto dei prigionieri. Per cui respirare non era facile.

Alla fine Lei è arrivata, ma non è venuta per noi, disse Camilla.

Ma certo cara, io l'ho invitata a entrare dalla carta da parati. Non si presenterà certo in un putrido cortile, quando si tratterà di noi. Ma cosa credi.

Io per primo libererei il mio Ernesto, se sei d'accordo, disse Camilla.

Giulia fece segno di sì, non c'era neanche bisogno di dirlo.

Camilla afferrò il retino, lo calò nell'acquario e prelevò con attenzione religiosa il pesce della taiga più grosso.

Vai amore mio, gli disse, e dopo averlo baciato lo buttò nella gabbia piena d'acqua.

Quello dapprima sembrò interdetto per la confusione e si rifugiò in un angolo, ma poi cominciò a nuotare a mezz'acqua, come per valutare la commestibilità di quanto gli stava intorno.

Ora sta a me, disse Giulia.

E con tutto il sentimento possibile tirò su un bel pesce, un po' più piccolo del precedente, ma molto battagliero. Infatti anche se nella caduta andò a sbattere contro un ferro della grata non si scompose e sembrò adattarsi subito alla nuova situazione.

E così, un pesce per volta, un caro a testa, liberarono nel cortile tutti i Lorocari.

Ora avranno più spazio, disse Camilla. Secondo te hanno fame?

Loro hanno sempre fame, rispose Giulia. È giusto che l'animale totemico mangi il nemico, si legge in tutti i libri. E poi, con tutti gli avanzi di Emiliano che hanno mangiato in questi anni, rimane solo che mangino Emiliano.

Quello che non ammazza ingrassa, chiosò Camilla. Si immaginava che, dentro, l'orco fosse fatto tutto di gamberi fritti e altri avanzi: la sua anima. Appena fosse stato aperto dai pesci, avrebbero visto l'anima cadere sul fondo.

Camilla sorrise con affetto, vedendo i suoi cari che nuotavano, guidati da Ernesto: un condottiero e un pioniere, come sempre.

Rimasero a guardare e applaudire, dall'alto, come dame rinascimentali.

Che spettacolo, ne valeva la pena, disse Giulia.

Il lusso sfrenato dei Papi, commentò Camilla commossa.

Per festeggiare stapparono un Chateau d'Yquem. Dell''86, naturalmente.

Un soffio di ottimismo, sussurrò Camilla mentre brindavano.

MASSIMO CARLOTTO

Cuori rossi

Padova era cambiata. Se l'aspettava. Tutto era cambiato. Il paese. Il mondo intero. Perfino lui. Era invecchiato abbastanza bene, si era tenuto in forma con un'attività fisica costante anche se non esagerata. Solo il viso era invecchiato male. Rughe profonde intorno agli occhi e una piega amara che distorceva la bocca. L'aveva nascosta sotto un paio di baffi. Ormai pochi uomini li portavano. Oggi andava di moda il pizzetto. Una volta aveva anche tentato di farlo crescere ma gli dava un'aria da sbirro. E lui quelli non li poteva vedere. Dalla stazione era arrivato a passo veloce in piazza dei Signori e si era piantato nel mezzo, girando piano su se stesso, mentre volti, situazioni, rumori gli tornavano alla mente a ondate. L'ultima volta che si era fermato in quella piazza a bere uno spritz nel bar all'angolo era stato nel marzo del 1981. Nonostante il movimento fosse finito da un pezzo piazza dei Signori era ancora la «piazza» dei compagni. Come sempre ne aveva incontrati alcuni, aveva chiacchierato, scherzato, offerto da bere e poi era tornato a casa dove trovò i carabinieri ad aspettarlo. Era stata una telecamera a fregarlo. A quei tempi non erano così frequenti nelle banche e poi quella non l'aveva proprio notata durante i sopralluoghi. Loro le rapine le facevano a volto scoperto, giusto un cappellino o un paio di occhiali per non rimanere impressi nella mente di impiegati e clienti. Avevano iniziato per autofinanziare il gruppo. Una sigla. Una delle tante nel firmamento della «soggettività comunista» di quegli anni. Qualche bombetta, le gambe di un capetto di un'azienda metalmeccanica. Il gruppo era durato poco. Spaccature, confluenze in altri. Tutto nella norma di quel periodo così convulso.

«E straordinario» come amava ripetersi.

Lui e qualche altro, tre per l'esattezza, avevano continuato ad autofinanziarsi. Ormai erano una «batteria» collaudata e nessuno era disposto ad accettare l'idea che la «fase era cambiata». Uno stava fuori della banca col pezzo lungo a fare da copertura a fianco alla macchina rubata. Gli altri entravano, uno si piazzava al lato della porta, uno saltava il bancone e saccheggiava la cassa, e l'altro girava qui e là intimando calma e dita lontane dai pulsanti d'allarme. Quella cassa rurale di quel paesino tra le province di Venezia e Treviso doveva essere un lavoretto facile. Non eccessivamente remunerativo. In quelle piccole filiali si potevano trovare al massimo 40 milioni delle vecchie lire, giusto il tetto fissato dalle assicurazioni. Il resto era ben nascosto o chiuso nella cassaforte a tempo. Una volta avevano avuto fortuna e un'impiegata, presa dal panico, aveva spontaneamente indicato una scatola di scarpe sotto una scrivania. Era piena di mazzette di banconote da centomila. Le buste paga di una fabbrica di minuteria metallica che manteneva il paese.

I carabinieri lo conoscevano già come estremista politico ma era uno dei tanti, e non dei più noti, e poi non avevano informazioni sufficienti per arrivare a ipotizzare la partecipazione a una banda armata, così lo gonfiarono di botte solo per sapere i nomi degli altri complici. Ma lui era rimasto zitto. Non tanto perché era uno di quelli che «mi no parlo» ma perché aveva capito che tirare in mezzo gli altri avrebbe significato mettere in moto l'antiterrorismo e finire in una megainchiesta con tanto di megaprocesso. A Padova ce n'erano stati diversi. Li avevano chiamati processoni. I giudici avevano avuto la mano pesante anche con gente che si era solo vantata di quello che non aveva fatto. A quei tempi, per chiudere la «stagione del terrorismo», tra pentiti e teoremi fasulli, la giustizia era stata amministrata un tanto al chilo.

Alla fine lo avevano condannato a sei anni e quattro mesi. Ma dal carcere era uscito dopo ventuno anni esatti. Altri quattro li aveva trascorsi in una comunità giusto per riprendere il fiato e ora era tornato a Padova. Per fare quello che doveva fare. Per fare quello che aveva deciso un giorno e riconfermato nella sua mente tutte le mattine quando si svegliava.

Padova era cambiata, aveva pensato per l'ennesima volta passeggiando per il centro. Uscito da piazza dei Signori si era infilato sotto il portico che costeggiava piazza delle Frutta, affollata di bancarelle del mercato, ed era sbucato in piazzetta Pedrocchi. Anche quella era cambiata. Quando piazza dei Signori era la loro piazza, questa era quella dei fasci. Era il loro regno incontrastato. Alle spalle una rete di viuzze portava alla sede di via Zabarella, dove le Br avevano sparato a due militanti missini.

Per i compagni era zona interdetta, passarci significava beccarsi una scarica di legnate. Lo stesso valeva per i camerati quando si avventuravano oltre piazza delle Frutta.

Entrò nel caffè Pedrocchi. Ordinò uno spritz al banco, stupito di quanto fosse cambiato quel locale negli anni. Uscì e puntò verso via Roma, passando a fianco all'università. Si fermò a osservare i negozi gestiti da cinesi cercando di ricordare le insegne dei suoi tempi. Infine arrivò in piazza Castello e si sedette su una panchina a fissare il portone del vecchio penale. Aveva letto che sarebbe dovuto diventare un museo. Non sarebbe bastata una mano di bianco per cancellare gli incubi di quelli che c'erano passati.

Era successo lì. Un anno e mezzo circa dopo il suo arresto. Leccando discretamente il culo al maresciallo era riuscito a farsi assegnare alla fabbrica di biciclette che occupava un'intera ala del vecchio castello. La mattina si metteva la tuta marrone della casanza, usciva dalla cella e andava in fabbrica. Alla pausa pranzo rifaceva lo stesso tragitto con sosta perquisa delle guardie. Dalle leve dei freni si potevano ricavare degli ottimi arnesi da punta e da taglio. Una sigaretta in cortile e poi di nuovo alla catena di montaggio. Dal lunedì al venerdì.

Non si stava poi così male e lei non lo aveva lasciato. Veniva a trovarlo tutte le settimane insieme a sua madre. Il padre era morto molti anni prima. Lui non si aspettava nulla da lei e nemmeno dalla madre. Ma di quel colloquio aveva bisogno. Per sopravvivere. In carcere non si era mai esposto politicamente. Si faceva i fatti suoi e si era adattato a quelle regole non scritte che facevano di quell'istituto penitenziario un luogo tutto sommato pacificato, dove anche le beghe tra detenuti venivano regolate con discrezione.

Un giorno era arrivato un definitivo per rapina. Si erano incontrati in corridoio e si erano riconosciuti subito. Era uno del giro dei fasci, un picchiatore legato a una nota banda di malavitosi che aveva imperversato nella zona per un bel po' di anni. Una volta durante uno dei tanti scontri davanti al liceo classico di Riviera Tito Livio si erano presi a sprangate. Lui aveva avuto la peggio, il fascio sapeva il fatto suo, era cresciuto nelle strade e di risse se ne intendeva. Poi si erano incontrati altre volte in scaramucce e inseguimenti tra le strette stradine del centro. Ora il tizio era finito in carcere per rapina. Una di quelle grosse, da titolo in prima pagina dei quotidiani locali. Mica come la sua. C'era scappato pure il morto. Un complice, falciato dagli uomini della mobile a un posto di blocco.

Si erano fissati negli occhi un momento ma era bastato per riconoscersi come nemici. Si erano presi le misure per un paio di mesi, tenendosi a distanza ma continuando a parlare con gli occhi.

Il fascio aveva più conoscenze nel mondo della malavita e quel giorno alle docce mandò un amico. Uno bello grosso che tutti temevano per la sua brutalità nel picchiare. Per non farsi massacrare fu costretto a tirare fuori dall'asciugamano un punteruolo che aveva costruito saldando alcuni raggi di ruota di bicicletta, che era riuscito a portare fuori dalla fabbrica per non trovarsi impreparato quando il fascio avrebbe fatto la sua mossa. Quello bello grosso aveva avuto un'espressione sorpresa quando aveva visto spuntare dalla sua pancia quell'arma rudimentale. Era morto poco dopo. Lui era stato portato via dalle guardie, che lo avevano preso a pugni e calci fino a farlo svenire. Il fascio aveva aspettato un paio di giorni, poi attraverso lo spioncino aveva rovesciato un secchio di piscio nella cella d'isolamento. Si erano fissati negli occhi un'altra volta. Odio. Quell'odio che nemmeno gli anni o la galera riescono a far calare d'intensità.

Per lui iniziò il giro dei «camosci» ovvero delle carceri speciali. Tornò a Padova solo il tempo della Corte d'Assise. Ventiquattro anni. Lei lo aveva abbandonato. La madre era morta. Una storia di galera come tante. A fatica era riuscito a farsi trasferire nel circuito delle carceri normali. Alla fine la ferrea buona condotta riuscì a salvarlo dall'elementare somma delle condanne.

Ora era tornato a Padova a saldare i conti. L'odio era rimasto intatto. La decisione di ucciderlo, presa nel momento in cui la sua cella era stata inondata dal piscio del camerata, non era mai stata oggetto del minimo ripensamento.

In tutti quegli anni si era convinto che ucciderlo era un atto dovuto all'interno di quello scontro politico che li aveva visti contrapposti. Il fascio gli aveva mandato l'energumeno per picchiarlo in quanto avversario politico. Ora lui era deciso a restituire il favore, con gli interessi del caso. E poco importavano gli anni trascorsi e che tra fasci e compagni, di quella generazione almeno, fossero state deposte le armi. Come aveva insegnato l'esperienza dell'immediato dopoguerra, non era bastata l'amnistia di Togliatti a chiudere i conti. Nel vicentino la Volante Rossa aveva fatto pulizia fino al '49. Ora camerati e compagni con le giacche e le cravatte di moda in parlamento si confrontavano nei dibattiti televisivi, si davano del tu. Ogni tanto esprimevano stima reciproca. Parlavano dei morti ammazzati di quegli anni come se fossero stati tutti uguali. Anche lui si sentiva un morto ammazzato. Ventuno anni di galera erano troppi in una vita. Quella «piccola guerra civile», come l'aveva definita un quotidiano di sinistra, per lui non era ancora finita.

*

Guardò l'orologio e decise che era arrivata l'ora di andare a trovare uno dei suoi vecchi complici. Sulla targa il nome era preceduto dal titolo di ingegnere. Alla segretaria disse semplicemente il suo nome e fu ricevuto subito. L'ingegnere fu contento di vederlo. Lo abbracciò e gli chiese come stava. Lui si limitò ad annuire. Era una domanda del cazzo. L'ingegnere era imbarazzato. Dopo l'arresto, con la scusa delle regole della clandestinità, i suoi compagni non si erano più fatti sentire. A dirla tutta si erano cagati sotto. Per mesi avevano temuto il cedimento del compagno catturato. Poi avevano tirato un sospiro di sollievo così profondo da cambiare vita e, due su quattro, anche orientamento politico.

L'ingegnere no. Era rimasto di sinistra. Anche un altro che si era laureato in medicina e ora era in qualche parte del mondo a curare derelitti.

«Non abbiamo mai capito perché hai ammazzato quel tipo in carcere. Ti sei allungato la galera per una stronzata» sbottò in tono nervoso.

Lui non rispose. Si limitò ad osservarlo con calma. Il suo volto aveva le rughe di un uomo di successo. Per un lungo momento lo invidiò con tutte le sue forze.

«Che fine hanno fatto i soldi?» domandò. Aveva avuto ventuno anni di tempo per fare i calcoli. Il gruppo aveva in cassa circa 320 milioni. Diviso 4 faceva 80 a testa. Più o meno 40.000 euro. Per uno che fino al giorno prima aveva zappato la terra in una comunità del cazzo a 250 euro al mese, era un bel gruzzoletto.

L'ingegnere allargò le braccia sconsolato. «Dopo il tuo arresto il gruppo si è sciolto, lo sai, e i soldi dell'autofinanziamento sono finiti a un'altra organizzazione, sai come funzionava in quegli anni...» Fece il nome di una sigla. Se la ricordava bene. Un'altra stellina del firmamento della lotta armata locale. Era durata qualche mese in più, poi un pentito aveva messo la parola fine. Di quei soldi però non aveva parlato.

Lui scosse la testa sorridendo. «Non ci credo. E, comunque, non me ne frega un cazzo» ribatté in tono duro. «Fate una colletta tra di voi per il povero compagno sfortunato. Fate quello che volete ma quei soldi li voglio.»

«Certo, certo. Non c'è problema» disse l'ingegnere in tono conciliante. «Nel giro di qualche giorno te li farò avere.»

Lui alzò l'indice della mano sinistra. «Una settimana.» Poi si alzò. La visita al vecchio compagno era finita. Uscendo dalla stanza notò una fotografia, elegantemente incorniciata, appesa al muro. Ritraeva l'ingegnere, molto più giovane, abbracciato a una donna vestita da sposa. Si fermò a osservarla con l'intenzione di fare una battuta, magari velenosa, ma poi la riconobbe. Il sangue gli si gelò nelle vene. L'ingegnere si era sposato la sua compagna. Chinò il capo e uscì senza salutare.

Dormì in una pensione per pellegrini dalle parti della basilica di Sant'Antonio. La mattina seguente andò a comprare un metal detector, il modello preferito dagli appassionati di recupero di reperti militari nei campi di battaglia. Tutte le sante domeniche ne potevi incontrare qualcuno sull'Altopiano di Asiago o sulle Dolomiti a caccia di elmetti, gavette e baionette risalenti alla prima guerra mondiale. Lui, invece, attese la notte e al casello di Padova ovest entrò in autostrada. Direzione Milano. Si fermò sotto un ponte tra Verona e Brescia, prese il metal detector e una vanga, l'unico souvenir che si era portato via dalla comunità, e scavalcò la recinzione. Pochi minuti dopo il segnale sonoro lo avvertì che l'aveva trovata. Qualche colpo di vanga e tirò fuori una pesante cassa stagna. Si infilò tra i denti una piccola torcia elettrica per aprire agevolmente le due serrature a scatto. Per un attimo osservò il contenuto. Tre pistole e un mitra smontato, ingrassati e avvolti in numerosi strati di pellicola trasparente, proiettili conservati nei barattoli dei sottaceti e, infine, un silenziatore artigianale. Con gesti veloci liberò le pistole dagli involucri, trovò quella con la canna adattata al silenziatore, tolse il caricatore e «scarrellò» più volte per verificarne il funzionamento. Sorrise. Era proprio vero quello che aveva sentito dire molti anni prima da ex partigiani. Un'arma da fuoco ingrassata per bene e conservata all'asciutto poteva sparare anche dopo cinquant'anni. Ne erano trascorsi venticinque da quando aveva sotterrato quella cassa e la Beretta modello 70, che stringeva tra le mani scivolose di grasso, era ancora pronta a sparare.

Il suo gruppo non poteva contare su una rete logistica come le Br o Prima Linea e allora, le armi venivano sotterrate e riprese solo quando servivano. Di quella cassa si era occupato personalmente lui dopo l'ultima rapina. Non aveva fatto in tempo a riferire il luogo ai suoi compagni prima dell'arresto. Solo per questo era rimasta sotto quel ponte tutti quegli anni. Avrebbe potuto procurarsi un'arma in altri modi con tutte le conoscenze che aveva fatto in galera. Ma non si fidava. Ormai confidarsi con gli sbirri era diventata una moda. Prese solo la Beretta, il silenziatore e sette proiettili calibro 7,65 per riempire il caricatore. Rimise il resto nella cassa che finì un'altra volta sottoterra.

Il fascio, di galera, ne aveva fatta molto meno. Si era beccato dodici anni ma dopo otto era uscito in semilibertà. Si era sposato e ora gestiva un piccolo bar in un paese della cintura padovana. Da allora aveva tirato diritto, tagliando i ponti con i vecchi giri. Pare per amore della moglie. Tutte notizie che aveva sentito in carcere. Lì si riesce a sapere tutto di un ex detenuto, basta avere pazienza e chiedere con discrezione alle persone giuste. Impiegò mezza giornata a trovare il bar. Si avvicinò con cautela alla vetrina e vide il fascio intento a preparare spritz per un gruppo di clienti abituali. Anche il fascio era cambiato. Il fisico da picchiatore si era appesantito e afflosciato. I capelli erano grigi e lunghi sul collo. Per fare i conti alla cassa infilava un paio di occhialini che portava appesi al collo.

Vederlo così diverso non gli fece nessun effetto. L'odio e la decisione di ucciderlo rimasero intatti. L'unico pensiero che gli attraversò la mente fu dove e quando gli avrebbe sparato. Poco dopo arrivò una donna con una borsa della spesa che entrò nel locale e passò dietro al bancone. Doveva essere la moglie. Notò con piacere che tra le bottiglie spiccavano quelle che sull'etichetta avevano la faccia del duce o il simbolo della Decima Mas. Il fascio non era cambiato.

«Meglio» pensò.

Attese la chiusura del bar e seguì la coppia fino a casa. Un breve tragitto a piedi fino a una modesta villetta a due piani con un giardinetto ben curato.

La sera seguente decise che avrebbe agito alla chiusura. La coppia abbassava a metà la saracinesca e si tratteneva una buona mezz'ora per le pulizie.

«Ovviamente dovrò eliminare anche la donna» pensò con lucida tranquillità. Nemmeno lei era innocente. Altrimenti non avrebbe sposato quel pezzo di merda e tollerato nel locale le bottiglie con Mussolini.

La mattina seguente si svegliò presto e attese l'ingegnere davanti al suo studio. Arrivò in bicicletta. Appena lo vide si guardò attorno preoccupato. Lui scosse la testa sorridendo.

«Nessuno sa che un tempo eravamo due giovani promesse della lotta armata» sussurrò.

L'ingegnere non trovò divertente la battuta. «Ho parlato con gli altri. Abbiamo deciso di darti 50.000 euro per aiutarti a ricostruirti una vita. Speriamo tutti che tu riesca a trovare un po' di serenità dopo tante sofferenze.»

«Bontà vostra» bofonchiò, ferito dal tono compassionevole di quel fighetto che l'aveva passata liscia ed era riuscito a «rielaborare il passato», come dicevano quegli stronzi di dissociati in televisione.

«Non sperare di averne altri» aggiunse l'ingegnere in tono piatto.

E così i suoi vecchi compagni temevano di essere ricattati. «Se avessi voluto procurarvi delle rogne, l'avrei fatto tanto tempo fa risparmiandomi un bel po' di galera.»

«Lo so e te ne siamo grati. Solo che per te non possiamo

fare altro e soprattutto non vogliamo avere a che fare con te. Se tu non avessi ammazzato quel malavitoso... »

Lui lo afferrò per il collo. « Zitto, stronzo, zitto. Tu non sai un cazzo. »

L'ingegnere si divincolò. « Calmati, altrimenti ci noteranno » sussurrò col fiatone. Era spaventato. Tenendosi a distanza di sicurezza gli diede un appuntamento per l'indomani per la consegna del denaro. In un'area di servizio dell'autostrada per Bologna.

Lui fece i calcoli. Avrebbe potuto ammazzare il fascio e la sua signora, prelevare il denaro dalle mani di quello stronzo e lasciare la città tutto nella stessa sera.

« D'accordo. »

Mangiò una pizza e si chiuse nella stanza della pensione. Mentre controllava la pistola e il silenziatore pensò che la Questura era a due passi. Fino ad allora non aveva mai messo in conto di ritornare in carcere. Rifletté brevemente sulla possibilità. Decise che piuttosto si sarebbe sparato un colpo in testa.

« Forse ho preso pochi proiettili » commentò a bassa voce.

La mattina lasciò la pensione. Non era preoccupato che il suo documento fosse stato registrato. Nessuno avrebbe avuto motivo di legarlo all'omicidio del fascio. Aveva una fedina penale abbastanza sporca da suggerire un regolamento di conti del suo vecchio ambiente.

Nascose la pistola in macchina e passò il tempo passeggiando per Padova. Bighellonò a lungo tra le piazze del centro, bevve un caffè al Pedrocchi e uno spritz nel suo vecchio bar di piazza dei Signori. Nel corso degli anni aveva cambiato gestione più volte. E l'aperitivo era senz'altro migliore. Pranzò in un ristorante cinese e trascorse parte del pomeriggio al cinema.

Alle 20 in punto fece il suo ingresso nel bar del fascio.

« È chiuso! » gridò stancamente la donna china sullo

spazzolone. Il fascio apparve dal retro, reggendo un fusto di birra.

« Va fora dei cojoni » gli disse senza riconoscerlo.

Lui tirò fuori la pistola e la puntò alla testa della donna. Lei accennò un grido ma lui le tirò un calcio cattivo sugli stinchi che la stese a terra.

Il camerata, invece, rimase calmo e lucido. « L'incasso non è granché » disse, fissando la pistola.

« Sono qui per te. Davvero non mi riconosci? »

Il fascio impallidì. Non lo aveva ancora inquadrato ma se uno si presentava con una Beretta 70 silenziata dicendo di non essere interessato ai soldi, cagarsi addosso dalla paura era l'unica cosa sensata da fare.

« Chi sei? » bofonchiò con voce tremante.

Lui glielo ricordò.

« Ma sono passati vent'anni! »

« Venticinque » lo corresse.

La moglie, piagnucolando, gli chiese cosa stava succedendo.

« Tasi. 'Sta bona » ordinò il marito.

Si stava sforzando di trovare una soluzione. Non voleva morire. Voleva salvare se stesso e la donna. Lui se ne accorse e scoppiò a ridere. Sparò in testa alla donna. Il silenziatore, ricavato da una pompa da bicicletta, funzionò a metà e il rumore dello sparo riempì il locale. Non abbastanza però da essere udito all'esterno.

Il fascio cadde in ginocchio. « No, lei no! »

Lui indicò le bottiglie con Mussolini sull'etichetta. « Guarda il duce per l'ultima volta. »

Il fascio non lo ascoltò nemmeno. Piangeva senza ritegno, stringendo tra le mani quella inerte della moglie. Lui si incazzò. Voleva l'attenzione di quel pezzo di merda che gli aveva rovinato la vita. Si era preparato a un confronto tra vecchi nemici, invece quello manco gli dava retta.

« Vaffanculo » gridò lui con tutte le sue forze per farsi sentire e gli scaricò addosso il caricatore.

Sei colpi. Tutti a segno nel torace. Uscì dal bar e, a passo tranquillo, si diresse verso la macchina, parcheggiata in una stradina poco illuminata e frequentata da travestiti stranieri.

Smontò la pistola e buttò i pezzi nel fiume Bacchiglione. Poi andò all'appuntamento con l'ingegnere.

L'area di servizio era piena di gente, perlopiù camionisti che si ingozzavano di panini e birre. L'ingegnere non c'era e lui uscì all'aperto per cercarlo nel parcheggio. Fu sorpreso quando vide venirgli incontro un altro dei suoi ex compagni. Uno dei due che aveva cambiato orientamento politico. Ora era di destra. Centro destra. Era diventato un piccolo industriale. Uno dei tanti del Veneto.

«Sono felice di vederti» disse abbracciandolo con trasporto. «Ti ho pensato tante volte in questi anni. Sei stato il più sfortunato di tutti.» Scosse la testa desolato prima di continuare. «Eravamo tutti 'mona' in quegli anni. Avevamo la testa piene di cazzate...»

Lui non aveva voglia di ascoltare. Chiese dove si trovava l'ingegnere e soprattutto dov'erano i soldi.

«Perché non vieni a lavorare con me?» continuò l'altro senza rispondere. «Ti faccio guadagnare bene. Qui davvero puoi ricostruirti una vita. Lo sai come diciamo noi veneti: il tempo è galantuomo e aiuta a dimenticare.»

Era troppo. «Ma che cazzo dici? Come fai a dimenticare ventuno anni di galera?»

«Vedrai, dammi ascolto... vieni a lavorare con me. Ti trovo una casa. Anche una bella figa, se vuoi. Qui adesso è pieno di straniere che la danno via che è un piacere...»

«Dove sono i soldi?» lo interruppe.

Lui gli indicò la rete di recinzione. Vide l'ingegnere fermo sulla strada che costeggiava l'area di servizio dal lato della campagna.

«Ha paura di te» spiegò l'industriale. «Dice che ieri gli hai messo le mani addosso e vuole essere sicuro che non accadano altri episodi sgradevoli.»

«E tu non hai paura?»

«Io? E perché? Sono qui per offrirti la possibilità di una vita nuova.»

«Vattene» ordinò. «Le tue sono tutte stronzate.»

«Ma dai...»

«Vattene!» urlò.

L'ex compagno si allontanò a passo svelto e salì su una coupé di lusso che partì sgommando.

Lui sospirò e si avviò verso l'ingegnere. Quando si trovarono faccia a faccia, divisi solo dalla rete, l'altro estrasse una pistola silenziata.

«Un'altra cassa» pensò fissando un'altra Beretta 70, con lo stesso identico silenziatore che aveva usato un paio d'ore prima. Non fu sorpreso del tipo di arma, a quei tempi si usavano quelle, ma non riusciva a capire perché volesse ucciderlo.

«Perché?»

«Sei una scheggia impazzita» rispose l'altro, usando un termine dell'epoca. Significava non sei affidabile. Non possiamo fidarci.

«I reati sono tutti prescritti. Non potrei mai ricattarvi.»

«Ma sputtanarci, sì. Siamo persone rispettabili. Rispettabilissime.»

Lui finalmente capì. «Tu e l'altro stronzo vi siete divisi la cassa dell'organizzazione.»

L'ingegnere non rispose. Tirò il grilletto tre volte. Tutti colpi a segno nel torace. Quando lui cadde a terra, gli sparò un quarto colpo in testa.

TERESA CIABATTI

Benvenuto nella casa delle bambole

1

«E il culetto? Dimmi del culetto.»

«È sodo e stretto.»

«Aaah... e ti piace prenderlo lì dietro, Giordi?»

«Sì tesoro, mi piace da impazzire.»

«Quanti anni hai, piccola?»

«Ventitré.»

«No Giordi, non dire bugie.»

«Hai ragione tesoro, diciassette.»

«No Giordi, tu sei ancora più piccola, piccolissima.»

«...»

«Pronto? Ci sei ancora?»

«Sissì, sono qui.»

«Allora dimmi, quanti anni hai?»

«Occhei. Ho nove anni, tesoro, solo nove e sono piccola e indifesa e ho tanta paura.»

«Aaah... bravissima Giordi, così mi piaci.»

2

«Nonnino! Mi compri il castello di Barbie?»

«Non ti piace il bambolotto che ti ho regalato?»

«Mi fa schifo» disse Domitilla girando le spalle a Ettore Pecci, suo nonno.

Spiccò una corsetta sul prato perfettamente tagliato e verde del giardino di casa e raggiunse gli amichetti che l'aspettavano sotto l'albero di fronte alla piscina ancora vuota (i Pecci avevano l'abitudine di farla riempire a metà maggio).

Domitilla Pecci quel giorno, cinque aprile, faceva sei anni. La mamma, Agnese Pecci, le aveva messo un vestitino di cotone rosa con la gonna a balze, dei collant a fiorellini dai colori pastello, delle ballerine rosa col cinturino, e in testa, a tirare indietro i boccoli biondi, un cerchietto di raso rosa. L'immagine della primavera che quell'anno tardava ad arrivare.

«Ora giochiamo a nascondino» ordinò Domitilla.

I bambini – suoi compagni di scuola, più qualche amica di danza e di pianoforte – si alzarono dal prato pronti per dare inizio al gioco. Sì, perché nessuno osava contraddirla. A scuola, proprio per il carattere prepotente, Domitilla aveva creato un clima di terrore. E più di una volta i suoi scherzi erano finiti male, con qualche compagno che scoppiava a piangere. Per questo poi la preside era stata costretta a chiamare la madre («Oh no, signora Pecci, non si spaventi, ormai è una prassi molto comune e poi la dottoressa Pisa da anni lavora con bambini problematici, è una studiosa dei disturbi dell'infanzia»).

Un bambino di otto anni con indosso dei guantoni da boxe, che dall'inizio della festa si aggirava alla disperata ricerca di qualcosa da colpire, si avvicinò al gruppo. Si trattava di Ludovico, il fratello di Domitilla.

«Ehi tu, vuoi boxare con me? Non ti tirare indietro, stronzo.»

Michele, il bambino interpellato, non rispose. Ci pensò Domitilla a redarguire il fratello.

«Per favore allontanati che qui stiamo giocando tra noi.»

«Vaffanculo troia» rispose Ludovico per poi sferrare un pugno al tronco dell'albero.

«Ludovico!» arrivò l'urlo di Agnese, che poco lontano, appoggiata a un tavolino, sorseggiava champagne in compagnia di Elena, un'amica. «Smettila di colpire gli alberi che se cadono fanno male a qualcuno.» Ma appena le passò davanti la cameriera, un'efficiente thailandese, lei distolse l'attenzione dal figlio. «Bee, per gentilezza, vuoi togliere o no i bicchieri sporchi?»

«Sì signora.» E Bee si affrettò al prato dove i bambini avevano seminato decine di bicchieri di plastica colorati.

«Tu non sai, Elena, questa thailandese è deliziosa!» confessò Agnese. «Per carità, le ho dovuto insegnare tutto, quando è arrivata non sapeva fare niente, ma meglio, così te la puoi plasmare a tuo piacimento, secondo le tue personali necessità, i filippini ormai sono troppo impastati da anni di servizio.»

«Bambini!» richiamò l'attenzione il pagliaccio ingaggiato per l'occasione. «Tutti gli occhi a me che voglio farvi vedere come queste palline volano in cielo.»

«È la mia festa» l'osteggiò Domitilla «e decido io. Ragazzi! Andiamo dentro a ballare.»

Mariano Cocchi, da due anni pagliaccio per le feste dei bambini e pagliaccio del sorriso negli ospedali – Doctor Patch come si diceva in America –, era la prima volta che si trovava in una situazione tanto difficile. Sì, sapeva bene che non era facile attirare l'attenzione dei bambini – specie se piccoli e miliardari come quelli delle feste in cui veniva ingaggiato – ma mai gli era capitato di dover competere, perché di questo si trattava, con una piccola festeggiata. Quella ragazzina – Camilla? Domitilla? Sibilla? – era diabolica e sembrava godere nell'infliggergli frustrazioni.

«Perché non te ne vai?» continuò Domitilla. «Tanto qui non ti vuole nessuno.»

«Ma sei proprio una piccola peste.»

«Fatti dare i soldi da mamma e vattene.»

Mariano deglutì. Quel riferimento ai soldi andava a colpire la sua dignità (lui, studente lavoratore che faticava per pagarsi gli studi; lui, figlio di operaio, costretto a lavoretti precari per sopravvivere! Stenti e sacrifici che quella bambina viziata non avrebbe mai conosciuto. Questo è lo stato democratico che ha ereditato Prodi!).

«Sai che sei proprio brutta con quei denti all'infuori da coniglio?» le sussurrò all'orecchio.

Domitilla si limitò a guardarlo fisso negli occhi. Poi gli voltò le spalle e chiamò gli amici: «Ragazzi! Andiamo dentro a fare il karaoke».

Ettore Pecci, seduto poco distante su una poltroncina di vimini col giornale sulle ginocchia, aveva sentito le offese della nipote al pagliaccio e decise di offrire una parola di conforto: «Su, non se la prenda, questi bambini di oggi sono dei veri diavoletti». Mariano si appoggiò all'albero. «Per noi giovani il mondo del lavoro è parecchio difficile, non basta più una laurea, sa quanti anni ho io?»

«Ehi nonno, vecchio cadavere, ti va di boxare? Su, non ti tirare indietro» lo esortò Ludovico.

Quando Domitilla spuntò nel portico per mano alla madre, Ettore stava ancora ascoltando lo sfogo del giovane pagliaccio che, proprio in quel momento, gli porgeva un volantino («È di qualche mese fa, ma si può fare un'idea di tutte le attività che gravitano attorno alla nostra associazione»).

Vide la nipote alzare il braccio nella loro direzione. Poi vide Agnese e Domitilla, sempre per mano, attraversare il prato, con falcata sicura la madre, trotterellando la figlia. Di fronte a loro, Domitilla alzò il ditino e indicò Mariano:

«Lui mi ha picchiato».

3

Gentile Notaio Mariconda,

in data 7 aprile del 2006 mi trovo a correggere la versione precedente – datata 2 aprile 2006 – del mio testamento.

Confermo i punti 1, 2, 3, 4 del precedente.

Vado invece a correggere il punto 5:

Allego foglio informativo da me reperito che dà noti-

zie su associazione «Ridere per Vivere» a cui voglio devolvere la somma dell'ammontare di trecentomila euro.

In fede

Ettore Pecci

Allegato

È in vendita, presso il Centro Commerciale «I Granai» di via Rigamonti 100, il calendario realizzato con i disegni dei bambini del Municipio Roma XI.

Dopo essere stati esposti per qualche settimana nel Centro Commerciale «I Granai» e votati da visitatori e clienti, sono stati premiati i 14 disegni più apprezzati che sono diventati il piacevole commento ai mesi del 2006. Le sei scuole che hanno partecipato al concorso sono tutte dei quartieri Ottavo Colle e Roma 70, nel territorio limitrofo al complesso commerciale: Enzo Ferrari, Nuova Tor Carbone, Plesso Europa, Padre Lais, Tre Fontane Nord, Tintoretto, tutte impegnate nelle creazioni sul tema «I 12 mesi dell'anno».

È così che il Municipio Roma XI ha raccolto la volontà del consorzio «I Granai» di impegnarsi in un'azione di beneficenza. Il ricavato delle vendite del calendario illustrato, stampato dal consorzio e patrocinato dal Municipio Roma XI sarà, infatti, interamente devoluto a «Ridere per Vivere», un'associazione di volontari per il sorriso. Ridere per Vivere è una federazione di gruppi impegnati nella «gelatologia», la terapia del sorriso o comicoterapia; i suoi volontari, i clown-dottori, portano il sorriso nelle corsie degli ospedali, aiutando i pazienti, soprattutto bambini, a sorridere nella difficile lotta contro la malattia, sostenendo il loro buonumore durante le dolorose e spesso invasive terapie. L'associazione, già presente in molti ospedali italiani, utilizzerà i fondi ricavati da quest'iniziativa per portare il sorriso ai bambini degenti nell'ospedale Bambin Gesù di Roma-Palidoro.

4

Maledetti asiatici, vatti a fidare, li tratti come membri di famiglia e guarda poi come ti pugnalano alle spalle. Proprio vero che la riconoscenza non è di questo mondo. Tutto era cominciato con lo Tsunami. Se all'inizio Agnese si era profondamente commossa di fronte alle terribili immagini trasmesse in TV, se aveva pianto con Bee, abbracciandola forte e rassicurandola (« Vedrai cara, i tuoi parenti sono salvi, e non mi chiedere perché, ho questa sensazione e in genere io non sbaglio mai »), in un secondo momento la sua disposizione d'animo era cambiata. Quella cameriera non faceva che piangere su se stessa, un paio di volte era anche successo che durante delle cene scoppiasse in singhiozzi senza motivo e si scusasse poi con gli ospiti di Agnese (« lo Tsunami nel mio paese »), attirando su di sé la pietà di tutti.

Bisognava ammetterlo: da quando c'era stato lo Tsunami Bee era diventata una persona insopportabile.

Che poi – Agnese ricordava alle amiche e a Leonardo – a voler essere precisi sai quanti occidentali erano in vacanza laggiù? Più degli indigeni. Prendi Ornella Muti, per portare solo un esempio (Agnese aveva dato a Bee « Gente » alla pagina in cui Ornella Muti raccontava la sua tragica esperienza: «*Anch'io scampata per un pelo allo Tsunami. Stavo facendo sub quando è sopraggiunta l'onda anomala*»).

Le notizie dei familiari, che avevano fatto precipitare Bee nella disperazione, erano arrivate dopo venti giorni, allora Agnese era stata intransigente: alla cameriera era andata di lusso (« Su Leonardo, ammettiamolo, c'è gente che ha avuto la famiglia sterminata »), con due cugini dispersi, uno zio che aveva perso una gamba, un'amica in coma, nessun morto.

Eppure le volte che Agnese si era lamentata con Leonardo del temperamento di Bee e aveva avanzato l'ipotesi di licenziarla, lui l'aveva difesa (« Tesoro, cucina benissimo e i bambini le vogliono un gran bene, ti ricordi quante ne abbiamo cambiate prima di lei, vero? »).

Ora però la situazione era diversa. Agnese aveva la possibilità di dimostrare al marito, prove alla mano, che quella thailandese era inaffidabile. E già pregustava la scena: «Come hai potuto, Bee? E io che non ti ho mai fatto mancare niente, che ti ho trattata come una sorella! Oh Bee, mi hai ferita profondamente, e da te proprio non me l'aspettavo».

«Mammaa!» esplose nel corridoio la voce isterica di Ludovico. «Dove cazzo sono le mie scarpette da calcio?»

5

«Perché Allegra ha un cavallo e io no?»

«Tesoro, Allegra ha una grande casa in campagna.»

Approfittando della bella giornata, stavano facendo colazione in veranda.

Agnese beveva il tè sfogliando «Grazia», Ettore ritagliava con le forbici una pagina di «Repubblica», cronaca di Roma.

«Vedi quante cose nuove s'imparano ogni giorno? Questa qui è un'associazione per bambini disagiati che non conoscevo e mi sembra proprio interessante» commentò per giustificare l'ennesimo ritaglio. Agnese gli rivolse un sorriso stentato. Non ne poteva più di quei ritagli accumulati e lasciati sparsi per casa. Perché Ettore, da quando aveva avuto l'infarto, era stato colto dalla smania della beneficenza e non faceva che mettere da parte articoli, dépliant, volantini che parlassero di associazioni a sfondo benefico.

Seduta di fianco a lui c'era Domitilla, molto impegnata a spalmare la marmellata sulle fette biscottate. Tipico suo smanettare il cibo per poi avere il gusto di buttarlo intonso con un sorriso soddisfatto sotto gli occhi della povera Bee.

Ludovico invece stava giocando a tennis col muro. Mancava solo Leonardo, che quella mattina, sabato, era uscito presto per una partita di golf giù al circolo.

«Vai a giocare da un'altra parte» ordinò Domitilla al fratello.

«Vaffanculo» rispose lui continuando a tirare la pallina al muro.

«Ludo» lo riprese Agnese senza neanche alzare gli occhi dalla rivista, «non dire parolacce.»

«Mamma, prima mi è uscito il sangue dal naso. Posso non andare a scuola?»

«Fai vedere.»

Domitilla si alzò per avvicinarsi alla mamma che le controllò le narici. Non c'era niente. La solita bugia. «È tutto a posto, dai, fai la brava.»

Allora la bambina tornò all'attacco: «Voglio un cavallo, lo teniamo in giardino legato all'albero».

«Non credo che sarebbe felice.»

«Gli porto tutti i giorni da mangiare e lo faccio giocare.»

«Domi, per favore, un cavallo non è un gatto, ha bisogno di correre nei prati.»

«Allora un pony.»

«È sempre un cavallo, anche se leggermente più piccolo.»

«Io voglio un pony» s'irrigidì la bambina.

«Su Domi, non fare i capricci.»

Domitilla agguantò un coltello e lo scaraventò a terra: «Ho detto che voglio un pony!»

«Raccogli subito il coltello e rimettiti a sedere» disse seria Agnese guardando la figlia negli occhi.

«Se non mi compri un pony, io a scuola mi tiro giù le mutande e faccio vedere tutto ai maschi.»

Agnese sbiancò. Come era possibile che nella mente di una bambina passassero pensieri simili? «Chi te le dice queste cose?»

Domitilla alzò il ditino: «Lui» disse indicando il nonno.

«Ettore» balbettò Agnese.

«Agnese, per favore, probabilmente sono cose che ha sentito in televisione.»

Domitilla scoppiò a piangere. «Siete tutti cattivi e io volevo solo un pony.» E tra le lacrime fuggì in camera sua.

Dal giorno della sua festa, Domitilla aveva messo il muso

al nonno. Il fatto che lui avesse difeso il pagliaccio, negando che l'aveva picchiata, per lei era stato un torto enorme. Anche Michele, il bambino interpellato («È vero che questo signore ha dato uno schiaffo a Domitilla?» gli aveva domandato Agnese. «No» aveva risposto Michele), l'aveva ferita molto, ma lei contava di farla pagare pure a lui.

«Agnese» continuò Ettore, «sai com'è Domitilla che a volte per attirare l'attenzione dice delle piccole bugie, com'è successo alla festa.»

«Mamma, guarda che mira!» annunciò Ludovico pochi attimi prima che la pallina prendesse Agnese in piena fronte.

6

Allegato

In Italia i Villaggi SOS sono stati realizzati per iniziativa di privati cittadini di un determinato territorio, che si sono costituiti in cooperative sociali per organizzare in maniera ancor più efficace e puntuale il loro impegno sociale.

Tutti i Villaggi SOS italiani offrono un servizio di accoglienza familiare dei minori secondo il modello SOS, nel rispetto delle norme statali e regionali. I Villaggi SOS sono il presupposto indispensabile per l'allargamento dell'offerta ad altri servizi basilari, soprattutto nei Paesi in Via di Sviluppo, dove il Villaggio è fulcro e centro di riferimento per più complessi interventi di carattere educativo e sanitario altrimenti inesistenti.

Costituito nel 1984, il Villaggio di Roma ha avviato la sua attività nel marzo 1987. Sorge nella zona nord-ovest della città, nei pressi del Grande Raccordo Anulare, su un terreno di circa 20.000 mq. Comprende 8 unità familiari preposte ad accogliere fino a 5-6 bambini secondo il modello SOS, la casa del direttore e della sua famiglia, e alcune strutture di servizio, come gli uffici e l'appartamento delle «zie», che affiancano le «Mamme SOS».

L'ampio giardino ospita una zona attrezzata con giochi per i bambini.

Via --------------, 00166 Roma
Tel. (+39) 06.62-----
Fax (+39) 06.51-----

7

Aveva una cameretta tutta rosa piena di giocattoli: trentacinque Barbie, dodici Bratz, sedici bambole, di cui due a grandezza naturale; il palazzo di Barbie; due Spider di Barbie; la piscina di Barbie; una cucina in miniatura completa di lavastoviglie, forno, lavatrice e piano cottura.

Ma da alcuni mesi, da quando l'aveva ricevuta, ciò che attirava tutte le sue attenzioni era lei, Ilary Blasi.

Ilary Blasi – Domitilla l'aveva chiamata così in onore della show girl che aveva visto a San Remo e che tanto le era piaciuta (« Io sono la figlia segreta di Ilary Blasi, tu invece Ludovico sei figlio degli zingari e mamma e papà ti hanno trovato nella spazzatura ») – era una testa di bambola con lunghi capelli biondi e una faccia che si poteva truccare con apposito kit. Anche per i capelli c'era un kit: spazzola, pettine, bigodini, fon, fermagli, porporina luccicante.

Ah quanto le piaceva pettinare Ilary Blasi, quei lunghi capelli e, a volte, metterle i bigodini per farle i boccoli.

Passava interi pomeriggi a prendersi cura di lei, della sua pettinatura e del suo trucco.

« Posso entrare? » chiese Ettore sulla porta della cameretta.

Domitilla non rispose continuando a pettinare Ilary Blasi.

Ettore si andò a sedere sul letto.

« Sei ancora arrabbiata con me? »

« Sì » rispose lei senza neanche voltarsi.

« E proprio non possiamo fare pace? »

«Ridammi i miei guantoni!» urlò furioso Ludovico entrando nella camera.

«Non ce li ho.»

«Lo so che me li hai presi.»

«Ho detto di no.»

«Domi, hai preso per caso i guantoni di Ludovico?» domandò Ettore.

La piccola si girò a guardare in faccia il nonno, mano destra sul cuore, sinistra alzata al cielo: «No, te lo giuro».

«Falsa stronza!» urlò Ludovico avvicinandosi e strattonandola. In un attimo i due passarono alle mani ed Ettore, tempestivo, intervenne a separarli. «Basta! Ludovico, se ti ha detto che non li ha presi non insistere! E poi, santo cielo, che sistema è questo di picchiare tua sorella? Le donne non si toccano neanche con un fiore.»

Domitilla, dietro al nonno, rivolse al fratello un sorriso di trionfo.

«Per favore» poi disse «ora vattene di là che io e il nonno stavamo parlando.»

«Vaffanculo troia» l'apostrofò Ludovico prima di uscire dalla stanza. Pochi secondi dopo la sua voce tuonò in corridoio: «Mamma! Maaammaaa! Dove cazzo sono i miei guantoni?»

Domitilla tornò a sedersi sulla poltroncina rosa e riprese a pettinare la testa di Ilary Blasi.

«Nonno, mi compri un vestito da sposa?»

Ettore sorrise. Quella richiesta significava che l'aveva perdonato.

«Certo, e anche una bella coroncina.»

La bambina andò ad aprire l'armadio, da dove prese un paio di scarpette bianche lucide.

«Sotto ci metto queste.»

Allora Ettore vide, alle spalle della nipote, ben nascosti nell'armadio, i guantoni da boxe di Ludovico.

*

Nello stesso momento, al piano di sotto, un corriere consegnava a Bee una raccomandata per la signora Agnese Pecci, la quale, cercando di nascondere alla thailandese l'entusiasmo, le strappò la busta di mano e si andò a chiudere in camera sua. Voleva proprio godersi quel momento. Maledetta asiatica ingrata. E di nuovo pregustò la scena: «Oh Bee, come sei stata crudele verso di me! Io che ti ho trattato come una sorella, che ho pianto con te nei momenti di dolore e che ti sono stata estremamente vicina!»

Aprì la busta e agguantò un evidenziatore per sottolineare le telefonate incriminate. Com'era il prefisso della Thailandia?

Sorridendo fra sé e sé scorse con lo sguardo il tabulato. Lo aveva richiesto alla Telecom dopo che le era arrivata la bolletta spropositata (cinquemila euro).

Ma subito il sorriso si trasformò in smorfia di disgusto.

Cos'erano quelle telefonate? Oh dio santissimo, chi le faceva? Controllò l'orario: sempre di notte. La durata: da un minimo di dieci minuti a un massimo di mezz'ora. Il costo: dai cinquanta euro in su.

Agnese si sentì mancare. Poi cercò di riacquistare la calma. In fondo non era detto che fosse quella cosa che pensava, poteva essere un astrologo, un cartomante o una consulenza professionale. Il 144 oggi come oggi corrisponde anche ad aziende rispettabilissime che vendono prodotti per telefono, per esempio, le sembrava di ricordare, Tesmed, l'elettrostimolatore tanto pubblicizzato in TV che spesso anche lei aveva pensato di comprare, o quello più recente, Rid Cell, per la rimozione della pelle a buccia d'arancia.

Ecco, ora per fugare ogni dubbio, prendeva un respirone, componeva quel numero, ascoltava la voce che rispondeva e poi, certamente, si faceva una bella risata.

Alzò la cornetta del telefono sul comodino e con mano tremante digitò il numero.

8

Sei stato un uomo giusto? Quanti rimorsi hai? Quante persone ti ritrovi sulla coscienza? Dipendenti licenziati senza scrupolo? E gli amici traditi? Quante volte per ottenere un appalto hai giocato sporco? E poi, sei veramente sicuro di averla resa felice? Sii onesto: le hai mai fatto del male?

E infine, come si chiamava quella ragazza con cui ballavi alla «Bussola» nel '53? O forse era il '54? Amelia? Rosaria? Giorgia? Santiddio, non si ricordava!

Preso dalla frenesia Ettore cominciò a ripetere ad alta voce i numeri telefonici dei figli, degli amici e poi nome e cognome di conoscenti, ex dipendenti, vecchi commilitoni. Una delle sue paure più grandi era la perdita di memoria.

Con questi pensieri, tutti rivolti al passato, si ritrovava Ettore Pecci nella vecchiaia, a settantasette anni. Una vecchiaia molto diversa da come lui l'aveva immaginata, quelle poche volte che nel pieno degli anni il pensiero l'aveva sfiorato. Innanzitutto non aveva per niente pensato che potesse sopravvivere alla moglie. Poi non aveva messo in conto che potesse perdere l'autonomia. L'ultimo colpetto, un mese prima, lo aveva debilitato molto e il medico aveva informato i figli – Leonardo e Gianluca – che non poteva più badare a se stesso e necessitava di un'assistenza costante. Nel giro di pochi mesi poi, Ettore si sarebbe dovuto sottoporre a un delicato intervento al cuore: un bypass. Ne aveva parlato con gli amici, quelli di una vita – Vittorio, Pietro e Ranieri – quelli che, insieme a Ottavio e Aldo defunti da anni, erano gli amici di gioventù. Loro lo avevano rassicurato («Hai presente Manlio Bonifacci? Beh lui si è operato due volte, due bypass, e ora quasi quasi sta meglio di prima. Gioca a golf, viaggia, ha ripreso anche l'attività sessuale, con una ragazza ucraina, un'escort tanto carina che gli vuole molto bene, insomma conduce una vita normalissima. Queste ragazze dell'Est ormai sono le migliori perché hanno voglia di migliorarsi.» «Su su, forza e coraggio vecchio mio, e poi, appena ti rimetti in piedi, andiamo a fare jogging al circolo una volta a settimana, che anch'io con questo colesterolo impazzito è bene che cominci a fare del movimento.»).

Dopo l'ultimo infarto, Ettore si era trasferito all'Olgiata, a casa del figlio Leonardo. Nonostante la casa fosse grande – villa su tre piani, cinquecento metri quadrati esclusi taverna e garage, con giardino circostante e piscina – Ettore aveva paura di disturbare. Per fortuna si trattava di una sistemazione transitoria, in attesa che l'appartamento di viale Bruno Buozzi si liberasse. I figli infatti avevano deciso che Ettore sarebbe andato a vivere lì, nell'appartamento sotto quello di Gianluca, di loro proprietà, al momento in affitto. Ma considerato che si trattava di un concordato verbale, quasi in amicizia – senza registrarlo Gianluca Pecci prendeva ottomila euro mensili puliti puliti, certo non era chissà che cifra, ragionava Gianluca, ma facevano sempre comodo per qualche piccolo sfizio –, avevano potuto parlare civilmente con l'affittuario che si era impegnato ad andarsene nel giro di due mesi. Nel frattempo, avevano deciso i figli, Ettore avrebbe lasciato la vecchia casa di via dei Monti Parioli e sarebbe andato a stare da uno di loro. Lui stesso aveva scelto Leonardo, allettato dall'idea dei bambini – gli altri nipoti erano già grandi – e del tempo che avrebbe potuto trascorrere con loro. Ecco, proprio grazie a Domitilla e Ludovico, Ettore era riuscito a sopportare lo strappo: lasciare la casa dove erano nati e cresciuti i gemelli, Leonardo e Gianluca, dove lui aveva passato i momenti più importanti della vita, inclusi i grandi dolori (lì era morta l'amatissima Lia), e i momenti apparentemente più marginali che però («Vittorio, capita anche a te che certe immagini insignificanti di tanti anni fa ti tornino davanti agli occhi nitide, come fossero successe ieri? Cos'era, il '53 o il '54 quando andavamo alla 'Bussola'? Ti viene in mente come si chiamava quella ragazza con cui ballavo io? Per caso Gina?»), si rendeva conto ora, avevano significato tantissimo per la sua coscienza, specie di padre. Perché sì, all'inizio Ettore Pecci, costruttore edile da due generazioni, socio fondatore del prestigioso circolo «Olgiata», era assolutamente impreparato a quel ruolo. Non è vero che la paternità è un istinto naturale. Per questo forse lui, inconsciamente, aveva rimandato il più possibile il momento. Poi erano arrivati i gemelli.

Era stato un episodio potenzialmente drammatico, ma nei fatti risoltosi per il meglio, a segnare la sua coscienza di padre. A distanza di trentacinque anni, Ettore lo rivedeva ancora lì, suo figlio bambino («Lia, chi cazzo è, Leonardo o Gianluca? È possibile, santissima pace, che li devi vestire sempre uguali?»), mascherato da Zorro, ritto sul tetto. Ancora un passo e quel corpicino sarebbe volato giù.

«Cade e s'ammazza!» aveva gridato Lia fra le lacrime.

«Voleva fare la zeta sull'antenna» aveva spiegato Gianluca, anche lui vestito da Zorro. Ettore allora aveva chiesto a Rosaria, la cameriera, di riportarli dentro.

Poi era salito sul tetto. Si era avvicinato lentamente al bambino camminando in bilico su quei pochi centimetri spianati e gli era arrivato accanto. Quel corpicino in bilico sul vuoto. E poi, indietro nel tempo, quel corpicino nella culla, a pancia sotto con la tutina celeste. Il corpicino che gattonava sul tappeto. Che faceva i primi passi sulle gambette incerte. Che si rincorreva col fratello identico a lui e poi caracollavano uno addosso all'altro e se le davano di santa ragione.

«Dammi la mano, senza girarti.» Il bambino aveva allungato la mano. Lui gliel'aveva afferrata. Passo dopo passo il tragitto inverso, e poi giù, con un salto sul terrazzo. «Voglio la mia spada!» aveva detto Leonardo. «Devo fare una zeta in aria.»

Ed Ettore lo aveva stretto forte a sé. Quel corpicino fra le sue braccia era suo figlio.

Erano stati i nervi saldi, le cavalcate domenicali al maneggio, le partite di golf. Era stata la lucidità mentale, e sì, anche quel cinismo che da anni esercitava sul lavoro.

Su questo oggi Ettore misurava il suo senso nel mondo.

Sarebbe stato ancora in grado di salvare un bambino in pericolo?

9

«Sì Giordi, brava, ora muovi la bocca.»

«Lo sto facendo tesoro, e sto anche passando la lingua, su e giù e... sai una cosa tesoro? Ce l'hai enorme... mi fa paura, davvero, è grandissimo e ho paura che quando mi entri dentro mi fai male.»

«Sì Giordi, ti farò malissimo, preparati... ma tu lo sai cosa piace a me, vero?»

«Sì, tesoro, vuoi che mi giro?»

«Brava piccola Giordi, dammi il sederino, vieni qui che ti apro le chiappette e affondo dentro.»

«Oh, mi fai tanto male lì dietro.»

«Resisti piccolina, resisti.»

10

«Mamma, ho fatto la cacca col sangue, posso non andare a scuola domani?»

«Domitilla, non è il momento» l'aggredì Agnese, «torna in camera tua e lasciami parlare con papà.»

La bambina mortificata sgattaiolò fuori dalla stanza dei genitori.

«Ti dico solo una cosa, mi fai schifo» riprese Agnese rivolta a Leonardo. «Ti giuro, meglio un tradimento, mille volte meglio! Tutto, ma questo no, e sai perché? Perché questo significa depravazione.»

«Ti prego, mica penserai...?» disse lui col tabulato Telecom tra le mani.

«Penso solo quello che vedo! E sai una cosa? L'ho anche chiamato quel numero!»

«Tu sei completamente fuori di testa, lasciatelo dire.»

«Vattene da questa casa, schifosissimo maiale!»

«Agnese, non sono stato io!»

«Certamente e chi è stato? I bambini? Oppure sono stata io, eh?»

Leonardo si lasciò andare sul letto, la testa tra le mani.

«Ma come fai a non capirlo? Non ti sei accorta che passa tutto il giorno al telefono?»

Agnese interdetta guardò il marito. Allora lui continuò: «È vecchio e non ci sta più con la testa».

Con voce tremante lei disse: «Leonardo, giurami che è stato lui».

«Non può essere stato nessun altro.»

Lei si abbandonò sul letto e scoppiò a piangere. Leonardo le si avvicinò e circondandola con le braccia prese a cullarla: «Su tesoro, non è successo niente, è tutto a posto».

«Ho avuto paura, ho pensato che tu fossi un uomo schifoso.»

Lui le carezzò i capelli e la baciò sull'orecchio.

Rimasero così abbracciati a lungo, fino a quando Agnese smise di piangere, e si sentì di nuovo al sicuro. Lei era una donna fortunata: aveva un marito meraviglioso, due figli splendidi, una villa che tutte le amiche le invidiavano. Poteva desiderare altro? Ah sì, una cosa, piccolissima, c'era.

«Amore? Visto che stiamo parlando, vorrei chiederti una sciocchezza. Licenziamo Bee, ti prego, non la sopporto più.»

11

«Tuttavia, signora Pecci, non voglio nemmeno creare inutili allarmismi, queste sono situazioni più frequenti di quello che si può immaginare, me lo diceva proprio la dottoressa Pisa. Senza voler fare del qualunquismo, ma molto spesso è la televisione a creare certi comportamenti. Frutto dell'emulazione, ecco cosa sono e lei sarà d'accordo con me. Ma avremo modo di affrontare l'argomento direttamente con la dottoressa. A proposito, mi ha dato la sua disponibilità per mercoledì alle sedici, perché poi deve scappare a Novi Ligure per un collegamento televisivo, a lei va bene?»

«Non so, in questo momento sono un po' scossa...»

«Signora Pecci, la dottoressa Pisa è una persona molto qualificata, da anni affronta casi che riguardano i minori, e, detto tra noi, pensa che se non fosse di altissimo livello Bruno Vespa la inviterebbe in televisione?»

«Ma tutto questo mi spaventa.»

«Non si allarmi, in America i bambini, addirittura in fascia prescolare, vanno in analisi e prendono farmaci, delle cose blande s'intende, che li aiutano a gestire le proprie emozioni e quindi, di conseguenza, la vita sociale.»

«Preside, posso richiamarla domani, dopo aver parlato con mio marito?»

«Certamente... allora aspetto una sua telefonata.»

«Sì, arrivederci.»

Agnese non riusciva a capacitarsi. Va bene, Domitilla era sempre stata vivace, ma stavolta aveva passato il limite. Prendere un bambino, legarlo a una sedia (con cosa? l'aveva fatto da sola? si era fatta aiutare?), tirargli giù pantaloni e mutande e poi, con un pennarello azzurro, colorargli *l'organo sessuale* (così l'aveva chiamato la preside). Di sicuro non era consapevole di ciò che faceva. Le sarà sembrato uno scherzo come un altro.

Ma c'era una cosa che turbava Agnese più di tutto il resto: perché quello scherzo? Dove l'aveva visto? Veramente alla televisione come diceva la preside? Eppure Domitilla guardava sempre i cartoni animati. Il suo preferito era *La Sirenetta*.

E poi il pensiero le andò lì. A quelle telefonate. Che Domitilla avesse sentito parlare il nonno? Che il vecchio non fosse stato abbastanza attento a nascondere i suoi vizi?

Da quando Agnese aveva scoperto che Ettore chiamava il telefono erotico, era diventata sospettosa. Lo controllava cercando di coglierlo in fallo per poi riferire tutto a Leonardo con la speranza che l'avrebbe cacciato di casa.

Ma purtroppo non aveva sorpreso niente di osceno. L'aveva visto ritagliare pagine di giornali. L'aveva sentito parlare al telefono con gli amici. L'aveva trovato a leggere le favole a Domitilla.

*

Quando entrò nella sua cameretta, Domitilla stava pettinando Ilary Blasi.

«Ho saputo quello che hai fatto a Michele... Lo capisci che è una cosa brutta?»

La bambina annuì.

«Perché ti sei comportata così?»

«Michele è cattivo.»

Passarono attimi di silenzio in cui Agnese cercò le parole giuste.

«Domitilla, come ti è venuto in mente di fare quella cosa? Dove l'hai vista?»

«Non lo so.»

Lei si portò una mano alla bocca e prese a rosicchiarsi un'unghia. Dio, era da quando aveva sedici anni che non si mangiava le unghie!

«In televisione?»

«No.»

«Te l'ha detta qualcuno?»

«No.»

Ora si preparò alla domanda più difficile. Non era certa di potercela fare. Ma poi la voce le uscì, anche se stranamente bassa.

«Te l'ha detta il nonno?»

Domitilla rivolse alla mamma uno sguardo stupefatto. Prese il rossetto dal kit e lo passò sulla bocca di Ilary Blasi.

«Ti piace truccata?»

La mamma trasse un gran respiro. E di nuovo sentì la voce uscirle flebile.

«Ti ho fatto una domanda, rispondimi. Il nonno ti ha detto delle cose strane?»

«No.»

Si sentì meglio. Ecco, ora era più tranquilla. Smise di mangiarsi le unghie e ritrovò il piglio sicuro da madre severa che non ha paura di niente.

«Purtroppo, cara mia, quello che hai fatto è gravissimo e

io sono costretta a dirlo a tuo padre... penso che si arrabbierà molto.»

«Mammina ti prego non glielo dire, giuro che non lo farò mai più.»

Agnese si sforzò di mantenere il punto.

«Ora ti tolgo tutti i giocattoli. Non avrai più niente fino a quando non inizierai a comportarti bene.»

«No!»

«Vediamo un po' se capisci che bambina fortunata sei. E sai a chi li regalo? Ai bambini poveri, almeno loro li apprezzeranno.»

Uscì dalla stanza per rientrare poco dopo con un grande sacco della spazzatura dove iniziò a mettere Barbie, bambole, Bratz e tutto il resto.

Quando arrivò a Ilary Blasi Domitilla si mise in mezzo. «Questa no.»

«Togliti.»

«Ti prego mammina.»

Agnese le strappò la testa di bambola dalle mani e la buttò nel sacco.

«Sei cattiva» urlò la piccola scoppiando a piangere, «nonno è cattivo...»

La mamma sbuffò e si avviò col saccone alla porta.

«Nonno di notte mi tira giù le mutande.»

Allora Agnese si bloccò. Sentì le gambe cederle e si dovette sedere, mentre interiormente ripeteva Signore fai che abbia capito male.

«Domi, ora smetti di piangere, asciugati le lacrime, su» disse cercando di mantenere un tono di voce calmo, quasi rassicurante, «e poi tesoro, ripetimi quello che hai detto.»

La bambina abbassò lo sguardo.

«Ripetilo alla mamma.»

«Lui mi tira giù le mutande.»

Agnese sentì le palpitazioni del cuore aumentare.

«Domi, questa è una cosa molto molto seria, non ci si può scherzare, lo capisci?»

La piccola fece sì con la testa.

«Il nonno ti ha fatto del male?»

Domitilla rimase qualche attimo in silenzio, guardò con gli occhi pieni di lacrime la mamma, e poi di nuovo abbassò lo sguardo.

«Sì.»

La mamma scattò in piedi, si mise le mani nei capelli, si asciugò le lacrime che avevano cominciato a scenderle dagli occhi, e uscì dalla stanza, lasciando lì il saccone dei giocattoli.

La bambina corse a recuperare Ilary Blasi. Quando la tirò fuori si accorse che si era un po' spettinata. Allora la mise sul tavolo e si affrettò a ripettinarla ben bene.

12

«Tonino, anche se io sono stato lontano in Germania, non ti ho mai dimenticato e ho sempre tenuto una foto tua e delle tue sorelle nel portafogli, quindi Tonino ora che sono venuto fin qui, in televisione, ti prego apri questo muro, figlio mio.»

«Tonino, posso aprire?»

«No, Maria, io non lo voglio vedere. Per me lui è morto.»

Un *oh* di sdegno si alzò dal pubblico in studio.

Anche Ettore, che stava guardando quella scena in televisione, dal divano di casa, reagì. «Che crudeltà» disse fra sé e sé asciugandosi una lacrima. Sì, si era commosso di fronte a quel padre disperato, emigrato in Germania per lavoro, rifiutato dal figlio.

Dopo l'ultimo infarto, Ettore era diventato molto più emotivo. Il dottore gli aveva detto che era un fatto normale. Così gli succedeva spesso di piangere davanti alla TV, specie di fronte a *C'è posta per te*.

Sentì i passi di Agnese che scendevano le scale. Appena il tempo di voltarsi, per iniziare a raccontarle la storia triste di quel padre («Un poveretto che è andato in Germania e questo figlio aggressivo... ») che Agnese gli si scaraventò addosso.

« Che le hai fatto? »

Lui, disorientato, non capì.

Lei prese a colpirlo sul petto, sullo stomaco, sulle spalle. Poi lo guardò dritto in faccia: « Pedofilo, schifosissimo pedofilo, ma io ti ammazzo ». E gli sputò.

« Cosa dici? » balbettò lui.

« Tu hai violentato mia figlia. »

Negli occhi di Ettore passò il terrore. « Agnese no, per favore, non è vero. »

Lei non lo sentì neanche.

« Mi fai schifo... io ti ammazzo. »

I bambini, attirati dalle urla, si precipitarono in salotto.

« Tornate su! » gli urlò Agnese.

« Perché lo picchi? » chiese Ludovico, con indosso i guantoni da boxe con cui si stava allenando in camera sua al bellissimo punchball regalatogli dal padre il giorno prima.

« Bambini » disse Ettore tendendo le braccia, « vi voglio tanto bene. »

« Stai lontano da loro! »

Domitilla, occhi bassi, non ebbe il coraggio di guardare il nonno.

« Lo hai fatto anche a lui? » continuò Agnese. « Dimmelo! » E poi si rivolse a Ludovico prendendolo per le spalle e scuotendolo: « Ti ha mai fatto del male? »

« Mamma, che dici? »

« Ludovico, ti prego, dimmi la verità, è importante. Ti ha toccato? »

« No no! » urlò il ragazzino turbato da quelle parole.

« Domitilla, cosa hai detto alla mamma? » chiese Ettore, ma con tono comprensivo.

La piccola allora scoppiò a piangere e corse via.

Rimase Ludovico. Sulla porta del salotto, smarrito con i suoi guantoni da boxe e la tenuta da perfetto boxeur (pantaloncini corti, canottiera, scarpette). Un pugile dalla testa ai piedi che stava sul punto di scoppiare a piangere.

«Mamma» balbettò, «qualsiasi cosa ti ha detto lei non ci puoi credere, è una bugiarda.»
«Torna in camera tua!» sbraitò ancora Agnese.

Spintonandolo fuori dalla casa, Agnese costrinse Ettore a salire in macchina.
«Agnese, ti prego, sono in pigiama.»
Lei senza parlare mise in moto e partì.
«Io non ho fatto niente, non so cosa ti abbia detto Domitilla.»
Agnese non rispose. Guardava la strada. Gli occhi ancora pieni di lacrime.
Prese la Salaria, direzione Viterbo. Intanto anche Ettore si era chiuso nel silenzio. E cupo si arrovellava su mille pensieri.
In un punto buio dove c'erano solo strada e campagna deserta, Agnese si fermò. Si allungò ad aprire lo sportello di Ettore e a forza di spintoni lo scaraventò fuori.
Sempre senza dire una parola richiuse lo sportello e ripartì.
Lo aveva abbandonato.

Ora Ettore era solo, lì sul ciglio della strada, in pigiama e ciabatte. E il pensiero gli andò a tutti i bambini del mondo. Da quelli delle associazioni a cui faceva beneficenza, agli orfani, ai nipoti – Domitilla e Ludovico –, ai suoi gemelli – Gianluca e Leonardo –, a se stesso, e poi a Peter Pan, Capuccetto Rosso e giù fino alla Sirenetta, la preferita di Domitilla, come si chiamava? Miriam? Lorna? Anna?
Le macchine gli sfrecciavano davanti senza fermarsi. E gli sembrò, in una macchina rossa, di vedere una faccetta spiaccicata al finestrino di dietro. Forse l'unico, nell'indifferenza del mondo degli adulti, a chiedersi chi fosse quel vecchietto in pigiama sulla strada.
Immaginò che la macchina rossa, pochi metri oltre, pren-

desse fuoco. E vide se stesso correre, buttarsi nelle fiamme e senza nessuna esitazione, salvare solo lui: il bambino.

13

«Ti sono venuti duri i capezzoli, Giordi?»

«Oh sì, tesoro.»

«Bene, perché io ce l'ho durissimo e sto per scoppiare.»

«Mi sei mancato così tanto tesoro, perché non mi hai più chiamata? Ti è mancata la fichetta della tua Giordi?»

«Sì, da impazzire. Allargala bene.»

«Parla più forte, ciccio.»

«Te l'ho detto, sto chiamando dall'ufficio, devo parlare piano.»

«Te lo stai menando?»

«Oh sì... quanti anni hai oggi Giordi?»

«Sedici.»

«No Giordi, non dire bugie, oggi ne hai di più.»

«Ventotto.»

«No Giordi, tu sei la mia professoressa e io sono il tuo studentello timido.»

«Già scusa, tesoro. Ho quarantasei anni e tu quindici e se non fai il bravo prendo la bacchetta e ti faccio tottò sul culetto.»

«...»

«Così, fai il bravo... Come ti chiamavano da piccolo, ciccio?»

«Leo.»

«Ecco, fai il bravo, piccolo Leo.»

14

L'estate era arrivata e passata. Quell'anno il termometro era rimasto fisso per due mesi intorno ai trentacinque gradi con punte di quaranta. L'operazione di Ettore era andata benissimo e dopo i primi tempi, lui era tornato energico e attivo come prima. Figli, nuore e nipoti gli erano rimasti sempre vicino, aiutandolo in tutto. I più premurosi erano stati, senza dubbio, Leonardo e Agnese. Anche se Ettore si domandava quanto il loro slancio fosse sincero e quanto mosso dal senso di colpa. Perché il senso di colpa doveva essere enorme: la stessa notte che lo aveva lasciato per strada, Agnese aveva portato Domitilla da un medico amico di Leonardo. Questi, dopo un'attenta visita, aveva concluso: « Non c'è segno di violenza ». Immediatamente Leonardo si era scagliato contro la moglie: « Tu ora mi dici come ti è passato per la testa! Ti rendi conto che mio padre sarebbe potuto morire? »

Eh già: perché al momento della sfuriata Leonardo sapeva che il padre era stato ritrovato. Questo grazie all'intervento di un automobilista coscienzioso che, vedendo il vecchio in pigiama, e pur non fermandosi direttamente a prestare soccorso, aveva avvisato la polizia. Ecco come Ettore, senza documenti, si era ritrovato in ospedale. Per fortuna che sapeva a memoria tutti i numeri di telefono dei figli.

Quando Leonardo e Agnese erano andati a riprenderlo, lei gli aveva chiesto scusa. E lui, magnanimo, l'aveva perdonata, ma soprattutto aveva perdonato Domitilla (« È solo una bambina e non ha fatto niente di grave »).

Nonostante la comprensione di Ettore, il fatto rimaneva. Come dovevano comportarsi Leonardo e Agnese con la figlia?

Per prima cosa si erano ripromessi di essere più severi, anche con Ludovico: niente più regali fuori dal compleanno e da Natale. Mai più richieste assecondate, nemmeno le più insignificanti.

Del resto quello era stato anche il suggerimento della dottoressa Pisa, la quale aveva incontrato Domitilla e trovandola una bambina irrequieta le aveva prescritto l'Adderale, un farmaco specifico per i disturbi legati all'iperattività e all'incapacità di concentrazione. Il cambiamento di Domitilla, già dopo una settimana di cura, aveva convinto anche Agnese che, all'inizio molto contraria all'uso di psicofarmaci, ora professava una grande fiducia nel sostegno farmacologico («Una manna dal cielo»).

Tuttavia, sebbene la bambina fosse diventata più calma grazie all'Adderale, Agnese voleva che avesse una punizione esemplare per le gravi bugie. Aveva deciso quindi di fare quello che già aveva minacciato: toglierle i giocattoli. Presi tutti, compresa Ilary Blasi, li aveva donati a una casa famiglia, consigliatale da Ettore, nei pressi del Raccordo Anulare.

Tutto questo era successo in pochi mesi. E a settembre la famiglia Pecci sembrava tornata alla serenità. Ma col peso di tante traversie, Leonardo considerò che lui e Agnese meritavano proprio una piccola vacanza, una specie di seconda luna di miele lontano dai bambini e dal lavoro.

Rodica – una rumena tenerissima ed efficiente che aveva preso il posto di Bee – avrebbe badato al meglio ai bambini, che sembravano volerle molto bene e già amavano la sua cucina. Inoltre c'era Ettore che, da bravo nonno, si era offerto di trasferirsi per quella settimana all'Olgiata.

«Ehi nonno!» urlò Ludovico dal trampolino. «Guarda che mi tuffo di testa!»

Ettore, seduto nella poltrona di vimini sotto la veranda, annuì al nipote.

«Spalanca bene gli occhi, vecchio lebbroso!» continuò Ludovico.

Indossava una tuta da sub, maschera, boccaglio e pinne, attrezzatura che aveva preteso dai genitori prima che partissero. Si rimise il boccaglio, prese lo slancio e si tuffò di testa.

Ma Ettore non lo vide, perché la sua attenzione fu tutta catturata dalla nipote che, schizzata fuori dalla casa, correva verso la piscina inseguita da Rodica: «Domitilla vieni qui, i braccioli!»

Portava un piccolo due pezzi rosa – tenero vezzo, quello del reggiseno del costume, che aveva dai quattro anni – e un paio di occhialetti da sole fucsia. Ettore la guardò saltellare sul bordo della piscina. Accovacciarsi, immergere i piedini, dondolarli nell'acqua, schizzare il fratello («Se lo rifai ancora ti affogo, stronza testa di cazzo»), aggiustarsi gli occhiali da sole sul naso. Poi la vide guardare nella sua direzione, alzare la manina e fare ciao ciao.

Più tardi, finito di mangiare, Domitilla si sedette sulle ginocchia del nonno davanti alla TV per vedere *La Sirenetta* (ogni giorno per farla felice lui le metteva il DVD).

Il nonno l'abbracciò stretta stretta e l'accarezzò. Quelle carezze che lei conosceva bene. Dalla testolina di riccioli biondi giù giù sempre più in basso.

«Bambina mia» disse con profondo dolore, «lo sai che non ti farei mai del male.»

Le infilò la mano nelle mutandine, come faceva sempre, cercò il buco. La piccola, senza distogliere gli occhi dalla televisione (era arrivato il momento in cui la strega Ursula dona le gambe a Ariel per andare sulla terra), chiese:

«Nonno, mi compri un panfilo?»

15

Gentile Notaio Mariconda,

in data 9 settembre del 2006 mi trovo a correggere la versione precedente – datata 5 settembre 2006 – del mio testamento.

Confermo i punti 1, 2, 3 del precedente e modifico il punto 4:

4 Gli appartamenti di via San Valentino 86, via Paraguay 2, via Paolo Emilio 27, via Cola di Rienzo 256, via dei Giubbonari 28, via in Arcione 88, via della Rosetta 12, piazza Rondinini 37, piazza Navona 93, di cui lei notaio ha copia delle rispettive piantine, attualmente affittati, di cui lei notaio ha i rispettivi contratti di affitto, li lascio a mia nipote Domitilla Pecci (come sopra, punti 1,

2, 3) di sei anni nel corrente anno, 2006, nell'attesa della maggiore età della medesima, nomino lei (come sopra del precedente testamento, punti 1, 2, 3) notaio Mariconda, suo amministratore, e non i genitori, nelle persone di mio figlio Leonardo Pecci e sua moglie Agnese Benanni in Pecci.

Confermo i successivi punti, 5, 6, 7, ovvero i lasciti rispettivamente all'Associazione Ridere per Vivere, e all'Associazione Villaggi SOS Italia, aggiungo lascito di centomila euro all'Associazione Don Bosco di cui allego dépliant esplicativo.

In fede
Ettore Pecci

Allegato

Per ricreare lo stile di famiglia che don Bosco e Maria Domenica hanno voluto nelle prime comunità, sono sorte in Italia parecchie case famiglia in cui vengono accolti minorenni senza famiglia o con problemi familiari. Hanno reso viva, oggi, l'intuizione di ieri: «*Se avessero trovato un amico, una casa...!*» Il sogno è iniziato con Don Bosco, quando ha chiesto alla sua mamma di far dormire due poveri ragazzi, che poi gli hanno portato via lenzuola e materassi. A Mornese la storia di Maria Domenica e della sua amica Petronilla è molto simile: hanno cominciato a custodire due bambine orfane di mamma. È stata, in assoluto, la prima casa famiglia dell'Istituto. Oggi, i giovani, nelle case famiglia vengono accompagnati e sostenuti nel cammino di crescita perché possano inserirsi nel mondo con una professionalità e sperimentare quel calore umano che fa star bene e dà qualità alla vita. Il lavoro è svolto in rete con le strutture e i servizi sociali del territorio e in collaborazione con il tribunale dei minorenni. In Italia puoi trovare case famiglia, dove si educa nello stile salesiano, a questi indirizzi:

MARCELLO FOIS

È lì che voglio arrivare

Alla fine c'è un posto dove devi dormire con i tuoi nemici e magari mangiarci insieme. E poi uno ti può arrivare vicino e dirti: guarda che sei proprio tu che mi hai ucciso, brutto figlio di puttana. E un altro ti può dire: chi ti conosceva? Ce l'avevi con me, ma che cosa ti ho fatto io? E poi ancora, magari ci sono anche tutte le donne e i bambini e i vecchi che sono finiti putacaso sotto alle macerie di un ospedale colpito per errore... perché si dice in giro che abbiano inventato la bomba intelligente, che precisa colpisce nel bersaglio, ma qualche volta capita uno sbaglio ed a rimetterci è sempre l'innocente. Alla fine in quel posto c'è una tale massa di persone che vagano a chiedere spiegazioni e motivi che proprio di dormire non se ne parla... Così me lo figuro l'inferno, io.

Che poi il sergente mi dice che a me male non mi fa un po' di vita da veri uomini e poi dice che quando mi sono presentato all'ufficio reclutamento manco ci credevano che volessi arruolarmi sul serio. Magari si credevano che ero uno di quelli andati lì a rompere con le storie della pace. Che la pace non è mica quella cosa che sembra... Noi, per esempio, viviamo in un paese in pace, ma non mi sembra proprio che ci comportiamo come se lo fossimo... Mi spiego? Ufficialmente non stiamo combattendo nessuna guerra, né in patria né fuori, ma, veramente, la stiamo combattendo eccome.

Il capitano dice che quelli come me li conosce bene. Poi mi chiede: che cosa facevi da civile? Me lo dica lei, rispondo io, visto che mi conosce così bene... E lui: smetti di fare il coglione con me che io gli stronzetti come te me li mangio a colazione. Mica gli sto a rispondere, quello è uno nato in camerata, lui in un posto dove non ci sono almeno venti militari da comandare comincia ad avere scompensi e crisi respiratorie. Si capisce che in famiglia gli uomini come lui poi si sentono stretti. Lo immaginate il capitano Franti che dà un buffetto al bambino o un bacio alla moglie? Che ti ridi! Mi dice lui a un certo punto, guarda che io quel sorrisetto ebete te lo tolgo dalla faccia a furia di pugni capito frocetto?

Quello che facevo da civile. Non è tanto facile da dirsi. Manco per niente. Perché il niente come lo racconti? Che devo dire? Al mio paese uno come me si poteva alzare alle dieci di mattina o alle dieci di notte che era lo stesso. Sì va bene c'era il bar, ma poi anche il bar diventava una cosa che era molto molto simile a una roba che ti prendeva ai coglioni. Vabbè c'era il gruppo di canto, ma anche quello erano più le sbronze durante le prove che le esibizioni vere e proprie. Una volta sono arrivati quelli di Sardegna Canta e ci hanno anche ripreso durante la battorina, ma poi dice che hanno dovuto tagliare la ripresa perché non ci stava nella trasmissione. Comunque almeno in quella settimana abbiamo provato come cristiani, facendo anche cose buone davvero. Poi il fatto che nella televisione non ci vedevamo un po' ci ha rotto, ma nemmeno più di tanto, tanto che cazzo cambiava? Da civile non facevo un accidente. Facevo la contra nei Tenores del mio paese ma solo a qualche matrimonio o alla festa del patrono. Una volta abbiamo cantato per la laurea di Gavino Pau, il figlio del farmacista, e anche per le nozze d'argento del dottor Barranca che mi ha fatto togliere le tonsille quando ero piccolo.

Quella volta della laurea di Gavino Pau c'era a sentire anche Pierino Cappai, il carrozziere, che dopo l'esibizione ci fa: mì che siete bravi, davvero, ma ci avete mai pensato di mettervi in giro a cantare? Noi l'abbiamo guardato come a dire che pensare ci avevamo pensato ma mica era roba semplice di mettersi in giro a cantare con tutti i Tenores più bravi di noi che c'erano... Ma Pierino Cappai fa di no con la testa che non è sempre questione che uno è bravo o cattivo, che sa fare o non sa fare, basta entrare nei giri giusti insomma, capito? Così spiega che lui c'ha amici a Nuoro dove organizzano la Festa dell'Unità, che a Nuoro sono tutti comunisti. Ai nuoresi non è che gli piacciano molto questi caghinazzi di Forza Italia che sembrano tutti un po' finocchi, con rispetto per i finocchi, dice Pierino. Lui c'ha sempre le unghie nere di grasso. Io è una vita che lo conosco e non l'ho mai visto con le unghie pulite. Comunque, com'è come non è, dalla festa di laurea di Gavino Pau, finiamo a Nuoro alla Festa dell'Unità...

Poi per caso in questo posto può capitare che ci sia come un continuo chiedere spiegazioni: perché hai fatto questo? Perché hai fatto quell'altro? Peggio che stare bloccati in un ascensore con tua mamma. Ma ve lo immaginate che roba? A mia madre gli scende un colpo secco. Prima però ti rovina per sempre l'esistenza. Io a mia mamma gli voglio bene, davvero, ma sarà che è mamma, sarà che mio padre ha visto bene di partirsene per la Germania quando io avevo quattro anni... Insomma scassa le palle... Buona e cara, ma scassa le palle. Così io questo posto me lo immagino con questa continua rottura di palle. E spiegazioni, come se uno sapesse sempre perché fa le cose. Non bastano tutti quelli che arrivano e ti chiedono: che cazzo ti ho fatto io, non parlavo nemmeno la tua lingua e pregavo un altro Dio?, che ti arriva questo dover continuamente giustificare, dare spiegazioni e che siano giuste ed esaurienti.

Come quella sera che mia madre: A Nuoro? Che ci vai a fare a Nuoro? Provate voi a dire a mia madre una cosa qualunque e poi vediamo. Io mi metto d'impegno a spiegare che è questione di lavoro che Pierino Cappai ci ha trovato due serate da fare a Nuoro. E lei: E vi pagano pure? Eh, faccio io, perché? A lei, a mia madre, al sangue del mio sangue, gli scappa anche da ridere. Guarda che Pierino dice che siamo bravi. Mia madre scuote la testa: Pierino Cappai non trova nemmeno il culo per pulirselo. Complimenti. E poi che a Nuoro le serate come dico io finiscono sempre in gloria, che questi nuoresi c'hanno tutti il coltello facile, che lei lo sa è stata teracca chissà quanto a Nuoro a casa del direttore del Consorzio Agrario. A me mia madre mi esaurisce da quando mi alzo al mattino a quando mi corico la sera. Comunque sono solo tre giorni dico io, partiamo con la macchina di Marieddu e ci ospitano. Prenditi il cambio delle mutande dice allora mia madre, il sangue del mio sangue. Tanto finisce che la valigia me la fa lei... Provate voi a dirle che Nuoro è solo a ventitré chilometri: per lei è l'altro mondo. Mi mette anche da mangiare come se dovessi partire per chissà dove.

Così quando davvero sono partito per « chissà dove » non se n'è accorta: vaglielo a dire a mia mamma che Nassyria è proprio l'altro mondo.

Insomma alla Festa dell'Unità di Nuoro siamo arrivati nel pomeriggio che c'era un caldo che ti abbrancava alle spalle, ti buttava a terra. Cazzo di caldo, fa Christian Podda, sa Boche del gruppo. Intanto arriva uno in calzoncini corti che c'ha un pennello in mano. Ci presentiamo e quello nemmeno ci tocca la mano che è tutto sporco di vernice: venite, dice. E noi lo seguiamo in una specie di capannone dove ci sono un sacco di scatoloni. Lui ci fa strada e poi si mette a fare scritte su dei pannelli di compensato. Ha quasi finito di scrivere LIBRERIA, quando dice: Dentro a quella borsa frigo ci sono birrette fresche, tanto dobbiamo aspettare. Chi o che cosa dobbiamo aspettare non lo sappiamo, comunque al riparo sembra meno caldo e poi ci sono le birrette fresche.

*

L'unica cosa bella di questo posto è che non hai più problemi tipo la sete e la fame... Perlomeno io così me lo immagino: come una situazione che uno sta bene sempre non ha bisogno di niente. E le voci si sentono e non si sentono. E non c'è né caldo né freddo... E poi è sempre come dormire con la testa posata sul seno della tua donna che come respira ti culla un poco.

Alla seconda birretta arriva un tipo che si mette a parlare con l'altro tipo a proposito del fatto che il dibattito alle sei è un orario del cazzo: Chi è che vuol parlare di armamenti e servitù militari alle sei del pomeriggio con un caldo porco che ti mangia le budella come niente? L'altro finisce di scrivere SAMBENEDDU e poi dice che il programma è programma, insomma le attività ludiche vanno alternate con gli spazi politici, come fanno a Bologna o a Modena dove le Feste dell'Unità le sanno fare cazzo! E l'altro spara che: Vattene a Bologna cazzo allora perché a Nuoro alle sei del pomeriggio di venerdì nove agosto con 37 gradi all'ombra a sentire un dibattito fra Genesio Spolpato della sezione DS Luxemburg di Sassari e Nanni Piredda del comitato Sardigna a sos Sardos su «Servitù Militari in Sardegna quale futuro per una lotta efficace», non ci viene nessuno, neanche se gli prometti che mentre ascolti ci sono due slave che ti fanno un pompino gratis. Beh, forse se gli prometti il pompino... Così vengono solo gli uomini, tutta una cosa per maschietti, dice una voce femminile dietro di noi proprio all'entrata del capannone: non sarebbe male coinvolgere anche le compagne di tanto in tanto. L'uomo che ha appena iniziato a scrivere SOT su un pannello inclinato si alza, le va incontro e la bacia in bocca. La bacia sporgendosi in avanti per non sporcarla di vernice. Lei ricambia, poi guarda i cartelli e fa sì con la testa. Poi guarda noi... Siete i cantanti? chiede. Il tipo in calzoncini corti si rimette al lavoro, mentre ce ne andiamo scrive SOTTOSCRIZ...

Io gli rispondo di sì abbassando la testa. A lei gli risponderei sì per tutto. Perché dopo che mi sono girato a guardare la voce che ha chiesto: Siete i cantanti?, dopo che mi sono girato è successo qualcosa. Qualcosa difficile da raccontare. E non c'è una spiegazione possibile, forse solo quella di quando sogni che cadi al primo sonno. E sembra di essere ingoiati da una voragine, ma più che paura è piacere come una mano calda che ti afferra tra le cosce e stringe senza fare male. Lei allunga la mano voi siete alle ventuno, dice... E a me quando una dice l'ora così mi sembra una cosa elegantissima. Io allungo la mano Pinuccio dico e Mario dice Marieddu e Christian dice Christian e per finire Egidio Vacca dice: piacere Vacca. Noi ci guardiamo trattenendoci di ridere. Ma lei non ride per niente, eppure con quella bocca lì: Non ho capito il nome dice a Egidio e Egidio dice Egidio. Bene, fa lei, siete alle ventuno. Se mi seguite vi faccio vedere il palco dove vi dovete esibire. Il palco poi è uno solo, lo stesso dove ci sono le sedie per il dibattito che quando il dibattito è finito tolgono le sedie... Piero dice che siete bravi, sta dicendo mentre ci cammina avanti di un passo... Ma è come se la sua voce si espandesse nel paradiso del cotone, allo stand imbottiture della fiera del materasso. Come se dicesse le cose con la bocca piena di miele che deve leccarsi le labbra per ripulirsi dalle parole appiccicose e dolci. Anche quella bestia di Pierino Cappai lei lo chiama Piero e già mi sembra di vederlo persino bello... Piero è un'altra cosa, Pierino è lo stronzo scassacazzi che è, ma Piero è figo davvero... Pino, dico a me stesso dovevo dire Pino non Pinuccio, e nemmeno Pino, Giuseppe dovevo dire. Il mio nome sarebbe Meloni Giuseppe veramente, mi sento dire. Lei si volta mi guarda strano. Sì, comincio ad imbrogliarmi, prima quando ci siamo presentati ho detto Pinuccio, ma il mio nome... Va bene taglia lei, poi si rivolge a Marieddu, ha capito subito che il capo è lui, per l'impianto voce abbiamo solo un microfono direzionale, magari mezz'oretta prima dell'esibizione fate un soundcheck e vedete. Marieddu fa cenno di sì come tutte le volte che non ha capito un cazzo.

A lui a Marieddu gli dicono una strada e lui fa cenno di sì come se avesse capito e invece non ha capito niente. Andando a Orani una volta ci siamo persi in campagna, ma persi per dire persi, roba che siamo scesi dalla macchina e non c'era un cristiano in giro manco a pagarlo. Poi a Marieddu è inutile dirgli le cose perché col fatto che la macchina è sua...

Dice che possiamo provare il microfono sussurra Christian a Marieddu senza farsi notare. Marieddu fa finta di niente. Lei dice: Marina. Così a un certo punto dice: Marina. Poi ride e sarebbe come dire che si entra nel paradiso del borotalco tanto che è morbida quella risata. Ci siamo presentati ma io non vi avevo detto il mio nome. E certo che non l'aveva detto ma a me sembrava inutile... Il suo nome è «meraviglia della natura». Invece si chiama Marina che delle due è più sintetico, ma a me mi piace lo stesso. E mi sarebbe piaciuta anche se si fosse chiamata putacaso Cunegonda o Geltrude o Bainza. Perché io a lei la sentivo sulla nuca come respirava, come si muoveva come parlava... Tutto sulla nuca, come una carezza con i polpastrelli all'attaccatura dei capelli. Abbiamo un prestampato per la SIAE, magari usiamo quello. Non ci si abitua mai alla sua voce ogni volta è una pugnalata al basso ventre, la sento anche lì in effetti oltre che nella nuca. Pino dice che voi avete un repertorio anche impegnato. Christian scuote le spalle: dipende, risponde. Poi si rende conto che non è una risposta. E dice che il repertorio è anche tradizionale. Bene, dice lei, robe tipo *Barone sa Tirannia*? Faccio cenno di sì anche prima che abbia finito la domanda. Voglio che se c'è una cosa che può avere sappia che la può avere da me. Sì, mi affretto e anche *Nanneddu*

Meu. Ottimo fa lei, sapete abbiamo dedicato questa festa alla ricerca delle radici, come una sorta di viaggio all'interno della nostra identità, mi spiego? No, ma non fa niente, per me se lei diceva che eravamo lì a spalare merda era uguale: l'unica cosa che contava per me era essere esattamente dove si trovava lei.

E ovunque si trova lei è il paradiso dei paradisi. Magari lei è finita in quel settore dove nessuno ti rompe le palle con la storia che per essere stato un soldato di pace qualche pallottola l'hai sparata anche tu. Magari per difenderti dice. Che il capitano insiste sul fatto che a noi delle critiche non ce ne può fregare di meno visto che stiamo facendo il nostro dovere, che poi sarebbe di fare quello che ci dicono di fare. Ma io a quelli che parlano e parlano mica sto a rispondergli più di tanto: la pace o la guerra sono convinzioni che bisogna potersi permettere. Io da civile non mi potevo permettere nemmeno di avere un'opinione. Manco di essere un evasore fiscale mi potevo permettere visto che non potevo permettermi nemmeno le tasse.

Che tanto alle sei iniziava il dibattito. Lei però aveva detto alle diciotto e poi aveva detto magari per fare numero venite anche voi, poi dopo vi offriamo la cena e il tempo di liberare il palco e tocca a voi, va bene? A Egidio era meglio dargli un calcio nei coglioni che dirgli che doveva assistere al dibattito... infatti a un certo punto è sparito con la scusa che a Nuoro c'aveva una cugina sposata con un vigile del fuoco. Io Marieddu e Christian siamo rimasti al caldo seduti nelle sedie di plastica a sentire che cosa stava succedendo in Sardegna per la questione delle Basi NATO. Marina era due sedie affianco a me... Poi c'era un vecchio addormentato e anche la moglie del gestore del bar della Festa... Verso la fine del dibattito sono arrivati anche l'uomo in calzoni corti e quell'altro di prima. L'uomo con i calzoni corti si è messo a sedere affianco a

Marina. Insomma la faccenda era che noi sardi c'abbiamo una «sovranità relativa sul territorio» sarebbe a dire che ognuno può venire e fare qui quello che gli pare... E se anche si deve fare un porto davanti alla sua villa al mare se lo fa, e anche se deve costruire un bunker su un terreno demaniale lo costruisce, tanto è lo stesso, e anche se deve fare una legge speciale per costruire sino alla riva del mare quella legge la fa e i suoi amici parassiti costruttori sono contenti. Marina scuote la testa poi alza la mano e fa una domanda a proposito della legge 26 che secondo lei è la dimostrazione di quanto focale sia l'argomento delle radici. Christian sbadiglia. Il diessino dal palco conferma soddisfatto dice che comunque la legge 26 rappresenta anche un passo avanti nell'ambito della presa di coscienza di un popolo che attraverso la lingua madre può trovare ragioni di autodeterminazione, così Marieddu alza la mano e dice che a lui anche questa cosa della legge 26 gli sembra tutto un mangia mangia e che a lui il sardo gliel'ha insegnato sua mamma e poi a scuola ha imparato l'italiano... A Christian gli scappa una risata come un raglio d'asino perché, dice lui, Marieddu e la scuola erano come l'acqua e l'olio, come cane e gatto, come bianco e nero...

E tu? mi chiede Marina a un certo punto. Anche il suo uomo mi guarda. Io niente, dico con un movimento delle spalle... Certo, dice lei, nei paesi dell'interno questi problemi ancora non si sentono, la perdita, lo sradicamento e tutto il resto... Io faccio di sì con la testa che vuol dire tutto quello che vuole lei. Tutto. Poi il dibattito finisce e si alza un po' d'arietta come se anche il tempo si fosse svegliato. Fa buio tardi, ma ci sono nuvole viola distanti e lampi come se altrove, magari a mare, sia scoppiato il finimondo. A cena lei non c'è, è arrivata della gente e bisogna servire ai tavoli, così si è messa un grembiule bianco stretto sui fianchi che sembra una damina di porcellana... Così delicata che sembra di essere entrati nel paradiso del pasticcere, dove è tutto una teglia di spumini candidi e delicatissimi...

*

Dopo cena si prova il microfono e si decide l'ordine dei pezzi... Marieddu vuole iniziare col *Passu Torrau* e Christian come sempre col *Ballu Tundu*. Non c'è una volta che non si faccia questa discussione per finire poi che non si fa né l'uno né l'altro... Mì che dobbiamo fare *Barone sa Tirannia* dico io. Eh eh fa Christian già lo sappiamo che lo dobbiamo fare... Poi si inizia: oh, le sedie son quasi tutte occupate, sarà il fresco dell'imbrunire, ma la gente è uscita di casa. Si inizia, il ragazzo con i pantaloni corti che si è cambiato la maglietta: nell'ambito della rassegna «Sapori e colori della Sardegna – vedendo la terra dalle radici» vi presentiamo i Kittulanos... applausi dal fondo del capannone. Solo lei, Marina, che applaude, forse ha lasciato i tavoli apposta per vederci salire sul palco. Così prima che sia troppo tardi le faccio un cenno, una cosa quasi invisibile con le sopracciglia, ma lei lo vede e mi sorride. Così inizio io prima che gli altri siano ben sistemati: Cando t'appo intesu faveddare min das d'amore su coro feridu... Christian mi guarda come a dire che quello non era il pezzo con cui avevamo deciso di iniziare, ma segue, come un servo pastore che debba correre dietro alle pecore scappate; Dae s'istante chi t'appo bidu non s'istraccan sos ocros de mirare... Marina mi guarda...

A capirle queste cose che dite, proprio una lingua da trogloditi... s'incazza il sergente. Non perdiamo tempo con queste cazzate dai che c'è da caricare un'autoclave, Meloni smetti di cantare e dammi una mano dai... Così con quaranta gradi all'ombra carichiamo l'autoclave su un camion che deve andare poco fuori dalla città in un villaggio a venti, trenta chilometri. Che roba era quell'affare? mi chiede mentre siamo in viaggio... Quale affare? chiedo. Quella canzone che stavi cantando... No niente, mi affretto... Che niente e niente, dice lui. Sembrava roba per l'innamorata, dice. E sorride, fuori dal camion scorre una polvere compatta.

*

A dormire ci mettono in una colonia in disuso. Per arrivarci bisogna salire verso il monte Ortobene, poco fuori Nuoro. In macchina davanti a noi il ragazzo con i pantaloncini e Marina ci fanno strada. Marieddu al volante sta discutendo con Christian per via del fatto che si accusano di russare a vicenda. I nostri fari illuminano a sprazzi Marina e il suo uomo nella Panda verde davanti a noi. Quei due non li vedo bene, dice Egidio, perché è chiaro che nella macchina davanti i due stanno discutendo malamente. A un certo punto, arrivati all'altezza di un cartello con su scritto SOLOTTI la Panda segnala che bisogna girare a sinistra. Ora Christian e Marieddu sono passati all'argomento calze e mutande puzzolenti, e ai piedi che sanno di formaggio marcio...

Da qui, da questo posto, quell'entusiasmo sembra la pasta con cui è stato creato il primo uomo. Che ce ne vuole per decidere di popolare il mondo con cinque e passa miliardi di bestie come noi. Marieddu e Christian erano felici solo per il fatto che quella notte almeno potevano permettersi di esserlo. Oh, dove cazzo l'avevamo lasciata quell'infanzia? Dov'è che ci siamo perduti?

Comunque arrivati a destinazione Marina esce dalla macchina per aprirci e farci vedere il posto. Dentro c'è odore di muffa, ma Christian e Marieddu continuano a fare i coglioni... Sono stronzi proprio ma ci scappa da ridere a me e a Marina. Vi arrangiate coi sacchi a pelo, dice lei. E io faccio cenno di sì... Egidio seduto da parte sta già dormendo. A quello gli basta sedersi che si addormenta, lui quando è stanco è stanco non c'è letto che tenga. Le brande ci sono e anche i sacchi a pelo. Così lei saluta e fa per andare verso la macchina, poi si volta verso di me mi arriva a mezzo passo e si sporge per darmi un bacio sulla guancia: Grazie, dice. E perché? chiedo io. Per il pezzo di stasera, il primo. Io faccio cenno di sì perché sono entrato nel paradiso di tutte le fragranze al mondo, lei sa di tutto quello che di meglio esiste tutto il meglio che è stato creato per il naso, sa di bella giornata e anche di notte d'estate e anche di pane fresco e di latte appena munto e di fiore d'arancio e di bucato appena steso ad asciugare... Oh, sa di tutte le cose che ci sono al mondo. E sembra dare ragione a chi è stato tanto entusiasta da pensare che un simile apparecchio di ossa e muscoli potesse riuscire ad annunciare l'infinito. Ecco tutto il mio amore era rinchiuso in un centimetro di pelle profumata tra il suo orecchio e la sua nuca...

Roba per l'innamorata..., ripete il sergente come chi la sa lunga. Deve tenere una velocità costante perché il camion non si areni. Stiamo navigando in un braccio di mare sabbioso. Io faccio cenno di sì... Per l'innamorata... Ti aspetta a casa? mi chiede. Mi aspetta, rispondo... Lui scuote la testa: Questi sardi, commenta.

Per il pezzo di stasera... Ti ho visto come mi guardavi. Io faccio cenno di sì... Lei mi guarda ancora come se dovesse tenere a mente ogni linea del mio viso. Lo sai che hai una bella bocca? mi chiede. Non si pasat su coro né sa mente de pessare a tibe unicu oggettu. Canto piano. Lei sorride ancora una volta, poi mi accarezza...

Poi?

Poi si avvicina... Christian e Marieddu stanno discutendo del fatto che a Cagliari durante la tre giorni della visita di leva uno è stato a puttane e l'altro invece si è preso paura. Egidio sta dormendo disteso a terra vestito sopra il sacco a pelo.

Marina mi sfiora la nuca con i polpastrelli. Chiudo gli occhi, come a dire: non smettere. Il suono ripetuto di un clacson nervoso mi risveglia. Devo andare, dice lei, stasera è intrattabile per la questione dei militari italiani in Iraq, aggiunge indicando con un movimento della testa verso la macchina. Io faccio cenno di sì con la testa. Quanti anni hai? mi chiede all'improvviso. Ogni volta che sta per finire ricomincia. Quasi diciannove, dico. Lei sorride. Certo, certo: come se lo immaginasse, poi ripete: devo andare. E si volta per raggiungere l'uscita... Christian e Marieddu nell'altra stanza stanno ridendo fra loro, avranno organizzato qualche scherzo per Egidio.

Il sergente ridacchia... Meloni me la spieghi una cosa? Come cazzo è che ti sei fatto questa fama di cavallo pazzo? Continuo a guardare fuori dal parabrezza assalito da ondate di sabbia tanto che bisogna azionare i tergicristalli per vederci qualcosa. Vorrei poter rispondere.

Magari in quel posto dove voglio andare esiste un modo per spiegarsi tutto... Com'è che uno sceglie quello che sceglie, com'è che da una cosa ne succede un'altra... E quando la prima tessera del domino oscilla fino a schiantarsi sulla seconda e la seconda sulla terza e così via... Io sono sicuro che esiste un posto dove è possibile dare tutte le risposte che la nostra stupida carne ci impedisce di dare...

Il sergente dà uno strattone al cambio per mettere il camion in frenata. Scivoliamo per qualche metro poi lentamente il mezzo si assesta come un vecchio cammello a cui stiano togliendo il carico. Dobbiamo aspettare qui dice il sergente, dobbiamo aspettare gli americani, questa è zona minata... Abbiamo un'oretta di riposo poi ci segnano il percorso e piazziamo questa autoclave... Ma dice queste ultime cose già sistemandosi sul sedile per dormirsela. Approfittane anche tu Meloni... Se proprio vuoi morire c'è tempo domani. Cosa sarà questa fissa di morire in guerra che c'hai...

Lo guardo: cazzo avrà qualche mese in più di me...

Comunque che ero vergine Marina se ne sarebbe accorta, ma ci avrebbe riso e mi avrebbe detto di fare come mi sentivo, di lasciarmi guidare dall'istinto. Oh, l'istinto. L'istinto sarebbe stato quello di attaccarsi alla sua bocca come se da anni, dal primo giorno di vita non bevessi.

Nel mondo in cui voglio andare io non ci sono congedi né addii. Non ci sono porte come bocche aperte nel buio.

Si divertono i tuoi amici, sussurra Marina senza voltarsi... Poi sparisce nel buio oltre la bocca di forno della porta spalancata verso la notte. Quanto sarà passato da quando l'ho vista andar via? Cinque minuti? Sette minuti?

Non lo so.

Esco, ma quanta aria servirebbe ai miei polmoni per bloccare il fremito che mi agita il petto. Io credo che a chiunque ha incontrato la perfezione sia successo esattamente di sentirsi come mi sentivo io, e cioè una specie di pieno e di vuoto insieme. Felice di avere trovato la perfezione, la perfezione assoluta e infelice per averla già persa. Uno si dice che ci vuole tutta la vita a trovare la sua anima compagna... E certo quando l'hai trovata lo capisci subito perché vedi le cose in un modo del tutto nuovo. Esco. Sono uscito e tutto mi sembra buono, bello... Un po' triste però, perché l'amore ti ruba l'infanzia, ti cuce addosso un abito attillato di turbamento.

Quella notte odora di buono. Odora di tutti gli odori buoni... E c'è un silenzio di animali notturni che cercano cibo, di foglie secche frantumate dagli zoccoli dei cinghiali, di code di volpe che smuovono i cespugli, di scirocco tra le fronde... Suona anche la luce pallidissima di uno spicchio di luna. Sotto, sull'altipiano la città sembra una manciata di biglie brillanti. Persino Nuoro è bella a quell'ora.

È solo un sogno di silenzio, è solo un sogno di bellezza.

Poco più in basso su una radura appena oltre la curva è parcheggiata la Panda. Ma non è vuota, è piena di risate. Marina ride. Ride anche il suo uomo. Che cos'hanno da ridere?

Nel posto dove voglio andare io non c'è niente, niente per cui valga la pena di ridere. Che cazzo avete da ridere eh?

Ridono. Lui è senza maglietta e ha i pantaloni calati sino alle caviglie, lei ha il reggiseno sfilato e ride... Poi la macchina piano piano oscilla...

Ecco, così è sporcare l'unico sentimento che valesse la pena di provare. Eh sì, posso giurarlo non mi sarebbe importato di morire per quel seno, per quelle natiche scarne, per l'oscillare lento dell'automobile. Per quel ridere, quel ridere...

Comunque non sono morto quella notte per quanto lo volessi. Quando si capisce quello che ho capito io quella notte vale la pena di desiderare la morte. Perché io ho capito che camminiamo in un terreno minato un passo dopo l'altro. Questo ho capito: che da un secondo all'altro tutto cambia, e cambia con una velocità che è di più di quanto sia umano sopportare.

Così mi sono piegato verso il finestrino perché vedessero che ero lì.

E loro mi hanno visto: un attimo prima si detestavano e ora sembravano amarsi; e lei, lei un attimo prima sembrava amarmi e ora...

Loro mi hanno guardato allibiti. Lui ha tentato di scendere dalla macchina ma non ha visto la pietra che avevo in mano. Così ha cominciato a tenersi la testa, quanto sangue può esserci in una testa, quanto sangue. Marina gridava dentro alla macchina...

Cosa gridi puttana, cosa gridi!

Ecco: come centrare una mina col piede. Io non c'ero più, brandelli di me pendevano fra i rami degli alberi, andavano a spappolarsi tra le rocce, i miei umori venivano assorbiti dal terreno.

Neanche lei ho fatto scendere dalla macchina, quando l'ho colpita mi ha guardato spalancando un occhio come se dovesse liberarsi da un moscerino...

Poi silenzio, quello che occorre per rivestirli, mettere lui al posto di guida e lei al posto del passeggero. Trascinare la macchina in folle sino al bordo della scarpata è facile perché l'io che si muove che ha vestito, disposto, spinto è solo il brandello ferocissimo di una volontà assoluta.

Il mio corpo era sparso tutt'intorno esploso, ma io stavo spingendo la macchina sino al bordo della scarpata.

La Panda prende velocità pian piano verso il precipizio... Corro verso l'edificio, faccio appena in tempo ad entrarci che sento l'esplosione.

L'esplosione l'hanno sentita tutti... Egidio corre fuori per primo, poi... Poi gli altri infilandosi la maglia mentre avanzano incontro al bagliore. Poi, per ultimo, io. Verso la luce. Verso la fiamma. Mioddio, mioddio... sussurra Egidio, qui c'è cosa brutta brutta davvero. La Panda è come appoggiata per fare una pennichella sotto al dirupo. Brucia di un fuoco grasso come il Dio roveto infuocato che parlò a Mosè.

Curva presa male, molto male... L'uomo alla guida non si vede, mangiato dalle fiamme. Marina è distesa a braccia aperte contro la pietraia atterrata dopo un volo terribile, ha la testa fracassata... Sbalzata fuori dall'auto, morte istantanea, non si è accorta di niente. Dicono.

*

Così esiste un motivo per fare le cose, anche le più folli, esiste un motivo per pretendere un posto dove quando ci si innamora veramente si possa stabilire che quel sentimento è tuo e ti spetta e nessuno, nessuno può rubartelo. Così esiste un modo per soffrire talmente tanto che si appare sereni. Esiste un posto dove magari devi rendere conto di quello che hai fatto. Magari confessare a Totoni che gli hai fregato le sigarette o a tua mamma che i soldi dal barattolo li avevi presi tu. Va bene, così ci riprovo. E il campo davanti a me sembra proprio l'immagine di me: piano, silenzioso, calmo, ma sotto tremendo, violento, irato. Ora che il sergente dorme posso scendere dal camion. Esiste una strada per andare nel posto dove voglio andare. Quel campo è proprio quella strada, passo dopo passo... Chissà quando nell'andare si mette il piede in fallo. Tue ses de die sole nettu e de su sero luna risplendente. Tanto non fa differenza. Esiste un posto dove Marina mi sta aspettando. Lì di questo corpo non c'è bisogno. È lì che voglio arrivare.

EMILIANO GUCCI

Razza di faccenda

«E non finisce mica il cielo
anche se manchi tu,
sarà dolore poi sempre cielo
fin dove vedo.»
Ivano Fossati

Guido Mantellassi era un uomo gradevole, pacifico e abitudinario. Viveva solo, in una traversa di via Bologna, a Prato, negli stessi settanta metri quadrati dov'era nato. Ogni giorno puntava la sveglia alle sette, si lavava e si sbarbava, metteva una camicia pulita, preparava una bella colazione e prendeva l'autobus per andare in centro. Si fermava sempre a comprare il giornale e a giocare al Lotto: non aveva mai vinto granché, ma per lui l'importante era il rituale, le sequenze di gesti che scandivano il tempo. Tanto che gli dette molta noia il passaggio da due estrazioni settimanali a tre, e fece fatica a digerirlo.

Lavorava in un negozio di abbigliamento nel Corso, tra il Duomo e piazza del Comune: lì aveva cominciato subito dopo le scuole superiori, e non aveva mai avuto motivo di cambiare. Adesso, semmai, c'era da alzare la guardia verso la concorrenza agguerrita di centri commerciali e outlet, che vendevano a prezzi molto bassi e minavano la sopravvivenza dei piccoli negozi. Per non parlare dell'invasione cinese, che era cominciata come uno scherzo ma si stava mangiando una gran fetta di mercato. Guido Mantellassi non cedeva alle ansie: il *suo* negozio parlava a una clientela piuttosto giovane e cool, l'ultima che si sarebbe piegata alle logiche globali. E poi, nella peggiore delle ipotesi, si riteneva pronto a ricominciare daccapo, in un altro posto. Viveva alla giornata e si sentiva molto più giovane dei quarantadue anni che gli dava l'anagrafe. Aveva messo su una certa buccia, e da parte un po' di soldi che lo facevano dormire tranquillo.

I suoi problemi, semmai, erano di tipo sentimentale. Il più urgente riguardava la casa: quattro stanze al terzo piano di un'anonima palazzina in un pezzo di disgraziata periferia. Niente garage, niente verde, niente pace, pareti sottili e infissi a basso costo, un terrazzino rosicchiato dove non entrava neanche una sdraio pieghevole. Guido Mantellassi però ricordava le parole dei genitori, le discussioni, gli enormi sforzi fatti per acquistarla. Suo padre, pratese doc, che aveva passato una vita ai telai senza lesinare sugli straordinari, e sua madre, sempre malaticcia, che con fatica aveva fatto quadrare i bilanci familiari. Mai una vacanza, un vestito più bello, un vino più buono. Tutto sacrificato a risparmiare due lire per lasciare una casa al loro figlio. Ce l'avevano fatta. Guido ricordava la tensione dei giorni della firma, la concessione del mutuo, i sorrisi stiracchiati e il brindisi con lo spumante scadente. Ce l'avevano fatta: la casa, l'obiettivo di una vita. Sua madre era morta un anno dopo, e neppure nel proprio letto. Il padre aveva continuato a vivacchiare e lavorare, si era imbolsito a tripla velocità. Negli anni in cui avrebbe potuto cominciare a godersela, rilassarsi, sorridere, gli avevano tolto l'unica persona per cui valeva la pena farlo, sua moglie, la sola donna che avesse mai amato. Allora si era lasciato spegnere, probabilmente per una malattia ai polmoni, o forse soltanto per grigiore.

Guido Mantellassi si era ritrovato con quell'appartamento che era pure grande, per una persona sola, arredato da mobili tristi, con i pavimenti opachi e le piastrelle contornate di nero. Gli restava anche un po' di mutuo da pagare, ma riuscì a estinguerlo alla svelta: lavorava da diversi anni ed era parsimonioso. Piano piano aveva preso anche a ricomprare qualcosa, aveva cambiato l'armadio, rifatto il bagno, costruito una bella libreria. Poi erano arrivati i cinesi.

*

Avevano cominciato da piuttosto lontano, dai garage, i sottoscala, piccoli laboratori e poi capannoni, fabbriche, case. Avevano formato una loro comunità che si allargava velocemente, senza strappi ma senza sosta. Rilevavano, pagando bene e senza creare problemi, gli appartamenti come le attività. E camminavano spediti nella direzione di Guido Mantellassi. A lui non davano noia, quasi faticava ad accorgersene. Non faceva molta vita sociale, specie nei dintorni di casa, e non gli cambiava granché se a gestire la lavanderia trovava una donna cinese, piuttosto che di Prato. Lui pagava, ringraziava e salutava, senza neanche doversi sorbire le amenità sul tempo. Gli andava bene così.

Una mattina uscì per andare al lavoro e vide che anche il suo vicino stava traslocando. Lo salutò e gli domandò dove andasse a vivere.

«Lontano, Guido, non ne posso più di questi musi gialli» gli disse.

«Certo» fece lui senza convinzione.

«Che poi adesso, con le figlie grandi, che escono... Mica sto più tranquillo, quando devono tornare da sole, la notte...»

«Hai avuto problemi?»

«A essere sincero, per ora no. Però, come si dice a Prato, meglio aver paura che buscarne.»

«Certo, certo.»

«E te che fai? Sei rimasto solo, ormai...»

«Solo?»

«Di sicuro, Guido, solo come un cane. Anche la gioielliera ha venduto, e pure il macellaio.»

«Ci sono i Buozzi, di sopra, e i Camerini...»

«I Buozzi se ne vanno lunedì prossimo, caro Guido. E i Camerini mica ci stanno più, hanno chiuso tutto e messo in mano all'agenzia. Viene solo il figliolo, qualche sera, a portarci le puttane, tutto qua.»

«Ah.»

«Ti conviene muoverti, Guido, che poi avrai vita dura... Ormai sono tutti di loro!»

Mantellassi era andato a prendere l'autobus senza fare una piega, senza lambiccarsi il cervello. Magari ci avrebbe pensato, o magari no. Lui non aveva niente contro i cinesi, e poi la casa non la voleva proprio vendere.

Però i colori cambiavano, nel quartiere, e anche gli orari, gli odori. Chissà che cosa cucinava quella gente, per le scale c'era sempre quel puzzo strano... Telefoni e sveglie suonavano alle ore più disparate. La ditta delle pulizie era stata licenziata senza che Mantellassi sapesse niente: aveva saltato una riunione del condominio e la situazione gli era sfuggita di mano. Adesso pulivano delle donne cinesi, con le tute fucsia, le ciabatte di gomma. Le insegne dei negozi assumevano i loro caratteri, tutti arzigogolati, anche se sotto mantenevano le scritte italiane, ma più piccole. Pure il traffico era diverso: i cinesi correvano tutti, ed erano poco morbidi, curvavano in maniera brusca. O forse era solo una fissazione di Mantellassi, e non valeva la pena di elucubrare. Per il resto la sua vita non cambiava di molto. Piccole cose, qua e là.

Gli era capitato di finire il prezzemolo, una sera che doveva cucinare un piatto di pasta con i gamberetti, e senza pensarci era uscito sul pianerottolo e aveva suonato al vicino. Gli aprì una donna cinese, con tanto di grembiule da cucina, tutta sorridente. Solo in quel momento Mantellassi si ricordò del cambio di guardia. Non si scompose e le chiese se avesse del prezzemolo. Lei non batté ciglio. Lui glielo ridisse lentamente: pre-zze-mo-lo. Nulla. Le fece lo spelling, ma era evidente che la donna non capisse, diceva cose cinesi e muoveva frenetica le mani. Un uomo l'aveva affiancata e fissava con attenzione le labbra di Mantellassi. Lui provò a ricordarsi come si diceva in inglese, ma proprio non gli veniva, e forse sarebbe stato inutile. Dopo due minuti si trovò a mimare il prezzemolo, sul pianerottolo, davanti a otto paia d'occhi cinesi sgranati, di grandi e di piccini. Il prezzemolo non è facile da mimare, e Mantellassi quella sera ne fece a meno, ma la pasta venne buona lo stesso e lui pensò che poteva continuare a vivere così.

Una sera di maggio gli suonarono il campanello. Mantellassi era in pantofole, stava rimettendo a posto delle vecchie fotografie e seguendo a sprazzi un ridicolo varietà televisivo. Si alzò e guardò dallo spioncino, come d'abitudine. C'erano dei cinesi vestiti piuttosto bene. Mantellassi ci faceva caso, agli abiti, per deformazione professionale, e dei cinesi tutto poteva dire tranne che vestissero con gusto. Aprì. Tutti gli fecero mezzo inchino e uno gli dette la mano. Lui lo bollò come il Capo, che parlava italiano e introdusse dentro la comitiva. Mantellassi fece posto sul tavolo e li fece accomodare. Erano in quattro, di cui tre con la cravatta, e uno portava una valigetta. Soltanto Mantellassi e il Capo si sedettero, gli altri restarono in piedi, intorno. Non si avvertiva nessuna tensione.

«A cosa devo la vostra visita?»

«Vogliamo comprare tua casa» disse il Capo, arrotando la erre alla maniera cinese.

«Io non la voglio vendere.»

«Perché?»

«Non voglio andarmene da qui.»

«Va bene.»

Il Capo cinese fece un cenno al tipo con la valigetta, che la appoggiò sul tavolo e fece schioccare le serrature. La spalancò e tolse un panno di stoffa scura. Era piena di mazzette da cento e duecento euro. Mantellassi non aveva mai visto tanti soldi tutti insieme.

«Noi abbiamo progetti per questa zona» disse il Capo. «Compriamo case e negozi per nostre famiglie, nostri figli.»

«Anche questa casa, l'hanno comprata i miei genitori, per me.»

«Certo. Vale centocinquantamila euro, più tuoi sentimenti.» Il cinese non metteva nessuna emozione nelle parole, né buona né cattiva, ma lasciava passare dei secondi pesanti, che davano ancora più autorità ai suoi concetti. «Abbiamo portato duecentomila euro. Senza offesa. Se vuoi, li prendi e poi si fa contratto. Se non vuoi, pazienza.»

Mantellassi non voleva lasciare la casa, non ci pensava neppure. Però la vista di quei soldi gli dava un certo solletico alla gola. Ci pensò soltanto un attimo, e realizzò: non erano soldi veri, erano virtuali. Perché se avesse venduto quella casa, poi avrebbe dovuto comprarne un'altra, magari più piccola, magari lontano dai cinesi, ma il gioco non valeva la candela.

«Non mi interessa, vi ringrazio» disse, resistendo anche alla tentazione di sentire sotto i polpastrelli la ruvidità delle banconote.

«Sicuro?»

«Certo.»

I cinesi chiusero la valigia, il Capo strinse la mano a Mantellassi e lo salutò con un sorriso che pareva sincero.

«Magari ci rivediamo» gli disse.

Mantellassi chiuse la porta e tornò al suo tavolo e alle sue fotografie, con il solo rimpianto di non aver neppure offerto da bere agli ospiti. Non sapeva assolutamente quanto quella scelta – quella della casa, non quella del mancato drink – avrebbe pesato sui giorni a seguire.

Poco dopo si fece viva una brutta banda di esagitati. Era da tempo che attaccavano manifesti e organizzavano presidi nel centro di Prato, per mettere in guardia i concittadini dall'invasione cinese. Mantellassi non si era neanche accorto della loro esistenza, e di certo non era l'unico. Nelle loro fila, però, c'era un suo cugino, che era venuto a sapere della sua «resistenza al nemico giallo». Mantellassi, per troppa carineria, non riuscì a sottrarsi a un appuntamento che fissarono per telefono.

Gli entrarono in casa una sera dopo cena, tutti incappucciati, guardinghi e silenziosi, come se dovessero nascondersi da chissà cosa. Mantellassi non si spiegava il perché. Appena chiusero la porta e scoprirono le facce, si dette la spiegazione: troppo brutti per andare a zonzo tranquilli. Cominciarono subito a sparare volgarità sui cinesi.

«Gliel'abbiamo fatta, a 'sti musi gialli!»

«Bisognerebbe bruciarli tutti, forse perderebbero il puzzo.»

«Cristo, Guido» gli fece suo cugino. «Dobbiamo ammettere che hai un gran coraggio.»

Mantellassi li squadrò da capo a piedi, già un po' intristito. Erano quattro, stereotipati come un cartone animato: capelli rasati sotto i cappucci delle felpe, bomber nero, jeans chiari, anfibi neri con le stringhe bianche. Pensò che dovessero appartenere a qualche preciso ceppo politico, o a qualche ridicola corrente modaiola sfuggita alle sue attenzioni.

Lo riempirono di pacche e apprezzamenti.

«A cosa devo la vostra visita?»

Il Capo, che Mantellassi identificò nel tipo con l'aquila tatuata sul cranio, appoggiò le mani aperte sul tavolo, come per iniziare un comizio.

«Dobbiamo proteggere la razza pratese dalla contaminazione gialla. Dobbiamo resistere e reagire. Questi vengono a flotte, comunisti, rozzi, gialli, puzzolenti, ci rubano il lavoro e le case...»

Mantellassi cominciò a fare dei respiri profondi. Più neonazisti che modaioli, pensò.

«Presto ci scoperanno le donne» continuò il Capo. «Spargeranno il loro seme e ci elimineranno dalla faccia della terra.»

Mantellassi pensò che non sarebbe stato poi così male. Pensò che a lui la casa volevano pagarla, e pure in contanti, e che la crisi occupazionale dipendesse più dal governo che dai cinesi. E poi a lui piacevano gli uomini, e per assurdo potevano pure prendersi tutte le donne che volevano, la sua vita non sarebbe cambiata molto. Per assurdo, pensò, se questi cazzi con le orecchie conoscessero le mie preferenze sessuali, darebbero la caccia prima a me che ai cinesi.

«Non ho niente contro di loro» disse.

«Ah no?» fece il Capo.

«Non mi hanno fatto nulla di male. Ci rispettiamo, conviviamo senza problemi.»

«Tu parli sotto assedio, sotto minaccia» intervenne il Cugino. «Vero, Guido? Ti si legge negli occhi.»

«Noi ti aiuteremo a reagire» disse il Capo. «Sei il nostro simbolo, l'ultimo baluardo, il camerata che non si piega all'invasione.»

Tombola, pensò Mantellassi.

«Sei rimasto solo, in tutto il quartiere» continuò il Capo. «Ma non piegare la testa: dalla tua casa e dalla tua causa cominceremo la riconquista.»

Gli altri due stavano zitti, forse non avevano neanche il dono della parola. Uno sorseggiava una birra in bottiglia, forse tedesca, ma fabbricata in Lombardia, magari da operai cinesi. Ogni tanto ruttava e sorrideva gaudioso. L'altro guardava i soprammobili e teneva la bocca semiaperta, gli si intravedeva un pezzo di lingua. Il Capo propose a Mantellassi di farsi fotografare con loro e rilasciare un'intervista da pubblicare su «PPP», Pura Patria Pratese, una fanzine che stampavano e distribuivano in proprio. Mantellassi si negò a ogni loro iniziativa, anzi si mise muto per evitare inconvenienti, ma era quasi sicuro che uno dei coglioni lo avesse fotografato con il telefonino. Li accompagnò garbatamente alla porta. I quattro si incappucciarono e si coprirono le facce. Il Cugino si trattenne un attimo di più.

«Tranquillo, Guido» gli disse stringendogli una spalla. «Sei sotto minaccia, io lo so. Ma ti teniamo d'occhio, ti proteggiamo noi. Se hai problemi, chiama. Anzi, non ce ne sarà bisogno: saremo già qua, a fare carne trita dei musi gialli.»

Poi venne l'estate. Mantellassi andò quindici giorni al mare in Corsica, con un rappresentante di cinture e bretelle che aveva conosciuto in negozio. Era un'avventura un po' così, piuttosto a rischio. Il ragazzo era bello e giovane, troppo biondo e poco inquadrabile. Infatti fu un fiasco totale. Sarebbe stato bene conoscersi meglio, prima, capire di che pasta s'era fatti, piuttosto che fidarsi della sensazione a pelle.

Archiviata la pratica, Mantellassi era tornato a casa e aveva trovato il quartiere come lo aveva lasciato. Non vanno al mare, i cinesi, e la città non si vuota, il ritmo non rallenta. Gli fece quasi piacere. Non aveva voglia di stare solo, di sentire il freddo delle stanze vuote, intorno alle sue. Per una settimana non fece altro che leggere, vedere film, dormire. Riuscì a rilassarsi, a mettersi in pace con se stesso e con le proprie paranoie, e quando il negozio riaprì si sentiva fresco come una rosa.

Il patatrac successe i primi giorni di ottobre. Faceva ancora caldo, l'estate s'avvinghiava ai pomeriggi di sole e non voleva andarsene. Venivano fuori delle belle serate limpide, con le stelle potenti che pareva d'essere in campagna. Mantellassi stava sul terrazzino a leggere e sorseggiare un daiquiri, seduto su un microscopico panchetto di legno. Tornarono i cinesi con le cravatte. Li vide prima che suonassero il campanello, aprì il portone senza alzare il citofono e li fece accomodare in salotto. Erano in cinque, di cui un paio diversi dalla prima volta: ce n'era uno grassoccio e un altro con una voglia pelosa sulla faccia. Il Capo era lo stesso. Avevano due valigie, con il doppio dei soldi. Le spalancarono sul tavolo e ribadirono la proposta. Mantellassi rifiutò ma sentì gli occhi inumidirsi. Il contante ha sempre un forte impatto emotivo.

Questa volta però non si dimenticò di offrire da bere, e a quel punto i cinesi si divisero. Il Capo accettò, e anche il tipo con la voglia pelosa. Il grassoccio invece era alterato e voleva andarsene. Gli altri due stavano dalla sua parte e cominciavano ad alzare la voce, in cinese, contro il Capo. Mantellassi pensò che questi volessero adottare altre soluzioni a costo di prendersi la sua casa. Pensò che magari gli avrebbero fatto degli spregi, lo avrebbero costretto ad andarsene con la coda tra le gambe. Forse era meglio prendere le valigie e vaffanculo.

Scacciò subito l'idea. I cinesi si becchettarono ancora un po', quindi salutarono e se ne andarono, lanciando occhiate più o meno amichevoli. Mantellassi chiuse la porta, tornò sul terrazzino. Fece una serie di respiri profondi, sgonfiando i polmoni con lentezza. Guardava le stelle e si chiedeva se la sua resistenza fosse giusta. Per la prima volta, quel dubbio era pesante.

Poi sentì una gran confusione, grida e botte che venivano dal basso. Si penzolò per riuscire a vedere il portone. C'era un gran tramestio di braccia e gambe che si muovevano veloci. Mantellassi pensò subito che i cinesi si fossero azzuffati tra sé, che la loro discussione fosse degenerata, ma ci mise un attimo a distinguere i neonazisti, la bandaccia che gli aveva fatto visita prima dell'estate. Avevano teso un agguato, porca puttana.

C'era un groviglio di corpi, scatti, colpi. Mantellassi non riusciva a smollare le mani dalla ringhiera, gli occhi dalla scena. I rasati avevano spranghe, coltelli. Gli venne d'istinto di cercare suo cugino, di capire se c'era, quale era, ma non era facile e non aveva nessuna importanza. Menavano di brutto, alla cieca, però l'oggetto della contesa erano le borse con i soldi dei cinesi. E che cazzo, nazisti sì, e pure coglioni, ma a tutto c'era un limite.

Il Capo Rasato Tatuato teneva già una valigia stretta al petto, e altri tre ragazzi combattevano per l'altra. Il cinese con la voglia pelosa perdeva sangue dalle mani, dagli avambracci. Mantellassi pensò subito di chiamare il 113, ma non sapeva a chi avrebbe fatto il piacere. Del resto, lui non voleva favorire nessuno, voleva soltanto vivere tranquillo. Poi, nel giro di trenta secondi, i cinesi nella via diventarono decine, forse centinaia. Sbucavano dappertutto, come formiche dai buchi, urlando, brandendo assi di legno, coltelli da cucina. Si accanirono sulle teste rasate. Mantellassi mollò il balcone e si precipitò per le scale, d'istinto, senza pensare ai rischi e alle conseguenze. Una volta tanto, nella vita, voleva stare nel cuore delle cose, e non guardarle da una finestra. Rischiò di inciampare per quanto scendeva veloce. Altri coinquilini stavano correndo giù. Troppo tardi.

Quando uscirono sul marciapiede, gli ultrà della razza pratese non c'erano più. C'era una gran folla cinese che già si stava sparpagliando, tra borbottii e chiacchiericci. Mantellassi vide bene che le valigie erano tornate nelle mani dei proprietari e ne fu sollevato. Vide che c'era del sangue, qua e là. Il tipo con la voglia pelosa aveva perso conoscenza e lo stavano portando via. Ce n'erano altri, forse una decina, di feriti. Quello che gli fece più effetto si teneva le mani su un occhio e pisciava sangue come una fontana, strillava come un toro alla castrazione. Ma non era la scena peggiore.

C'era uno dei rasati, steso a terra, braccia a croce, immobile. Troppo immobile. Sicuro che era morto. In due lo stavano afferrando per gli anfibi, per trascinarlo via. Lasciava la strisciata come le lumache, ma rossa. Altri cinesi cominciarono a infierire, a menargli calci sulla testa. Mantellassi si avvicinò in apprensione, perché quei teppisti erano tutti uguali, il morto poteva anche essere suo cugino, e gli sarebbe dispiaciuto. Ma non era lui. Era il Capo Tatuato. Aveva la faccia fracassata, senza più contorni. Mantellassi sentì l'orrore della morte salirgli dal culo e immobilizzarlo. Un gruppo di cinesi iniziò a spingerlo via, a farlo allontanare. Altri aiutarono i compari a sollevare il morto per infilarlo nella macelleria, che in due secondi aveva alzato metà serranda. Bastò un altro istante perché la richiudessero, in un cigolio quasi impercettibile. In dieci, quindici uomini, uscirono dai garage, con le sistole e le scope, a pulire la strada e il marciapiede. Tutto tornò calmo nel giro di cinque minuti. Tutto era di nuovo immobile, grigio, pacifico e terrificante come ogni santa sera. Non era proprio successo niente.

Nei giorni successivi i poliziotti misero a soqquadro il quartiere, interrogarono a lungo Mantellassi e fecero un gran culo a un gran numero di cinesi. Spaccarono facce, manganellarono a destra e manca senza troppi complimenti. Il corpo di quel ragazzo rasato era sparito e nessuno voleva sputare una parola sul suo conto. Il gruppaccio nero di cui era a capo si faceva chiamare FONF, che stava per Fronte dell'Onore Nazionale Fiero. La polizia disse che si spacciavano per neonazisti, ma forse neanche sapevano cosa voleva dire, e in ogni modo non era gente che dava problemi.

Mantellassi era atterrito e sconvolto. Riferì di avere visto un uomo steso a terra, ferito, davanti al portone di casa sua. Basta. Disse di non sapere che fine avesse fatto. E al commissario che voleva fargli sputare merda sui cinesi, disse che l'unica cosa certa era che i rasati volevano rubargli due valigie piene di soldi.

«Gli stessi soldi che ho rifiutato per vendere questa casa, commissario.»

«È morto un ragazzo, Mantellassi.»

«Questo non lo sappiamo. Sappiamo soltanto che era un tipo infervorato e violento, che voleva picchiare e derubare... un nazista, no?»

Il commissario masticava un bacchetto di liquirizia. «I nazisti non esistono, Mantellassi. Questo cazzo di FAN, FUN, FON... Cazzo è, una cosa per asciugare i capelli?»

«Se non lo sa lei...»

«Sono soltanto novelle.» Il commissario sputò per terra alcune minuscole cortecce di legno scuro. «La verità è che è morto un nostro connazionale, giovane e pulito. Questi trogloditi chissà cosa ne hanno fatto, magari l'hanno fritto e divorato.»

«Macché! Magari è vivo, forse è scappato...»

«Ma perché li difende tanto, Mantellassi? L'hanno minacciata? Perché non vende questa cazzo di casa e si leva dai coglioni, e se ne va a vivere tranquillo, tra i cristiani?»

«Questa cazzo di casa me l'hanno comprata i miei genitori, commissario, con il sudore della loro fronte. E io non mi muovo da qui.»

*

Però viveva sempre peggio. Si svegliava la notte con grossi attacchi d'ansia, e gli prendeva il panico nei momenti più disparati, magari al lavoro, al bar, o sull'autobus. Cominciava a tremare, a sudare freddo, gli sembrava che pure la vista si annebbiasse un po'. Gli tornava dentro quella terribile sensazione di morte, così diversa da quelle che aveva già vissuto da vicino, la scomparsa di sua madre, suo padre, i nonni schiantati nei letti degli ospedali.

Sapeva benissimo che quella storia truce non finiva lì, anche se i cinesi gli erano riconoscenti per come si era comportato con la polizia, e non gli davano noia. Quelli del FONF, tanto meno: erano davvero tre polli facinorosi, e per di più, adesso, agli ordini di suo cugino. A conti fatti nessuno sembrava avercela con lui, anzi cominciarono a cercarlo persone nuove.

Una domenica mattina il telefono squillò che Mantellassi aveva ancora da togliersi la giacca del pigiama. Rispose, sforzandosi di pronunciare un «pronto» brillante, il meno cavernoso possibile.

«Compagno Mantellassi, buongiorno» disse la voce dall'altra parte, virile e metallica, come filtrata da un megafono.

«Mi scusi, con chi parlo?»

«Compagno Alfio, delegato zero delle cellule per la rivoluz... Sarà meglio smarcarsi dai dettagli, Mantellassi, che i servizi segreti staranno sicuramente ascoltando la nostra conversazione.»

«Certo. A cosa devo la vostra chiamata?»

«Abbiamo seguito la sua vicenda, Mantellassi, attraverso i giornali e i racconti dei compagni cinesi, con i quali è giusto seguire il suo esempio: solidarizzare, per preparare la rivoluzione proletaria, internazionalista e antimperialista.»

«Mi scusi, ma lei...»

«Compagno Mantellassi, l'eliminazione del comune nemico nazifascista è il primo gradino, e le siamo vicini nella lotta contro i camerati pratesi, e pure in quella contro la polizia capitalista e serva dello stato borghese.»

«No, guardi, qui c'è un equiv...»

«Vengo al punto. La nostra assemblea ha segnato una svolta, deliberando la raccolta di firme al fine di presentare una nostra lista rivoluzionaria alle elezioni comunali di Prato. Le chiederemmo di prestarci il suo nome per la nostra campagna, la sua faccia per i manifesti...»

«State proprio sbagliando soggetto.»

«La sua casa come sede del nostro movimento, compagno Mantellassi, se lo immagina? Nel cuore di un quartiere suburbano e sottoproletario, a Prato, al fianco dei compagni cinesi...»

«Andatevene affanculo, davvero, e lasciatemi in pace.»

Arrivarono alcuni giornalisti a intervistarlo sulla sua resistenza, i suoi rapporti con i due estremi della contesa. Arrivarono anche i preti, i pacifisti, i vigilantes privati, i fricchettoni e i punkabbestia con i cani, i mormoni, gli ambientalisti, gli Scientologi, i Testimoni di Geova, un sacco di gente. Andavano a trovarlo, telefonavano, chiedevano di lui, senza tregua. Sembravano pendere tutti dalle sue labbra: Mantellassi stava diventando un guru adatto a ogni evenienza, ma non era adatto per questa vita, non aveva mai amato i riflettori. Cominciò a cambiare le proprie abitudini, consapevole che la febbre sarebbe passata alla svelta e tutto sarebbe tornato tranquillo. La sua oasi di pace restava il negozio, perché nessuno andava a cercarlo lì, chissà perché. Forse neanche sapevano dove lavorava, e di sicuro i vicini di casa non chiacchieravano, in merito...

La mattina usciva presto di casa, comprava il giornale, prendeva l'autobus e andava in centro. Si sedeva a leggere sui gradini del Duomo, passeggiava per la città vecchia, tra i vicoli pieni di botteghe, le viuzze puzzolenti di formaggio, schivando i camion della pulizia strade e i senzatetto che gli chiedevano soldi. Era bello vedere Prato svegliarsi da quella prospettiva lì. Poi entrava in negozio con qualche minuto di anticipo, si chiudeva dentro, accendeva lo stereo. Ascoltava sempre la stessa canzone, prima di alzare la serranda: *E non finisce mica il cielo* di Fossati, interpretata da Mia Martini. Gli piacevano quei versi intensi, di dolorose distanze e di finestre aperte, di speranza. Lavorava con piacere, moderando la parlantina per il timore che i clienti nascondessero un secondo fine. Durante la pausa pranzo mangiava un'insalata nel retrobottega, ancora ascoltava musica, leggeva, o si faceva una pennichella con la testa sui sacchi delle scorte.

La sera cercava di restare fuori casa più tempo possibile. Mangiava un trancio di pizza in via Garibaldi, o un kebab dall'egiziano, o un piatto di pasta alla trattoria di piazza Mercatale. Beveva una birra, o un quartino di vino, a volte anche una grappa, poi magari andava al cinema o a teatro. Se non c'era niente di interessante, e se non pioveva, allora passeggiava, spesso fino alla stazione. Gli piaceva il movimento che c'era nel parcheggio, l'intreccio meticcio che cresceva nei giardini. Vedeva tanti uomini soli, lontani da casa, che si ritrovavano dopo dieci, dodici ore di duro lavoro, per bere insieme, sparare cazzate, parlare di donne, sognarle. Camminava lungo il fiume Bisenzio, scendeva sull'argine. Una sera si mise a guardare due matti che pescavano, con torce e galleggianti fosforescenti: si scervellavano all'infinito, cambiavano attrezzature, esche, amuleti, per poi tirare su delle ridicole sottospecie di pesci puzzolenti che puntualmente ributtavano in acqua.

Per Mantellassi l'obiettivo era prendere l'ultimo autobus utile, rientrare nel suo buco solo per dormire, quando tutti si erano già stancati di cercarlo.

Se poteva, fissava con qualcuno. A Mantellassi piaceva la compagnia, anche se spesso si era trovato da solo. Gli piacevano le persone intelligenti, con cui non si parla soltanto del tempo e del calcio, e soprattutto gli piaceva tenere il cuore aperto, spalancato: aveva un gran bisogno d'amore, e anche di un po' di sana attività sessuale. Da troppo tempo non viveva una bella storia coinvolgente.

*

Il due novembre fece più tardi del solito, l'una di notte senza neanche accorgersene. Lo riaccompagnò a casa un nuovo amico, con cui Mantellassi sperava davvero potesse nascere qualcosa di importante. Era stata una bella serata, avevano visto uno spettacolo al teatro Metastasio e poi erano andati a piedi al ristorante indiano di piazza del Collegio, dove avevano cenato, bevuto e chiacchierato fino a sfinirsi. Anche adesso, in macchina, non riuscivano a salutarsi. Non si annoiavano e avevano ancora molte cose da raccontare. Mantellassi pensava che succede così, ogni volta che si scopre una persona affine: si ha fame di informazioni, si ha fretta di scoprirne il passato, le ferite, i sogni. Stavano fermi in un parcheggio anonimo, vicino a casa, con soltanto un lampione fioco e un viavai di macchine che arrivavano e fuggivano, forse dopo frettolose scopate a pagamento. Poi anche loro misero in moto, Mantellassi guidò l'amico fino in fondo alla sua via, risparmiandogli il nuovo mix di sensi unici che costringeva a un giro pazzesco. Si salutarono con un bacio striminzito, lui scese e chiuse lo sportello con garbo, fece ancora un cenno con la mano e girò i tacchi. Si avviò verso casa, con la testa alta, le mani nelle tasche, un piacevole solletico nel petto e nei calzoni. Ci mise pochi passi a capire che era successo qualcosa di grave.

Davanti al suo palazzo c'era un viavai frenetico. Si sentiva il pianto singhiozzato di una donna, e il peso della disgrazia. Mantellassi affrettò la marcia, per capire, con la solita ansia torba che gli cresceva dentro. C'erano molte persone agitate, divise in gruppetti, chi gridava, chi imprecava, senza far capire niente. Un'auto stava imbarcando un numero spropositato di uomini cinesi, forse otto. Un'altra uscì da un garage e fece altrettanto. Uscivano e scomparivano persone, dappertutto. La saracinesca della macelleria cinese si aprì. Mantellassi ormai era lì a due passi. Fermò una donna, provò a chiedere spiegazioni ma quella scappò. Provò con un ragazzo, che lo guardò con odio e sputò due frasi indecifrabili.

Dal portone spalancato del palazzo uscirono due uomini con il corpo di un ragazzo cinese, giovanissimo, che tenevano per le braccia e per le gambe. Mantellassi corse verso di loro. Capì al volo che se il ragazzo non era morto, ci mancava poco. Ma era proprio morto stecchito. Aveva la faccia tutta insanguinata e servirono altri due passi per mettere bene a fuoco: sopra un occhio aveva il foro di un proiettile e sulla guancia uno sfregio a forma di svastica. Mantellassi cadde sulle ginocchia.

La ritorsione dei nazisti. Così, a cazzo di cane, contro il primo cinese che si erano trovati tra le mani. Gli venne un urto di vomito e lo soffocò tossendo forte. Si mise le mani nei capelli. Non era finita lì.

Dal portone uscì un'altra coppia di uomini che trascinava un altro cadavere. Ancora un ragazzo giovane, cinese, sfregiato e ucciso. Sparì come l'altro nella bocca buia della macelleria. Mantellassi abbassò la testa e gli occhi tra le proprie ginocchia. Sentì un'onda calda sciogliersi dal cervello e scendere giù, rivestirgli tutto il corpo come una membrana appiccicosa. Mise a fuoco una toppa di asfalto nero sulla strada grigia e screpolata, si sentì improvvisamente svenire e lasciò che succedesse.

Si svegliò dentro la macelleria. La prima cosa che pensò fu di aver sognato suo padre. Il Capo cinese gli andò incontro e gli porse un bicchiere d'acqua. Mantellassi lo agguantò e bevve due sorsi. Stava seduto sul pavimento, sopra il cartone di una scatola sfasciata, davanti al bancone vuoto e pulito. Aveva la schiena appoggiata a una parete, le gambe distese e divaricate. Insieme al Capo c'era una donna magra e un uomo che gli sembrava di non aver mai visto. Dal retrobottega veniva l'eco di colpi secchi, sordi e inconfondibili: il macellaio stava sezionando un tronco di carne a suon di mannaia.

«Ti è preso mancamento» disse il Capo cinese. Non sembrava particolarmente arrabbiato, né altro. Probabile che quell'uomo avesse la buccia spessa come un cocomero.

«Cosa è successo?» chiese Mantellassi, e mentre lo diceva ricollegò. Si sentiva debole, ma la testa tornava lucida e vivace. Rifiatò e srotolò i suoi pensieri, con precisione. «Non vendicatevi, vi prego. Andiamo alla polizia e denunciamo tutto: conosco il nuovo capo di quei bastardi, è mio cugino. Vi aiuto io, davvero, li facciamo mettere in galera. Non rispondete con la violenza, sennò la cosa non finisce più...»

La donna si passò le mani sugli occhi, come per asciugarli, e sparì nel retrobottega. L'uomo che era con il Capo si grattò il naso e lo fissò, mentre un punto interrogativo gli usciva dalle orecchie: era palese che non capisse una parola di italiano. Mantellassi notò che aveva una pistola infilata nella cintola dei pantaloni, neanche troppo nascosta.

«Per noi la cosa era finita» disse il Capo, che invece aveva migliorato la pronuncia e cominciava pure ad agganciare qualche erre, alla faccia dei luoghi comuni.

«Avevate ucciso un loro uomo...» ribatté Mantellassi, con voce tremolante. Strinse il bicchiere con tutte e due le mani, lo portò alle labbra e finì di bere.

«Quello era vendicato» disse il Capo.

«Come?»

«Non sapevi?»

«No.» Mantellassi fece per alzarsi, ma ebbe un giramento di testa e tornò seduto. «Quando? Che vuol dire?»

Il Capo socchiuse gli occhi, che già erano striminziti di suo, e fece un sorriso stronzo, come se non credesse a quello che stava ascoltando. «Hanno morto Polo, il meccanico. Ammazzato sabato di notte, con coltello, nel parcheggio del bowling.»

«Cristo, mi dispiace...»

«Davvero?» fece il Capo, guardandolo negli occhi.

Mantellassi sentì una certa strizza al culo. Questa nuova ghigna non gli piaceva per niente. I colpi della mannaia scandivano il tempo. Cazzo aveva da affettare il macellaio, alle tre di notte? Nella più truce delle ipotesi si stava liberando dei cadaveri, ma quanti ce n'erano?

Credo che mi cacherò addosso, piuttosto sciolto, nel giro di due minuti, pensò Mantellassi.

«Certo, lo giuro su mia madre» disse, e ricordò di aver sognato anche lei. «Lo sapete che non ho niente contro di voi...»

«Perché hanno scelto tuo pianerottolo?»

«Che vuol dire *scelto*?»

Il Capo si avvicinò e si chinò a fiatargli sul muso. «Ah, te non sai?»

Mantellassi sentiva che poteva svenire di nuovo, ma non per il fiato, che pure non era granché, ma per la paura. Il secondo cinese alternava lo sguardo tra le bocche dei due pretendenti, senza capirci un tubo. Ogni volta che muoveva le mani di un centimetro, Mantellassi si preoccupava che non le avvicinasse alla pistola.

Mi caco, ora mi caco di brutto, pensò.

«Nulla, non so nulla, lo giuro sulle anime dei miei genitori» disse, e ricordò di averli sognati insieme, al pranzo della domenica, che gli dicevano di venderla, quella benedetta casa, non era il caso di perderci il sonno.

«Non li hanno morti qua» disse il Capo.

«Ma quanti ne hanno ammazzati?»

«Quattro. Di venti anni» e guardò fisso la parete di piccole piastrelle bianche.

«Cristo santo» fece Mantellassi.

Strinse gli occhi e i denti sul battere dei colpi. Per non svenire si convinse che il macellaio non stesse spezzettando i ragazzi, ma i manzi, o i tacchini, insomma la ciccia da vendere domani.

«Li hanno picchiati, sparati chissà dove» disse il Capo, che gli tornò sul muso, ma senza alzare la voce. «Li hanno caricati su furgone e messi nel palazzo tuo.»

«È terribile. Io, io...»

«Tu cosa, pezzo merda?»

L'altro cinese sentì che la tensione saliva e mise la mano sul calcio dell'arnese. Un altro uomo comparve da dove era uscita la donna. Era grosso, aveva i baffi, il grembiule fradicio di sangue e un coltellaccio nella mano destra, ma non era lui quello che affettava, perché le mazzate non erano cessate un momento.

Mi caco, poi crepo e mi cucinano al curry, pensò Mantellassi, ma non spiccicò sillaba.

«Hai visto scritta, pezzo merda frocio?» gli domandò il Capo.

Mantellassi si domandò se i cinesi sapessero della sua omosessualità o se quell'offesa fosse caduta a caso, come pezzo merda.

«Quale scritta?» domandò.

«Davanti a tua porta, pezzo merda.»

«No che non l'ho vista, lo giuro!»

«Ah no?»

«Io torno a casa adesso, lo sapete bene...»

Forse il Capo cinese nei suoi occhi vide sincerità, o ebbe pietà per tutto quello spavento. I suoi colleghi erano già diventati cinque, e lui parlò con tono ancora più calmo.

«Con vernice hanno scritto che fuoco non li fermerà» disse. «Hanno scritto onore a *cameretta* Mantellassi, e tu non sai?»

Mantellassi fu scosso da un brivido forte, quasi alzò le chiappe da terra. La sua testa fece un percorso veloce e agganciò un ricordo mattutino, il titolo di un articolo del giornale, cronaca di Prato: vandali che a suon di molotov avevano incendiato la sede di presunti estremisti di destra. Preso dallo sdegno non aveva neanche approfondito, ma avrebbe comunque scoperto poco. Nessuno ancora sapeva che erano stati quelli delle cellule rivoluzionarie, gli pseudo estremisti sinistrorsi di Compagno Alfio: avevano attentato alla stanzetta del FONF, e avrebbero rivendicato domani, con uno dei soliti volantini retorici.

Mantellassi ricordò quel titolo e pensò che stanotte i rasati avessero azzardato una vendetta, sbagliando bersaglio: si erano accaniti su dei cinesi, a caso, e avevano fatto quattro morti.

La colpa era sua. Ci stava lui al centro del massacro.

Pensò questo mentre il Capo cinese gli gridava in faccia che l'avrebbero pagata, due dei cinque tipi estraevano la pistola, il macellaio baffuto starnutiva e il macellaio spaccaossa continuava a menare.

Le carovane di cinesi erano già partite in spedizione punitiva, per l'ennesimo anello della catena che stava strozzando la periferia proletaria di Prato. Mantellassi pensò che i cinesi sapessero bene dove trovare i nazisti, sennò lo avrebbero costretto ad aiutarli. Pensò che mamma e papà potevano anche apparirgli prima, in sogno, e che cazzo, così si sarebbe risparmiato questo finale al curry. Mise gli occhi sulla macchia scura che si allargava veloce dalla patta dei suoi pantaloni, strinse i denti fino a farli stridere e si lasciò svenire di nuovo.

Si svegliò nel proprio letto, in casa, da solo. C'era l'abat-jour acceso e un silenzio profondo. Mantellassi guardò la sveglia ed erano le quattro del mattino. Si toccò la faccia, la testa, poi qua e là per tutto il corpo. Gli pareva impossibile di essere ancora intero, senza neanche un graffio. Gli avevano pure tolto i pantaloni sporchi di piscio, ma le mutande no. Si alzò a controllare che tutto in casa fosse a posto, e lo era. Gli girava un po' la testa, sentiva uno strano sapore nella gola. Pensò che gli avessero dato qualcosa per dormire, ma lo dimenticò subito. Controllò il portone per vedere se era chiuso, e per farlo lo aprì e guardò sul pianerottolo. La luce di un lampione attraversava la finestra delle scale e lanciava una fetta di chiarore sulla parete, proprio dove ci stava la scritta dei bastardi. Era identica a come gliel'avevano raccontata, davvero disgustosa. Mantellassi pensò che la grafia facesse piangere, però le doppie le avevano azzeccate tutte. Se ne meravigliò. Chiuse l'uscio, andò in bagno, pisciò, si fece un bidè, si lavò la faccia, mise un paio di mutande pulite, guardò fuori della finestra di camera, lo spicchio di falsa pace del posto dov'era nato. Gli venivano le lacrime. Tornò a letto, spense la luce, si rannicchiò e tirò il lenzuolo fin sopra le orecchie. Cominciò a piangere forte, in singhiozzi che facevano tremare le gambe del letto. Ci mise mezz'ora a calmarsi, poi cominciò a tirare su con il naso, sempre più piano, e a mugolare. Riuscì ad addormentarsi nel giro di una mezz'ora.

La mattina dopo, prima che uscisse per il lavoro, andarono a trovarlo i cinesi con le cravatte, Capo in testa, che gli strapparono la parola per la casa. Poi arrivarono anche il contratto, il notaio e i quattrini, tutto in regola. Avevano trovato anche il modo di risparmiare: offrirono meno che alla prima incursione e Mantellassi non osò battere ciglio.

Non tornò più in quella casa, se non per fare scatole e valigie. Per cinque notti rimase a dormire in centro, in una pensioncina umile e pulita dove lo trattarono come una rosa a dicembre. Poi si trasferì da Enzo, il nuovo amico, quello della serata splendida e maledetta. In quella storia c'era sangue e sentimento da farne l'occasione di una vita. C'era trippa da pensare che forse un'altra casa neanche sarebbe servita, e che Mantellassi avrebbe potuto spendere i soldi in vestiti, viaggi, beneficenze. Gli piaceva fare di questi voli, la sera dopo cena, coccolato e riverito dalla cucina e dalle bottiglie del nuovo compagno. Gli piaceva pensare che la vita potesse ricominciare, alla sua età, che ci sarebbe stata occasione di godersela, e che le ridicole macchie del passato potessero sciogliersi con il prossimo sorso di vino.

Cinesi, neonazisti, comunisti, poliziotti, preti e compagnia, ci misero un po' di tempo a trovare il loro equilibrio. Ci furono ancora malintesi e violenza, cazzate e cazzotti, articoli e volantini, ma non morì più nessuno. O se qualcuno morì, finì in macelleria prima che arrivassero la legge e i giornalisti.

La faccia brillante della Prato da bere si salvò alla grande, forse perché si trattava di un mucchietto di poveri stronzi colorati, gialli, neri e rossi: quattro gatti soli e abbandonati che non interessavano a nessuno.

GIANLUCA MOROZZI

L'Eliminatore

1

Il ragazzo con cui ho in programma di far sesso nei prossimi minuti sale nella mia auto parlando a macchinetta. È nervoso, e allora parla senza senso e a raffica. Mentre apro lo sportello gli riservo un'altra occhiata, giusto per assicurarmi che sia quantomeno maggiorenne.

È la prima volta che viene abbordato in discoteca da una donna con qualche lustro in più, mi sa, e la situazione lo eccita e lo terrorizza al tempo stesso. Ora, nel suo blaterare, mi sta facendo la cronaca di una rissa che ha visto lo scorso venerdì proprio qua, nel parcheggio delle Grotte. È prodigo di particolari su nasi rotti e fiotti di sangue, come se io fossi una quattordicenne da impressionare sull'autobus che porta a scuola.

Eh.

Ha trovato proprio la persona giusta.

Io avrei voglia di dirgli: Senti carino, stai calmo, dai, tra venti minuti abbiamo finito, tra venti minuti ti riporto dai tuoi amichetti nella sala techno delle Grotte. Ti potrai vantare della tua avventura con una donna molto più grande, anche inventando dei particolari folcloristici e acrobatici, se vuoi. La cosa non mi tocca per niente. Io, caro, ti sto semplicemente usando come il chiodo che scaccia un altro chiodo. Un chiodo dal ciuffo new wave, e dai lunghissimi maglioni anni Ottanta. Ti sto usando per questo, e per prendermi una pausa dal lavoro. Quindi calmati e stai zitto, vivaddio.

Invece non dico niente, annuisco e accenno un sorriso

ogni tanto. Qualcuna delle sue parole mi vibra nelle orecchie, così nervosa e ripetuta da farsi assorbire per osmosi.

Usciamo dal parcheggio, in senso contrario al fiume di auto che sta arrivando. La notte è giovane. Il venerdì delle Grotte deve ancora entrare nel vivo.

Mentre cerco un angolo buio della campagna circostante, il chiodo che scaccia l'altro chiodo cambia argomento con un brillante scarto. Impegnata come sono a dribblare un fuoristrada da tamarro, ci metto qualche secondo a capire che non stiamo più parlando di nasi rotti e fiotti di sangue.

«... e allora c'era questo mio amico, no?» mitraglia velocissimo. «C'era questo mio amico che guidava sulla Ferrarese, in quel tratto dopo Lovoleto e prima di Ca' de Fabbri, sai, no?, dove c'è il benzinaio sulla sinistra e poi la doppia curva, ma poco più avanti, dove c'è quell'altra stazione di servizio abbandonata, poco prima del pub, sai, il Fairyland...»

«Certo» dico, mentre mi lascio alle spalle Le Grotte per addentrarmi tra i campi arati. Già temo di essermi persa qualche dettaglio dell'appassionante vicenda.

«... ecco, allora, il mio amico è lì che guida tutto tranquillo, no?, a un tratto vede una ragazza carina con un giubbotto di jeans che sbuca dalla stazione di servizio abbandonata. Quella si sbraccia, lui accosta, lei gli chiede se può darle un passaggio, per favore, che deve assolutamente andare a casa e ha perso l'ultima corriera. Il mio amico la carica in macchina, cerca di parlare, di attaccare discorso, solo che lei è pallida e nervosa. Si toglie il giubbotto di jeans, risponde a monosillabi, gli indica la strada a gesti, tanto che a un certo punto il mio amico pensa che sia straniera, capisci? Non parlava, si esprimeva a gesti, allora ha pensato...»

«Ho capito, ho capito. Tranquillo.»

Sto valutando due possibili alternative, l'imboccatura di una strada di campagna a sinistra o la piazzola di fronte a una centralina elettrica a destra. La strada di campagna mi pare più buia della piazzola. Accosto. Il ragazzo comincia a parlare ancor più rapido di prima.

«... insomma, la ragazza gli indica la casa, lui si ferma, lei lo ringrazia, scende, lui riparte. Solo il giorno dopo si accorge che lei ha dimenticato il giubbotto in macchina.»

«Interessante.» Spengo il motore.

«Allora, siccome sa già dove abita...»

Faccio scattare la chiusura centralizzata con un movimento del gomito. «Sììì?»

«... siccome sa dove abita, uhm, va a casa sua...»

Una piccola parte di me vorrebbe sentire la fine della storia della ragazza e del giubbotto di jeans. Ma l'altra parte, quella che propende per infilare le mani sotto la sua maglietta e accarezzargli il petto, vince il ballottaggio con estrema facilità.

Troppo giovane, purtroppo, il ragazzo. Gli uomini dopo i trent'anni cominciano ad avere problemi con i meccanismi dell'erezione, ma quelli sotto i venti soffrono di una carenza drammatica di autocontrollo. Il tempo di slacciargli la patta, salirgli a cavalcioni, alzare lungo le cosce il mio bel vestito rosso, che lo scemo schizza precocemente proprio sul vestito. Il che non migliora il mio umore né il romanticismo già scadente della situazione, tra i miei improperi, la ricerca dei kleenex, i tentativi di spazzar via la brodazza dal tessuto, le sue guance rosse, le scuse affannose.

Torno al posto di guida col fumo che vien fuori dalle orecchie. Giro la chiave. Accendo il motore.

«Come finiva la storia?» bofonchio rientrando nel parcheggio delle Grotte, giusto perché il silenzio in certi momenti dà fastidio.

«Quale storia?» squittisce lui, piccolissimo e rattrappito dalla vergogna.

«Quella della ragazza. E del giubbotto di jeans.»

«Ah, sì» bisbiglia, vergognosissimo. «Il mio amico è andato a casa della ragazza. Ha suonato. Ha aperto una signora. Lui ha detto che era venuto a riportare il giubbotto di sua figlia. La signora ha detto che non era possibile...»

«Aspetta. Fammi indovinare.» Trovo un varco nel parcheggio, mi c'infilo a pesce, spengo il motore. «Il tuo amico ha visto una foto della ragazza nell'ingresso della casa. Ha detto: È quella la ragazza, le ho dato un passaggio proprio ieri. E la signora, con le lacrime agli occhi, ha detto: Non è possibile, mia figlia è morta l'anno scorso. Ho indovinato?»

Il ragazzo mi guarda con un'espressione sommamente ridicola. «Come fai a saperlo?»

Non sto a dirgli che la sento raccontare da vent'anni, questa stupida storia. «Intuizione. Dai. Scendi.»

I miei rapporti sociali col fanciullo si prolungano per qualche secondo ancora, nel senso che rientriamo alle Grotte fianco a fianco senza dirci una parola, superiamo la biglietteria e il guardaroba, e solo quando siamo dentro ci salutiamo, finalmente. Io con un cenno della mano, lui balbettando: «Magari ci rivediamo...», prima di tornare dai suoi amici nella sala techno al piano superiore. Finalmente libera, lego in vita la mia giacchetta per coprire il disastro sul vestito.

Che schifo, cazzo. È l'ultima volta che uso la tecnica dannosa del chiodo scaccia chiodo. La tecnica del chiodo scaccia chiodo non funziona proprio mai, dovrei saperlo. Non ho quattordici anni. Dovrei aver imparato che rimorchiare un ventenne dall'eiaculazione istantanea non è il modo migliore per seppellire una storia andata male.

Ma del resto, a pensarci, che dovevo fare? Chiudermi in casa a singhiozzare sulle foto? Inondare il cuscino di lacrime strappandomi il cuore per il Ragazzo Tenebra, per il suo ciuffo new wave, per i suoi maglioni anni Ottanta?

No, no. Meglio cercare distrazioni, anche demenziali come questa. Cercare distrazioni, e lavorare. Che la pausa è finita, adesso. Bisogna tuffarsi nel brulicare umano delle Grotte per individuare una certa persona. E cominciare il teatrino.

Perché io, di mestiere, faccio il killer.

2

Da vera professionista ho studiato accuratamente il campo d'azione. La discoteca Le Grotte, cioè. Colorata e luccicante, tra le nebbie e i campi della Bassa bolognese.

Qui sbarcano in massa intere famiglie, nonni, figli, generi, nuore, nipoti. Entrano insieme, escono insieme, ma dentro si dividono. Quelli dell'età di mezzo si affollano nella pista principale, un po' di musica commerciale, un po' di vecchi classici, qualche ballo di gruppo, e poi i lenti, che alle Grotte ancora sopravvivono. I più audaci si spostano un po' più in là, fino alla pista del latino-americano. I nipoti salgono una delle tante scalinate che portano al piano superiore e s'intruppano nella sala della techno, tra luci bluastre e nebbia artificiale.

Sotto, superando la pista principale, si arriva alla sala del liscio. Dove l'orchestra suona rigorosamente dal vivo, per la gioia dei ballerini di ogni età.

Al piano superiore si possono visionare dall'alto la pista principale e quella del liscio. Che è quello che sto facendo io in questo momento, appoggiata alla balaustra, tra i divanetti azzurri in cui le coppie si conoscono, chiacchierano, si baciano.

L'orchestra sta suonando una mazurka, e sotto il palco le coppie danzano magistralmente. A condurre nel ballo una bella signora dal vestito blu, compito e perfetto nelle sue movenze, c'è Renato Grimaldi. Ottantadue anni. I capelli bianchi ondulati, pettinati all'indietro. I baffi da Clark Gable anziano. Elegantissimo, fascinoso e molto conteso dalle signore. Cambia dama a ogni ballo, impeccabile, sorridente.

È lui, l'uomo che sono venuta a cercare.

Renato Grimaldi non manca mai alle Grotte il mercoledì, il venerdì e il sabato sera. Beve Fernet, generalmente. Ha un gruppetto di amici e amiche occasionali, un circoletto aperto che si ritrova qui tre volte a settimana.

Mentre lo osservo, appoggiata alla balaustra, vengo abbordata per quattro volte. Due presumibili militari, prima.

Altri due probabili militari, dopo. Un maturo signore molto piacevole e seduttivo. Tre impiegati mezzi sbronzi che hanno lasciato le mogli nella bolgia dei balli di gruppo. Glisso gli approcci molto elegantemente, trovando solo qualche difficoltà a liberarmi del maturo playboy.

Non sono poi male, io, fisicamente. Se mi guardo allo specchio senza pensare al Ragazzo Tenebra, mi vedo alta, con dei bei capelli lunghi e rossi, gli occhi grandi e verdi, e un seno che di certo non passa inosservato.

Se mi guardo allo specchio pensando al Ragazzo Tenebra, invece, vedo un viso equino e un naso lunghissimo, montati su un corpo ridicolmente sproporzionato, e un seno da mucca.

(Basta, basta pensare al Ragazzo Tenebra. Concentriamoci.)

Osservo Grimaldi un altro po'. Gli concedo quattro balli con quattro differenti partner.

Poi, non appena smette di civettare per andare al bar e ordinare il suo Fernet, entro in scena io.

Scendo le scale, quasi ancheggiando. Sto entrando nella parte. Questo è il momento di iniziare a recitare.

Dovevo fare teatro, io.

L'ho sempre saputo.

3

Renato Grimaldi lo intercetto al bancone del bar. Gli vado incontro col più splendido dei miei splendidi sorrisi.

«Mi scusi...?» sussurro, flautata.

Grimaldi mi guarda sorpreso, cercando inutilmente di abbinare al mio viso un nome. «Sì?»

«Lei è il signor Grimaldi? Aveva un albergo a Aix-en-Provence, vent'anni fa?»

«Sono io» dice Grimaldi, ancora sorpreso, con gli occhi che già si stanno soffermando sulle mie curve. Riflesso condizionato.

Continuo a esibire il più solare dei miei sorrisi.

«Ne ero sicura... lei non può ricordarsi di me, ma vent'anni fa sono stata in vacanza con i miei genitori nel suo albergo. Io non dimentico mai i volti delle persone. E poi, lei e sua moglie eravate così gentili...»

Grimaldi sfodera un candido e orgoglioso sorriso. A questo punto ce l'ho in mano.

Per forza. Una rossa altissima e prosperosa attraversa la folla per andare a dirgli che si ricorda di lui dopo vent'anni? Ovvio che sorride. Sorriderei anch'io. Che non sono mai stata a Aix-en-Provence in vita mia, tra parentesi. Teatro. Tutto teatro.

«Ma certo...» dice Grimaldi, «... sì che mi ricordo di lei... anche se praticamente era una bambina, signorina...»

«Viola. Viola Dolcos.»

«Dolcos, sì, certo!» trilla. «Certo, i signori Dolcos con la loro splendida bambina! Sono passate tante persone in quell'albergo, ma nemmeno io dimentico i buoni clienti... com'è cresciuta, signorina Viola, il tempo le ha proprio giovato...»

(Deve aver fatto teatro anche lui, mi sa. Sta recitando piuttosto bene, considerando che non mi ha mai vista in vita sua.)

«Grazie» dico, quasi zufolando. «Lei è come al solito molto gentile.»

«E i suoi genitori? Stanno bene, i suoi genitori?»

«Sì, grazie. Hanno smesso di lavorare, finalmente, e ora si godono la pensione. E sua moglie come sta?»

«Mia moglie purtroppo se ne è andata. Sono tre anni, ormai...»

«Oddio... mi dispiace, non sapevo...»

(Eccome se lo sapevo. Perfettamente.)

«Non si preoccupi, signorina... come poteva saperlo? Non si preoccupi, sa? È stato meglio così. La malattia la stava consumando. Almeno ha finito di soffrire.»

«La capisco» e cambio discorso in fretta, che qui si va sul patetico andante, oltre che sullo scontato. «L'ho vista in pista, prima. È un ballerino eccezionale, lei.»

«Oh» sorride, lusingato. «La ringrazio. Me la cavo. Mi è sempre piaciuto ballare, fin da quando ero giovane. Lei sa ballare?»

«Mi piacerebbe tanto, ma non mi ha insegnato mai nessuno...»

(Fai anche la pastorella smarrita, adesso. Fai la boccuccia e il broncio triste, povera bimba a cui nessuno ha mai insegnato a ballare.)

«Beh, signorina, se permette le posso mostrare qualche passo. Se non si vergogna a farsi vedere con un vecchietto, naturalmente.»

Sfodero il più smagliante dei miei sorrisi. «Ne sarei molto felice. Anche se ho paura che le pesterò i piedi.»

«Se mi pesterà i piedi ne sarò alquanto lusingato.»

E il teatro diventa teatro danzante, a questo punto, perché non solo devo fingere di non aver mai ballato in vita mia, ma anche di essere particolarmente portata all'apprendimento. Faccio finta di imparare i passi un po' alla volta, meritandomi un sacco di complimenti dal signor Grimaldi, il Re della sala del liscio delle Grotte.

Mentre danziamo, analizzo il suo sguardo su di me.

Non gli sembra vero di avere una bella ragazza tra quelle avvizzite braccine. Magari pensa di potermi sedurre, per poi vantarsi della sua conquista con gli amici occasionali. Che lo stanno guardando con ammirazione e invidia.

Non sa chi sta conducendo, in questo decadente ballo.

Sono i suoi passi di chiusura. Presto sarà il momento dell'uscita di scena, per il Re della sala del liscio delle Grotte.

Alle due di notte mi congedo dal vecchio Grimaldi.

Dico che mi sono molto divertita e che mi piacerebbe prendere altre lezioni, teatro, teatro, tutto teatro. Grimaldi prende la palla al balzo, dice che lui è qui anche domani, disponibile, tutto ringalluzzito all'idea di ballare con me di nuovo.

Candida come una farfalla, mi congedo e chiudo il sipario sull'atto unico di questa sera. Attraverso la pista principale, supero il guardaroba, esco.

Non c'era nessun bisogno di questo spettacolino, no, naturalmente. Potevo fare il lavoro in modo pulito, efficace, neutro. Ma ho bisogno di recitare, in momenti come questi. Io sono stata presa, fatta a pezzi e macinata dal Ragazzo Tenebra. Devo uscire da me stessa, recitare, diventare qualcun'altra.

Almeno per qualche minuto.

Almeno un po'.

4

Un virus, penso mentre guido verso la città. Certe maledizioni in forma d'uomo sono come un virus, arrivano innocue, si insinuano in ogni cellula e poco alla volta ti infettano da dentro. Quando te ne accorgi, inevitabilmente, è tardi.

Io odio le persone che non ridono, e il Ragazzo Tenebra non rideva mai. Sorrideva, ogni tanto, a prezzo di immani sforzi. Non gli mancava il senso dell'umorismo, ma dietro le sue rare battute c'era sempre una sfumatura cattiva e tagliente.

Soffriva di inedonismo, l'incapacità di provare gioia. Tutto qui.

Poi, figuriamoci. Innamorarsi di un musicista cupo e tormentato, uno stereotipo tra i più vergognosi, alla pari del poeta parigino e del maestro di tango.

Io, per quello stereotipo incapace di una risata, ho perso tutto. Il virus mi ha infettata, le mie carni hanno preso fuoco, e dopo la febbre è arrivato il coma irreversibile. Poi il virus è andato a far danni altrove, lasciandomi infetta, impotente, a guardare il marcio insinuarsi nel mio corpo sporco e inutile.

Così inutile che una mattina, tre settimane dopo l'addio, mi sono guardata allo specchio. Ci sono rimasta non so quanto tempo, davanti a quello specchio. A ripetermi: Guardati, guarda come ti sta bene, se n'è andato perché non vali niente, ha cercato di meglio, tu sei un esserino, una cosa di poco valore, un mucchio di carne senz'ossa che qualsiasi stronzo può prendere, consumare e gettare via. E in fondo va bene, va bene così, ti ha trattata come meriti.

Ho conficcato le unghie della mano destra nell'avambraccio sinistro, le unghie della mano sinistra nell'avambraccio destro, e quasi senza accorgermene le ho affondate nella carne. E quando le mie braccia si sono coperte di sangue, ho ficcato le unghie sotto l'attaccatura dei capelli e, lentissimamente, ho iniziato a scarnificarmi il viso. A raschiare pian piano verso il basso, dalla fronte al mento, aprendo dieci solchi sanguinolenti sulla faccia.

Il dolore l'ho avvertito solo più tardi, quando si è esaurita la botta d'adrenalina. Il dolore che mi aveva ricordato di esserci, nel mio squallido teatrino.

Poi se n'era andato anche il dolore. Lasciandomi sola.

Lui diceva di avere una porta chiusa, una porta, proprio al centro del cervello. Una porta chiusa che non riusciva in alcun modo ad aprire.

Dietro quella porta chiusa c'era l'album che un giorno avrebbe composto, l'album che voleva incidere fin dal primo giorno in cui aveva messo le mani sul pianoforte. L'album più grande di sempre, il più meraviglioso disco del mondo. Era lì, proprio lì, ficcato dentro il suo cervello, a portata di mano.

Certe volte lo vedevo curvo sui tasti a cercare una melodia che era lì, proprio lì, dietro una membrana sottilissima. Dopo un po' emetteva un gemito di frustrazione picchiettandosi la fronte con le dita, come se avesse voluto scoperchiarsela, la testa, scoperchiarla per aprire quella porta maledetta.

E poi aveva quell'altra fissazione folle.

Quella dello schema.

C'era stata una notte che avevamo fatto l'amore nel suo appartamento, una notte d'inverno, col riscaldamento autonomo regolato sui ventidue gradi, l'acqua che bolliva nelle tubature e nei termosifoni. Avevamo fatto l'amore sotto il piumone che gli avevo regalato io, stanca di congelarmi sotto le sue coperte sottili e inefficaci in quell'inverno freddissimo, e dopo che avevamo fatto l'amore lui si era rivestito ed era andato a fumare una sigaretta in bagno. Andava sempre a fumare in bagno e si rivestiva subito, lui, subito dopo che avevamo fatto l'amore. Io non mi rivestivo mai. A me piaceva restare nuda, *dopo*, andare in bagno nuda e girare per casa nuda. Lui invece, figurarsi. Un attimo prima stava sotto di me, le mani a coppa sul mio seno e la faccia tutta raggrumata in una smorfia di piacere doloroso, un attimo dopo aveva già la maglietta, i boxer, e la sigaretta tra i denti.

Mi ero addormentata al calore del piumone, quella notte. Mi aveva svegliato il picchiettare della pioggia prossima a diventare nevischio contro il lucernaio. Avevo aperto gli occhi. Ero sola.

Il monolocale del Ragazzo Tenebra aveva una libreria a fare da divisorio tra la zona notte e la zona giorno. Una libreria in cui non c'erano libri, a parte qualche tomo sull'esoterismo e sui miti del rock e del jazz. Solo fumetti di Diabolik e di Dylan Dog.

Al di là della libreria avevo scorto la luce fioca di una lampada accesa. Ero scivolata fuori dal piumone, senza rivestirmi, avevo aggirato la libreria, e l'avevo visto seduto sul pavimento. Davanti a una mappa di Bologna aperta, e con un pennarello nero in mano.

«Cosa fai?» gli avevo chiesto.

«Sto evidenziando lo schema.»

«Quale schema?»

«I fatti di sangue della città negli ultimi trent'anni» aveva detto. E mi aveva mostrato dei punti precisi sulla mappa.

«Qui è dove l'aereo militare è caduto dentro l'aula del liceo Salvemini.» E aveva fatto una croce col pennarello.

«Qui è dove è stata violentata e uccisa quella bambina, Sarah Jay.» E aveva fatto un'altra croce.

«Questa è la croce della bomba alla stazione.

Questa è la croce del delitto Alinovi.

Questa è la croce della morte di Francesco Lorusso.

Queste sono le croci della banda della Uno Bianca.

Qui è dove hanno ritrovato il cadavere di Entela Agaci.

Qui, all'estremità della mappa, ci sono le stragi dell'Italicus e del rapido 904.

Qui è da dove è partito l'aereo abbattuto a Ustica.

Questa è la croce del delitto Biagi.»

Ed era andato avanti così, meccanicamente, a elencare fatti di sangue e a segnare croci con il pennarello, senza distinzioni né considerazioni. Poi, in modo quasi arbitrario, si era fermato. E aveva iniziato a collegare le croci tra loro.

«Ecco» aveva detto. «Lo vedi?»

«Cosa dovrei vedere?»

«Lo schema.»

Io avevo guardato quel reticolato di linee nere sulla mappa, nuda al centro del monolocale, e ci avevo visto solo una griglia informe aperta da tre lati.

«Io non vedo nessuno schema» avevo detto.

«È quello il problema. Lo schema è incompleto. Devo trovare lo schema. Lo schema è la chiave di ogni cosa.»

«Ma forse lo schema è arbitrario» avevo provato a dire. «Forse hai trascurato alcuni episodi e ne hai presi in considerazione altri in modo casuale, e poi hai voluto limitarti agli ultimi trent'anni, e invece...»

«No» mi aveva interrotto. «Lo schema è incompleto perché delle cose devono ancora succedere.»

«Cosa vuoi dire?»

E lui, con tutta calma, nel monolocale rischiarato da una luce pallida e arancione, aveva risposto:

«Ci saranno ancora tre eventi terribili, in questa città. Tre. E dopo, lo schema sarà completo».

Poi era rimasto a guardarmi. Io in piedi, nuda. Lui seduto per terra.

Nella penombra.

Quando arrivo in città è notte fonda, e faccio una cosa che non si dovrebbe fare mai. Lo so benissimo che è una cosa che non si dovrebbe fare mai, ma la faccio lo stesso.

Vado a cercare il Ragazzo Tenebra.

Se c'è un posto dove potrei trovarlo a quest'ora, un posto che non sia il letto di qualche troietta, voglio dire, o la cantina che ha trasformato in studio di registrazione, è una certa seminvisibile osteria in via Remorsella. È lì che potrei trovarlo a quest'ora di notte, impegnato a incarnare l'archetipo dell'oscuro musicista, a incantare studentesse nottambule con le sue teorie sullo schema, ad alternare assenzio e birra scura, o a sedersi al pianoforte d'angolo con aria improvvisamente autarchica, irradiando di colpo rispettabilità e talento.

Lascio la macchina nella corsia preferenziale di Strada Maggiore, che tanto a quest'ora passa un autobus a ogni glaciazione. Apro lo sportello, chiudo gli occhi. Stringo le dita sul volante. Riapro gli occhi. Chiudo lo sportello.

Faccio qualche passo sotto il portico, i miei passi che rimbombano sotto le arcate. Varco l'entrata angusta del locale, scendo la scala, piano, un gradino alla volta. Mi affaccio nell'osteria.

Ogni angolo di questo posto è un tassello del mosaico che formava la nostra sghemba storia.

Il primo tavolo a destra, di fronte al bancone.

Mi ci rivedo, seduta con il Ragazzo Tenebra, in una notte di gennaio inoltrato. Lui che beve, beve, e mi racconta le vicende della banda Casaroli. Nata e morta proprio in quei luoghi.

«Proprio qui sopra» dice, con una certa ammirazione, «capisci? Pensa. Tre ragazzi che un giorno gettano una scatola di cerini, se cade da una parte diventano criminali, se cade dall'altra chiedono la licenza per vendere cocomeri. E la scatola cade dal lato criminale. Proprio qui, sono cresciuti, proprio qui sopra. Nel 1950, l'anno del Giubileo. L'anno santo.»

E mi racconta delle banche che hanno rapinato, di come hanno speso i soldi delle rapine in gozzoviglie e belle donne, dello scontro finale con la polizia, un sabato mattina. Dell'inferno di fuoco in via San Petronio Vecchio. I poliziotti crivellati di colpi. I tre banditi in fuga lungo via Santo Stefano. Due dei banditi che prima dirottano un tram, poi rubano un taxi dopo aver sparato al conducente. Lo scontro finale con la polizia. Il capo della banda catturato, l'altro che preferisce uccidersi che farsi arrestare. E il terzo che la sera stessa si spara un colpo al cinema Manzoni, durante la proiezione.

«E tutto questo è successo qui sopra» dice quella versione passata del Ragazzo Tenebra alla versione passata di me. «Proprio sopra di noi. Dove passa una delle linee del mio schema.»

Il Ragazzo Tenebra non è seduto al tavolino. Non sta carezzando i tasti del pianoforte. Non sta buttando giù un bicchierino dopo l'altro appollaiato al bancone.

Il Ragazzo Tenebra non c'è.

Sospiro.

Lentissimamente, tristemente, esco.

Prima di tornare a casa a piangere, mi rituffo per un po' nel mio lavoro. Guido fino a via Mazzini, a casa di Renato Grimaldi.

E preparo il terreno per gli eventi a seguire.

5

La sera dopo.

Sono le dieci di sera, e sto guidando tra paesi che si chiamano Castelmaggiore, Funo, San Pietro in Casale, diretta al mio romantico appuntamento con Renato Grimaldi, sublime ballerino. Sto ascoltando un CD con i discorsi di Vasthi Baba, il mio santone preferito. Vasthi Baba sostiene che da milioni di anni, sotto la crosta terrestre, dormono degli arcidemoni di indicibile potenza. Che tra quattordici mesi gli arcidemoni si sveglieranno, si faranno strada attraverso la crosta terrestre e stermineranno l'umanità in meno di sei ore. L'unico luogo sicuro, dice Vasthi Baba, è un'isoletta del Pacifico che sorge in un crocevia di correnti divine. Per salvarsi, conclude il santone, bisogna acquistare l'isola entro i fatidici quattordici mesi. Per far questo occorrono sostanziosi contributi economici. Chiunque verserà un sostanzioso contributo economico sarà ammesso sull'isola e si salverà.

L'ultima parte del discorso la ascolto seduta in macchina nel parcheggio delle Grotte, col sottofondo ritmico degli sportelli delle jeep che si aprono e delle compagnie schiamazzanti che s'incamminano verso la discoteca.

Mi piace, Vasthi Baba. Tutto sommato la sua religione non è più cretina di altre, e almeno il messaggio è chiaro e diretto.

Mi sa che prenoto il mio posto sull'isola, finito il lavoro.

Entro alle Grotte.

Oggi ho indossato un vestito nero che mi lascia scoperte le spalle. Mi piacciono abbastanza, le mie spalle, e comunque ho abbinato l'eleganza alla praticità. Il vestito e i cinque centimetri di tacco a rocchetto non m'impediranno di entrare brillantemente in azione, in caso di bisogno. Anche se non credo di dover sfoderare il mio addestramento con un uomo di ottantadue anni.

Attraverso la pista principale.

Entro nella sala del liscio.

Chiudo un attimo gli occhi. Mi calo nella parte. Li riapro.

Vado.

Teatro: mi faccio incontro a Grimaldi, che mi saluta festoso con due baci sulle guance. Mi fa i complimenti per il vestito, mi invita a ballare ignorando gli sguardi acidi delle sue dame. Sento galleggiare nell'aria delle cattiverie, dei commenti sferzanti sull'amichetta giovane o cose di questo tipo. Ottantadue anni e ancora suscita gelosie, il vecchio Grimaldi.

Teatro: seguo diligente i passi sapienti di Renato Grimaldi, fino a quando, esausti, non decidiamo di prenderci una pausa per bere qualcosa.

Teatro: propongo di andare a bere ai tavolini del piano di sopra. La mia spiegazione ufficiale è che mi piace guardare dall'alto le coppie che ballano. Grimaldi decide che potrebbe essere piacevole appartarsi tra i divanetti con una bella ragazza dai rossi capelli. Accetta subito.

Teatro: ci sediamo l'uno di fronte all'altra su due poltroncine rosse, separati da un tavolino su cui poggiamo i nostri bicchieri.

E adesso che siamo seduti, viene il momento più difficile. Il momento dello strappo.

Non ho il cuore di pietra. Le prossime parole che dirò saranno la frattura decisiva nella vita del vecchio Grimaldi, il capitolo finale. Tutte le ore che passerà da questo momento fino a quando il suo cuore non cesserà di battere non saranno che una dolorosa e sofferta attesa della fine.

Lo guardo, mentre sto per pronunciare le parole dello strappo. Ringalluzzito dalla compagnia di una ragazza giovane, allegro, sorridente e lontanissimo dalla prospettiva di trovarsi a meno di un giorno dalla morte. Anche se conosco bene il suo passato, beh, mi dispiace un po' cancellare quell'aria allegra per sprofondarlo in un pozzo buio e profondissimo.

Prendo un respiro profondo. Mi preparo allo strappo. Dico: « Signor Grimaldi... »

« Mi dica » fa lui, ancora sorridendo.

« Ci sono alcune cose di cui dobbiamo parlare » e dicendo così cambio espressione. Mi faccio seria, così che anche lui smette di sorridere, leggermente spiazzato. Di cosa mi dovrà parlare questa donna appena conosciuta?, si starà domandando. Perché si è fatta di colpo così seria?

Non è ancora nel pozzo. È ancora vivo, per i prossimi secondi ancora, quantomeno. Mormora: « Beh, sentiamo, allora », senza sapere che è l'ultima frase che ha pronunciato prima di diventare un morto che cammina.

Perché adesso, proprio adesso, arriva lo strappo.

«Prima di tutto» scandisco, lentamente, «deve sapere che io non sono mai stata nel suo albergo in vita mia. E deve sapere, soprattutto, che le ho appena messo del veleno nel bicchiere.»

Eccolo il colpo, la botta. Il vecchio Grimaldi sobbalza, non capisce. Mi guarda come se mi fossi appena trasformata in una pazza farneticante.

Ora devo piazzare l'altra botta.

«Seconda cosa, il veleno la ucciderà in meno di mezz'ora. Ma stia tranquillo. Ho qui l'antidoto.»

Grimaldi si guarda in giro, spiazzato. C'è tanta gente che sciama tra i divanetti, pensa, c'è tanta gente in questa discoteca. Può cercare aiuto. Si alza in piedi.

«Si sieda» ordino.

Lui mi guarda con gli occhi spalancati.

«Si sieda!» ripeto.

«Lei dev'essere ubriaca. Dev'essere ubriaca. Perché deve andare in giro, così, a spaventare la gente...? È pazza?»

«Fossi in lei mi agiterei meno, Grimaldi. Il veleno impiegherà mezz'ora a ucciderla, ma solo se lei rimane fermo, placido e tranquillo. Se si agita, se fa anche soltanto lo sforzo di scendere le scale, i tempi si dimezzano e tra un quarto d'ora il cuore le scoppia. Faccia lei. Il più vicino pronto soccorso è a Bentivoglio. Pensa di farcela a uscire di qui, chiamare un'ambulanza e arrivare a Bentivoglio in un quarto d'ora?» Picchietto con le dita sulla mia borsetta. «L'antidoto ce l'ho qua. Lei non morirà stanotte, non si preoccupi. Voglio solo che stia tranquillo ad ascoltarmi per venti, venticinque minuti. Il veleno, come dire, era solo un modo piuttosto brutale per tenerla inchiodata a quella cazzo di poltrona.» E ficcata così, a questo punto del discorso, una parola tipo *cazzo* aggiunge forza al mio discorso.

Trucchetti da avanspettacolo, lo so.

Mica può essere tutto teatro d'alta scuola.

«Io...» balbetta il vecchio, in piedi, guardandosi di nuovo intorno spaurito.

«Quando avrò finito di parlare le darò l'antidoto e lei starà benissimo» sibilo. «E adesso, Grimaldi, si sieda. Subito.»

Grimaldi mi guarda per qualche istante, incredulo. Un attimo fa era placido e felice, e ora è nel mezzo di un incubo. Lo capisco.

Alla fine si siede, lentamente, molto lentamente. Quando parla, lo fa con una voce flebilissima.

«Cosa vuoi da me? Chi sei?»

«Precisiamo subito che contro di lei io non ho proprio un bel niente, Grimaldi. Sono stata assunta per portare a termine un incarico, e il mio cliente mi ha raccontato una storia. Che ora riepilogherò, tanto per farle comprendere i motivi del mio ingaggio.»

Grimaldi tenta di dibattersi un'ultima volta. Mette la mano nella tasca della giacca, dove presumibilmente tiene il cellulare. «Non ha senso. Adesso chiamo la polizia. Non credo affatto a questa storia del veleno.»

«Grimaldi, lei non ha capito alcune cose. Primo, io so come ucciderla in quattordici modi diversi prima che lei possa digitare anche un solo numero sul cellulare. Nessuno in questa discoteca si accorgerebbe di niente. Undici metodi su quattordici farebbero supporre un attacco di cuore, e io uscirei di qui pulita come un giglio. Comunque, se non crede alla storia del veleno, se vuole scappare di qui a gambe levate, padronissimo di farlo. Tra un quarto d'ora, senza l'antidoto, morirà tra orribili dolori. Faccia lei.»

Ora ci guardiamo, gli occhi negli occhi.

I miei occhi, calmi e piatti come vetro.

I suoi occhi, atterriti e sconcertati.

(Non ho messo nessun veleno nel bicchiere, naturalmente. Ho fatto solo un po' di avanspettacolo, per costringere Grimaldi a stare fermo e seduto ad ascoltarmi.)

«Allora, Grimaldi, vediamo se le mie informazioni sono esatte.» Inizio: «Negli anni Sessanta lei dirigeva la Ditta Grimaldi & Figlio, pasticceria industriale, con sede in via Lame. Suo padre le aveva lasciato la dirigenza della ditta, così che lei si era ritrovato ad avere un sacco di soldi, visto che stiamo parlando degli anni del boom economico, a comandare a bacchetta venti dipendenti, e a fare sostanzialmente la bella vita. In questi anni Sessanta, quindi, lei è giovane, ricco, le piacciono i viaggi, gli abiti di sartoria, le donne, e le piace tiranneggiare i poveracci che lavorano per lei di giorno e di notte. Questo è il punto di partenza di tutte le vicende a seguire.»

«Senti...»

«Aspetti. Sto parlando. Dunque, tra i lavoranti della Grimaldi & Figlio c'è una donna che si chiama Caterina Diotallevi», e qui vedo un lampo fugace negli occhi del vecchio Grimaldi, che forse ha capito dove stiamo andando a parare. Mugugna qualcosa, ma non lo lascio parlare. «Caterina Diotallevi vive in via Erbosa, tra i campi da corsa dei cavalli e il canale Navile. In una casa che è poco più di una baracca, sotto il terrapieno della ferrovia tra lo scalo Ravone e quello di San Donato, da sola con un padre anziano e invalido. Per mantenere il padre lavora più di tutti gli altri, Caterina Diotallevi. E fa spesso e volentieri il turno di notte.»

«Guarda, non so cosa ti ha raccontato quella troia, ma...»

«Stai zitto» dico, che a questo punto ci sta bene passare al tu, a questo punto. «Io parlo. Tu ascolti. Io ho l'antidoto. Decido io se lasciarti vivere o farti morire. Quindi il patto è: io parlo, tu ascolti. Ci siamo capiti?»

Grimaldi scalpita, morde il freno. Ribolle. Poi capisce chi è, di noi due, che tiene il dito sul grilletto. «Sì» sussurra rassegnato. «Ci siamo capiti.»

«Molto bene. Allora, siamo nel '67, in una notte caldissima d'estate. Dentro la Grimaldi & Figlio ci sono soltanto due persone: tu, che aggiusti i conti nel tuo ufficio, e Caterina Diotallevi. Impegnata al turno di notte. Siete separati solo dalla vetrata dell'ufficio. E lei, Grimaldi» (torniamo pure al lei, per un po') «a poco a poco alza gli occhi dai registri per spiare quella donnetta esile. Esce dall'ufficio, si avvicina alla stupefatta Diotallevi. Lei che ai suoi lavoranti non si accosta mai in modo umano o gentile va da questa donnetta insignificante, questa donna che si sta massacrando di fatica in una notte caldissima d'estate per mantenere il padre malato, e comincia a farle dei complimenti. Aveva bevuto quella notte, Grimaldi?, no, non mi risponda. Non è rilevante, e non mi interessa minimamente.»

«Io...»

«Zitto. Dopo qualche parola gentile, finalmente getta la maschera. E la violenta lì, tra gli stampi per dolci e i sacchi di farina.» Lo guardo in faccia. «Ora può dire qualche parola, se vuole.»

«Non l'ho violentata. Lei non vedeva l'ora che lo facessi. Ci stava.»

«Ecco, perfetto, Grimaldi. Se ti ho concesso qualche parola è stato per sentire questa banale cazzata che peraltro ero sicura avresti detto. Vedi? Sto cercando di scheggiare quella leggera patina di simpatia che stavo provando per te, perché lo ammetto, Grimaldi, eri piuttosto simpatico e gradevole quando cercavi di insegnarmi a ballare. A un certo punto ho pensato: Ma guardalo, è un vecchietto arzillo, è innocuo, spiritoso, ama la vita, come faccio a rendermelo antipatico?» Lo fisso dritto negli occhi. «È stato semplice, Grimaldi. È bastato pensare a quello che è successo il giorno dopo lo stupro.» Faccio una pausa. «Quando ti sei presentato al lavoro come se niente fosse successo, passando accanto a Caterina Diotallevi senza neppure guardarla, mentre entravi nel tuo ufficio matematicamente certo che quella poveretta mai avrebbe sporto denuncia per il timore di perdere il posto. Hai violentato una dipendente, e poi sei tornato a lavorare a tre metri da lei come fosse la cosa più naturale del mondo.»

«Senti. Quella troia della Diotallevi...»

«Non ci siamo capiti, Grimaldi. La facoltà di parola non ti è concessa a tempo indeterminato. Decido io quando assegnarla e quando toglierla. Spero di non doverlo ripetere. E, a proposito, non è che io sia esattamente la paladina del genere femminile in senso, come dire, globale, ma se usi di nuovo la parola *troia* in senso offensivo per le donne in genere, Grimaldi, io ti mostro la tua rotula estratta dal corpo. Non te ne accorgeresti neanche. Te la metterei in mano, così, come se l'avessi raccolta dal pavimento. Solo dopo un po' cominceresti a ululare.»

(...)

«Bene. Andiamo avanti.» Riprendo il filo della storia. «A quanto ne so, gli episodi con la Diotallevi si sono ripetuti almeno altre tre volte. E qui mi hai deluso, Grimaldi. Un giovane amante del gentil sesso come te, andiamo!, avrebbe dovuto avere qualche nozione di metodi contraccettivi. Anche solo di salto della quaglia, come si suol dire. Te lo ricordi il giorno in cui la Diotallevi ti ha detto che era incinta?» E lo guardo, in attesa di una risposta.

«Posso parlare...?» chiede Grimaldi, timoroso.

«Brevemente» gli concedo.

«È venuta in ufficio. Mi ha detto che aspettava un bambino da me. E che avrei dovuto sposarla.»

«Ecco, Grimaldi, soffermiamoci su questa immagine. Perché io sto cercando di ricostruirla mentalmente e non è niente male, sai? Un bel quadretto sociologico dell'Italia di fine anni Sessanta. Questa donna viene ripetutamente stuprata dal suo datore di lavoro, resta incinta, e non solo continua a lavorare dal suo aguzzino, non solo non lo denuncia, ma va addirittura a chiedergli di regolarizzare la loro unione. Come hai reagito a questa richiesta così ingenua, Grimaldi? Le hai riso apertamente in faccia? Hai provato ad argomentare in qualche modo, prima di licenziarla? Perché l'hai licenziata il giorno stesso, a quanto so. Quello che non so di preciso è un'altra cosa: quelle quattro lire che le hai ficcato in mano cacciandola dal lavoro e sussurrandole un indirizzo nell'orecchio, erano una specie di liquidazione o soltanto i soldi per l'aborto clandestino? Tanto per sapere, certo, ma non rispondermi. Sono domande puramente retoriche.»

(...)

«Bene. Hai capito come funziona la concessione della facoltà di parola. Dunque, subito dopo aver licenziato la Diotallevi e averle dato i soldi per abortire, l'hai presumibilmente cancellata dalla tua memoria. Avrai molestato qualche altra lavorante del turno di notte, magari, questo non lo so. Esula dal nostro caso. Quel che so, è che poco dopo quella vicenda sei andato a fare il viveur nella classica Parigi. E che lì hai intrapreso una torrida relazione con una facoltosa signora del posto. L'aggettivo *torrida* l'ho aggiunto io, tanto per dare un po' di colore.» Sogghigno. Torno seria. «Dunque, non so se sia stata la romantica Parigi o la bellezza della facoltosa signora, fatto sta che l'inizio del '68 ti vede a Bologna per sbarazzarti della Grimaldi & Figlio, poi di nuovo a Parigi per aprire un ristorante italiano. Che meraviglia, eh, Grimaldi? Parigi, il '68, una facoltosa amante francese, una macchina decappottabile per correre sulla rive gauche, magari. Che differenza col piccolo mondo di Caterina Diotallevi, chiusa nella sua baracca sotto la ferrovia, a morire di freddo e a curare il vecchio padre. O squartata dalla mammana, magari. Fammi un cenno con la testa, se tutto quel che ho detto è corretto.»

(...)

«Questo mugugno lo interpreto come un cenno affermativo. Allora, la tua bella vita parigina dura otto anni. Nel '76, dicono le cronache, il tuo legame con la signora francese finisce tempestosamente e il ristorante fallisce. Non so se le due cose siano collegate. Non m'interessa. L'autunno di quell'anno sei di nuovo a Bologna, comunque, a goderti la vita in attesa di decidere le tue future strade professionali. E un bel pomeriggio di inizio ottobre, mentre te ne stai ai tavolini di un caffè all'aperto con i tuoi ricchi amici, incroci il caso. Nella persona di Caterina Diotallevi, che scende da un autobus tenendo per mano un bambino di circa otto anni. L'hai riconosciuta subito, Grimaldi, quella donnetta sbucata fuori dal passato? Puoi rispondere.»

«... sì...»

«Ne dubito, in verità, ma fa lo stesso. Comunque, Caterina Diotallevi riconosce subito te. Rimane qualche minuto ferma sul marciapiede davanti ai tavolini del caffè, tenendo per mano il bambino e guardandoti fissa. Aspetta una tua reazione, magari. Alla fine, quando la reazione non viene, ti viene incontro decisissima tirandosi dietro il bambino. Mostrando un carattere insospettabile, lo stesso che aveva già dimostrato chiedendoti di sposarla, in verità, chiede di poterti parlare in privato. Mi vedo la scena, Grimaldi. Tu, che cerchi di capire chi è quella mendicante col bambino sporco al seguito, ti alzi perplesso tra le risatine dei tuoi amichetti. E lì, in piedi, davanti al caffè, la Diotallevi ti chiede dei soldi. Per mantenere vostro figlio, e per curare l'anziano padre sempre più malato. Altrimenti, dice, farò quello che avrei dovuto fare otto anni fa. In pratica minaccia di denunciarti, Grimaldi. Giusto? Fai un segno con la testa.»

«Viola, per l'amor di Dio, la conosco la storia... il veleno... tra quanto farà effetto, il veleno?»

«Stai tranquillo, Grimaldi, ci penso io al veleno. Lasciami finire e non ti preoccupare, che i tempi li so calcolare con precisione. Dunque, una settimana dopo il vostro incontro, un'ombra misteriosa si muove tra le frasche di via Erbosa. Ha in mano una tanica di benzina. È notte. L'ombra supera il ponte sulla ferrovia, supera la rete metallica, supera il pozzo. Percorre un sentierino che corre accanto al canale Navile, passando tra i cespugli e le erbacce, fino a raggiungere il terrapieno della ferrovia. E la misera casa di Caterina Diotallevi.»

«Aspetta! Fammi parlare!»

«Grimaldi, stai calmo, non ti agitare.»

«Ho un alibi per quella notte! Ho un alibi! Ero...»

«... eri in Provenza a fare il signorino, lo so benissimo, Grimaldi. Non sapevi stare lontano dalla Francia in quegli anni, a quanto pare. Lo scagnozzo che hai pagato per dar fuoco alla casa della Diotallevi, però...»

«Non è vero. Non hai la minima prova...»

«Beh, Grimaldi, fai tu. Una donna che hai stuprato minaccia di ricattarti. Una settimana dopo, la casa della donna brucia in un incendio doloso. Proprio mentre tu, furbacchione che non sei altro, te ne andavi in Provenza a costruirti un alibi. Un po' sospetto tutto questo, no?»

«Faceva la puttana! La Diotallevi faceva la puttana! Sarà stato il suo protettore, oppure un cliente...»

«Certo, Grimaldi, certo. Comunque, sì, la Diotallevi batteva, questo è vero, visto che aveva un figlio da mantenere, per colpa tua, e visto che aveva perso il lavoro, sempre per colpa tua. Ma questo lo hai scoperto dopo, vero, Grimaldi? Non potevi immaginare che la Diotallevi fosse da tutt'altra parte con un cliente, quella notte, mentre il tuo scagnozzo dava fuoco alla casa. Lo hai scoperto solo in seguito. Visto che nella casa che bruciava c'era il vecchio padre invalido. E vostro figlio.»

«Non ci sono prove... nessuna prova...»

«Stai abusando della facoltà di parola, Grimaldi.»

(...)

«Dunque, a quanto pare dovevi piacere parecchio alle donne francesi nei tuoi anni ruggenti, perché sembra che nel '77 tu abbia sposato la proprietaria dell'albergo in cui ti eri rifugiato. E che abbiate gestito l'albergo insieme fino alla sua morte, tre anni fa. Tutto questo, ovviamente, senza preoccuparti minimamente del fatto che Caterina Diotallevi fosse sopravvissuta.»

«Io...»

«Quando sei tornato in Italia, suppongo, eri convinto di averla ormai scampata. Né la Diotallevi né la giustizia erano venuti a cercarti nel tuo rifugio a due passi dal confine, e allora hai pensato che era fatta. Che saresti morto serenamente di vecchiaia, senza scontare neppure una delle tue colpe. Ebbene, mi dispiace dirtelo, ma hai pensato male.»

«Aspetta. Aspetta. Ragioniamo. Caterina vuole dei soldi? Glieli posso dare. Chiamala. Accordiamoci.»

«Ahimè, Grimaldi, non funziona così. Il cliente ha già pagato metà del mio onorario, e io devo comprare un pezzo di isoletta nel Pacifico...»

«Ma che vuole adesso?» sbotta Grimaldi. «Che vuole,

quella donna? È vecchia quanto me... cosa ci guadagna? E perché ha aspettato tanto tempo a vendicarsi?»

«Non sarei tenuta a dirtelo, Grimaldi, ma il mio cliente ha aspettato fino ad ora per dei buonissimi motivi. Innanzitutto, voleva che tu fossi convinto di averla scampata. Voleva che fossi del tutto certo di non dover pagare neanche un grammo delle tue colpe, per poi assestare questa inattesa mazzata. Il mio cliente avrebbe atteso ancora, a suo dire, ma tu cominci a essere anziano, Grimaldi, e il mio cliente temeva che una morte naturale potesse sostituirsi alla vendetta. Perciò, ha assunto me. Che sono nota nell'ambiente come l'Eliminatore, se la cosa può interessarti. Ora bevi l'antidoto, va'.» Prendo il bicchiere di Grimaldi, ci verso il contenuto di una boccetta che pesco nella borsa, una boccetta che contiene dei comunissimi fermenti lattici, invero. Che Grimaldi beve avidamente, convinto di essersi appena salvato la vita. Per il momento, almeno.

Solo dopo qualche minuto si pone una domanda piuttosto logica. Schiumante di rabbia, col labbro superiore che gli trema, ringhia piano: «Brutta puttana, spiegami una cosa. Mi vuoi ammazzare per conto di quell'altra troia, va bene. Ma perché mi dai l'antidoto se vuoi uccidermi? Perché non mi fai fuori adesso?»

«Per due motivi ben precisi, signor Grimaldi», e si può anche tornare al lei, adesso. «Primo, è nel mio stile lasciare alla vittima ventiquattr'ore di preparativi. Io verrò a eliminarla domani a mezzanotte precisa. A casa sua. Da questo momento fino a mezzanotte avrà tutto il tempo di dire le sue preghiere, salutare le persone care, se ne ha, sistemare le questioni patrimoniali, passare il pomeriggio con tre prostitute, insomma, faccia quello che vuole in queste ventiquattr'ore. Sono le ultime che ha da vivere.»

Grimaldi deglutisce, sgranando gli occhi. «E il secondo motivo?»

«Il secondo motivo, signor Grimaldi, è un po' sgradevole a dirsi. Il mio cliente non mi ha incaricata di ucciderla e basta. Ha richiesto una ben precisa modalità di esecuzione, che non potrei applicare qui, tra i divanetti di questa discoteca. Richiede strumenti precisi e un certo spazio per muoversi. Vuole conoscere le modalità di esecuzione o preferisce restare all'oscuro?»

Quando risponde, la voce gli trema. Ora è solo un vecchio terrorizzato. «Voglio sapere.»

«D'accordo». Estraggo un foglietto giallo dalla borsa, comincio a leggerlo. «Dunque. Il mio cliente richiede che le vengano asportate, nell'ordine, la lingua, le unghie delle mani e le unghie dei piedi. Il fatto che la prima asportazione debba essere quella della lingua suppongo sia legata alla questione delle urla, visto che lei abita all'ultimo piano di un palazzo. Successivamente andranno segati via i piedi, poi le mani, il pene e i testicoli. Solo dopo le verranno asportati gli occhi, in modo, e badi che queste sono ben precise richieste del cliente e non sadismo da parte mia, in modo, dicevo, che lei possa vedere tutte le mutilazioni che dovrò infliggerle. Se queste sevizie dovessero sciaguratamente ucciderla, anche se non ci conterei, dato che sono piuttosto brava, il cliente si riterrà comunque soddisfatto della mia prestazione. Altrimenti, dovrò praticarle un buco nel cranio e versarci dentro un quantitativo di benzina sufficiente a ucciderla.» Ripiego il foglietto giallo, lo rimetto nella borsa.

Ora il vecchio Grimaldi è completamente sotto shock. È bianchissimo in faccia, ha gli occhi acquosi e spalancati e bisbiglia piano: «Io... io... oddio... oddio...»

Mi alzo in piedi. «Ci vediamo domani a mezzanotte, signor Grimaldi. Cerchi di impiegare bene queste ventiquattr'ore. Naturalmente, se sta pensando di usare questo tempo in modi sbagliati, si ricordi che io sono una professionista. Se cercherà di scappare. Se cercherà di avvertire la polizia. Se cercherà di rendersi irreperibile. Se cercherà di assoldare delle guardie del corpo. Se a mezzanotte non sarà a casa sua. Se farà una di queste cose o altre cose simili, la avviso: in questi casi sono autorizzata ad anticipare l'orario di esecuzione del mio contratto. Si ricordi che saprò sempre, in ogni momento, dove si trova e cosa sta facendo.»

«... posso... io posso...»

«Sì, Grimaldi?»

«... posso pagarti meglio di Caterina. Molto meglio. Mettiamoci d'accordo. Ti prego.»

«È un po' troppo tardi, Grimaldi. E poi è fondamentale rispettare i contratti, nel mio ambiente. Questione di nomea professionale.»

Me ne vado senza più guardarlo. Scendo le scale, passo dalla sala del liscio alla sala principale.

Mi fermo in bagno, e vomito senza interruzione per sei minuti buoni.

Mi sciacquo la faccia nel lavandino. Mi guardo allo specchio. Esco. Un ubriaco dall'orribile felpa mi rivolge un complimento mezzo biascicato. Io gli mando un bacio da lontano, e salgo in macchina.

6

E ci riprovo, pure stanotte, a cercare il Ragazzo Tenebra all'osteria di via Remorsella. Senza trovarlo. Neanche stavolta.

Così mi siedo al bancone, ordino un bicchiere di vino rosso, e guardo il tavolino incastrato tra la colonna e il pianoforte. Eravamo seduti lì, proprio lì, quando mi aveva confessato di odiare a morte suo padre e suo fratello. La prima sera in cui non ci eravamo accontentati del sesso ordinario, dopo, la sera che ci eravamo presi a morsi fino a far schizzare il sangue, ci eravamo tagliuzzati con un temperino, avevamo passato la fiamma dell'accendino sui capezzoli e sui genitali. Avevamo fatto le cose più incredibili, dopo aver lasciato quel tavolo incastrato tra la colonna e il pianoforte.

Irrazionali come le bestie, lucidi e piatti come laghi ghiacciati.

Torno a casa ascoltando ancora il CD di Vasthi Baba.

Mi piace di meno, al secondo ascolto.

Mi sa che i soldi del caso Grimaldi li investirò da qualche altra parte.

7

Il giorno dopo, a mezzanotte precisa, sono sul tetto di casa Grimaldi in via Mazzini. Con i rampini, le ventose, i visori a infrarossi e tutti quegli altri utili attrezzi. Non si sa mai. Giusto nel caso il vecchio mi stia aspettando dietro la porta con un mitra, o abbia ingaggiato quattro guardie del corpo armate fino ai denti.

Ho la netta sensazione che non sarà così, comunque. Intuito professionale. Supportato dalle cimici che ho piazzato in casa del vecchio venerdì notte, e dalle altre cimici e dal localizzatore che gli ho messo addosso ieri sera mentre ballavamo. Le cimici e il localizzatore escluderebbero sorprese, anche se è meglio non fidarsi mai del tutto della tecnologia.

Comunque, i visori a infrarossi mi confermano che l'intuito professionale non fallisce mai. Decido di fidarmi della tecnologia che ha reso possibili i visori a infrarossi.

Così, quando entro in casa di Grimaldi calandomi dal lucernaio, me la prendo comoda. Tanto so già esattamente quello che mi troverò davanti.

Il vecchio Grimaldi che penzola dal soffitto appeso a una corda, cioè. Al centro esatto del salotto.

Passo le ore successive a cercare eventuali lettere d'addio in giro per casa. Poi scatto qualche foto al cadavere, a uso e consumo del cliente. Recupero le cimici e i localizzatori, e sparisco silenziosa come una foglia.

Naturalmente non c'era scritto niente, sul foglio giallo che ho fatto finta di leggere sui divanetti delle Grotte. La benzina nel cranio, il taglio delle mani e dei piedi, tutti quei particolari truculenti, tutto teatro. Tutto inventato.

Il mio cliente mi ha chiesto di far fuori il vecchio e basta, senza abbellimenti particolari. E Grimaldi, come speravo, si è spaventato talmente tanto all'idea delle mie atroci sevizie da levarsi di torno con le sue stesse mani.

Non ho il gusto del sangue per il sangue, io. Solo per l'obiettivo finale. L'obiettivo è stato raggiunto, e il mio unico sforzo è stato arrampicarmi sul tetto del condominio e calarmi giù dal lucernaio. Tutte cose che col mio addestramento potrei fare dormendo, le catene alle caviglie e tre strati di bende sugli occhi.

La mattina dopo vado a casa del cliente, per mettere la parola fine al caso Grimaldi. Andare da un cliente dopo un omicidio su commissione non è consigliabile per chi fa un mestiere come il mio, ma la morte del vecchio Grimaldi sarà classificata come suicidio, senza dubbio alcuno. E visto che ho una stima particolare per il cliente, vado volentieri a portargli le foto del vecchio che dondola appeso al cappio.

Io glielo volevo dire, a Grimaldi, chi era in realtà il cliente. Volevo dirglielo, quando insultava quella poveretta di Caterina Diotallevi, quando la chiamava stronza e troia, volevo dirgli che Caterina Diotallevi è morta dieci anni fa, che a ingaggiarmi è stato suo figlio. *Vostro* figlio, gli avrei detto. Quello generato dallo stupro. Che non è morto nell'incendio, anche se il fuoco lo ha sfigurato nei modi più orribili, anche se mi ha dato l'incarico parlandomi dal buio del suo studio, una sagoma disegnata dalla luce azzurra del computer.

Ha tutta la mia stima, questo cliente. È stato concepito con la forza tra stampi per dolci e sacchi di farina, è cresciuto in una baracca con un nonno invalido e una madre costretta a battere, è stato bruciato e sfigurato dall'incendio quand'era solo un bimbo, eppure si è ritagliato un posto nel mondo. Ha adottato uno pseudonimo, ha esorcizzato i suoi mostri, ed è diventato uno dei più noti e misteriosi artisti fantasma del secolo, romanziere, autore di cinema, autore di teatro, poeta. E ha fatto tutto questo macinando per decenni l'odio per quel padre genetico, sognandolo morto.

Sì, lo avrei detto volentieri a Grimaldi, chi mi aveva ingaggiato. Ma il cliente mi aveva dato precise istruzioni di riservatezza in merito. Voleva che Grimaldi morisse chiedendo perdono a sua madre, forse, la donna che aveva distrutto in tutti i possibili modi. Questo voleva, suppongo, quando ha avviato i contatti per ingaggiare un killer professionista. Trovando me. Viola Dolcos, l'Eliminatore. Il meglio sulla piazza.

*

La casa del cliente ha l'odore del legno, dei libri antichi e della carta ingiallita. Il corridoio illuminato conduce allo studio, che è completamente immerso nel buio. A parte la luce azzurrina del computer sempre acceso.

Come da precise istruzioni, quando arrivo allo studio mi arresto sulla soglia.

«Così si è impiccato» dice il cliente, una sagoma nell'oscurità.

«Già» dico. «Ho delle fotografie. Di lui, morto, voglio dire...» M'impappino. Mi fermo. Il cliente, cazzo, ha il potere di intimidirmi.

«La ringrazio. Le lasci pure lì, su quel tavolino.»

«È un problema per lei? Voglio dire, che Grimaldi abbia deciso di farla finita da solo...»

(Come diavolo sto parlando? Quest'uomo fa vibrare in modo stranissimo i miei centri nervosi.)

«Che si sia impiccato?» mormora lentamente, molto lentamente. «No. Alla fine si è fatto mangiare dalla paura, e tanto mi basta. La mia vita e la vita di mia madre sono state distrutte da quell'uomo. Lui la vita se l'è goduta tutta fino all'ultimo, ma almeno alla fine ha conosciuto le sue ventiquattr'ore d'inferno. Tanto mi basta. Sa cosa dice il romanziere Joe R. Landsale?»

«No.»

«Sostanzialmente, alcuni personaggi di un suo romanzo stanno decidendo il modo migliore per vendicarsi di un nemico. Sparargli da lontano? Oppure fare in modo che veda in faccia chi sta per ucciderlo? Spararagli da lontano, certamente, è la soluzione più rapida e sicura. Ma uno dei personaggi dice, cito a memoria: Bisogna che si renda conto di quello che gli accade, deve sapere chi è che lo sta uccidendo. Dice: Anche solo cinque secondi in cui sai che stai per morire sono un tempo lunghissimo. Grimaldi ha saputo che doveva morire per tutte le sue ultime ventiquattr'ore di vita. Tanto mi basta.»

Dopo, nessuno dei due parla per un po'. È il cliente che spezza il silenzio. «Il bonifico sul suo conto è già stato fatto regolarmente.»

«La ringrazio» dico, e rimango sulla soglia senza dire nulla.

Dopo un po' sento il suono di un mouse che scorre su un tappetino. Il che mi fa pensare che il cliente mi abbia già tagliato fuori dalla sua giornata, e dalla sua esistenza in genere.

Così dico, abbastanza stupidamente: «Sto leggendo il suo primo libro». Aspettandomi che chieda che cosa ne penso, magari. Invece il cliente dice soltanto: «Bene» continuando a muovere il mouse.

Resto lì ancora un po', ad ascoltare quel suono nel silenzio.

Poi me ne vado, senza produrre alcun rumore.

8

Al terzo giro della ruota stupida che mi fa fare stupide cose, il mio assurdo masochismo viene castigato.

Scendo ancora una volta la scaletta dell'osteria di via Remorsella e stavolta lo vedo, il Ragazzo Tenebra. Quando tocco l'ultimo gradino, cazzo, lo vedo.

È seduto al celebre tavolo tra la colonna e il pianoforte, con un clone sui vent'anni di Brigitte Bardot che lo guarda adorante. La fiammella scioglie le zollette di zucchero, sopra i loro bicchieri d'assenzio.

Rimango ai piedi della scala come la moglie di Lot tramutata in sale. Posso quasi sentire quello che stanno dicendo, il Ragazzo Tenebra e la giovane Brigitte Bardot. Lui le sta spiegando che il vero assenzio è un'altra cosa, che quella brodaglia non è che un surrogato, e Baudelaire, e Parigi, eccetera, eccetera. Questo le starà dicendo, scostando ripetutamente il ciuffo dalla fronte.

E io, che questi discorsi su Baudelaire e sull'assenzio li ho sentiti uscire da quella stessa bocca a quello stesso tavolo, io, che potrei cavargli gli occhi e la lingua in quattordici modi diversi in un secondo, io non ho forze per far niente. Io mi sento senza volto. Sono senza volto, ormai, per lui.

Mi mordo le labbra, premendo con gli incisivi superiori contro la carne pulsante. Premo e premo ancora, fino a quando un fiotto di sangue non invade la mia bocca. Succhio con la lingua, lo ingoio come fosse veleno.

E poi risalgo le scale in fretta. E me ne vado.

Giro per la città, infuriata, vuota, devastata. Ben decisa a fare l'altra cosa stupida che non si dovrebbe fare mai. Quella che si chiama chiodo scaccia chiodo. Ancora una volta.

Potrei raccattare un punk che torna a casa da un concerto in un centro sociale, e pregarlo di fare l'amore con me.

Potrei caricare un turista straniero che dorme sul suo zaino in stazione e chiedergli se ha per caso voglia di scoparmi fino all'osso, per favore.

Invece scendo ancora più in basso.

Devo umiliarmi e degradarmi tanto, questa notte.

Punto la macchina in via Bovi Campeggi, dove dei ragazzi giovani e generalmente carini battono per una clientela principalmente maschile. Un cliente mi ha appena pagato una cifra esorbitante per far fuori un uomo che non ho neppure dovuto toccare, e di certo non sprecherò quel denaro per comprare il mio posto sull'isola di Vasthi Baba. Soldi da spendere, quindi, ne ho un bel po'.

Riderei, se non stessi così male.

Accosto.

Nel mio letto, quasi all'alba.

Il ragazzo che ho caricato in via Bovi Campeggi dorme accanto a me, o finge di dormire. E anch'io prendo sonno, dopo un po'. Naturalmente c'è la concreta possibilità che il tizio ne approfitti per rubare qualcosa e poi sgattaiolare fuori.

Ma io sono un killer professionista.

Se quel bel faccino mette un ginocchio fuori dal letto anche solo per andare a pisciare, io mi sveglio in una frazione di secondo. Pronta a colpirlo in venticinque possibili modi, e lasciarlo a terra paralizzato.

Mi addormento alle prime luci dell'alba, e un attimo prima di dormire ho una visione.

Vedo la città dall'alto, come dalla sommità di un monte. La città è completamente buia.

Di colpo tante luci si accendono insieme. Formano un reticolato.

Lo schema. Lo schema incompleto del Ragazzo Tenebra, ecco, lo vedo.

Il disegno emerge chiarissimo, si staglia netto e perfetto, una rete che corre tra cortili di antichi palazzi e chiese amputate e torri superstiti, e portici, e cantine, e strade che sembrano spade e fiumi che corrono sotto le strade, e sentieri e campagne e gallerie. Tutto è così chiaro, nella mia visione, che potrei saltare giù dalla montagna e planare tra le tegole rosse atterrando sui punti mancanti. Quelli che il Ragazzo Tenebra nasconde dietro la porta nel centro del cervello.

Invece mi addormento.

E la visione diventa vapore.

Alle sette del mattino il ragazzo ha la bella idea di rovistare nella mia borsa.

Alle sette e un secondo è sul pavimento, rantolante, paralizzato, gloglottando in maniera penosa.

Lo ignoro. Mi giro a guardare la città, fuori dalla finestra.

Io sono Viola Dolcos, cazzo.

L'Eliminatore.

MARCO VICHI

Morto due volte

Firenze, aprile 1958

C'era un bel sole quella domenica mattina. Alle dieci l'aria era già tiepida. Il commissario Bordelli stava passeggiando nel cimitero monumentale delle Porte Sante, che abbracciava quasi per intero la basilica di San Miniato, alta sulla città. Quando si sentiva in *quel modo* gli piaceva camminare fra le tombe e guardare le lapidi. Aveva l'impressione di calmarsi. Andava spesso anche nei piccoli cimiteri di campagna, isolati, circondati da cipressi neri e da un muro alto, solenni come un vecchio contadino che guarda il fuoco. Ormai conosceva tutti i cimiteri nel raggio di cinquanta chilometri. Quel giorno aveva scelto le Porte Sante. Era un sacco di tempo che non ci andava. Camminava tranquillo, calpestando le ombre delle croci e delle statue che il sole disegnava sul terreno. Leggeva i nomi e le date sulle lapidi, calcolando gli anni di vita, ma si soffermava soprattutto sulle iscrizioni... *Sposo esemplare e padre affettuosissimo... Angelo di bontà e di modestia... Esemplare di costumi d'abnegazione e d'amore... Buona, umile, laboriosa, tutta la vita sacrificò alla famiglia... Bontà e rettitudine guidarono la sua vita...*

In vita potevi essere stato un porco o una gran puttana, e dopo morto ti trasformavi nella migliore delle persone. Chissà cosa avrebbero scritto sulla sua tomba. Magari era meglio lasciare qualcosa di scritto, per non rischiare.

Il cimitero sorgeva sopra un grande terrapieno circondato da una spigolosa propaggine dell'altissima muraglia cinquecentesca di Firenze, rinforzata da giganteschi barbacani. Si sviluppava su più livelli, e da alcuni punti ci si poteva affacciare di sotto, sul Parco delle Rimembranze. C'erano sculture di ogni tipo, e alcune rappresentavano bambini. Le cappelle di famiglia sembravano piccole chiese, in vari stili, dal romanico al gotico. Suo padre gli aveva sempre detto che in quel cimitero erano sepolti alcuni dei suoi bisnonni. Ogni volta che ci andava a camminare li cercava, ma non era mai riuscito a trovarli. Accese una sigaretta. Irene lo stava facendo ammattire. Ventinove anni. Troppo giovane per lui, lo sapeva bene. E anche troppo ricca. Appartenevano a due mondi diversi. Il padre di Irene possedeva due alberghi di lusso e due sale cinematografiche di prima visione. Lei era figlia unica. Viziata come una bambina. Voleva sempre divertirsi, andare a ballare, cenare al ristorante. Bordelli non era fatto per quelle cose, e non poteva nemmeno permettersele. In quei giorni Irene era a Roma con la madre, ospite da certi parenti mezzi argentini, e lui non riusciva a capire fino in fondo se sentisse o no la sua mancanza, o se invece quella pausa da lei gli stesse facendo bene alla salute. Di sicuro con una donna così non sarebbe durata a lungo. Non poteva durare. Ma non era per via di Irene che si sentiva in quel modo. Non era per nessun motivo. Gli era difficile anche dare un nome al suo umore. Una specie di malinconia profonda che gli rendeva tutto ostile, ma anche una certa euforia immotivata, impastata a un lieve senso di smarrimento, come se da un momento all'altro dovesse succedere qualcosa. La primavera gli faceva sempre quell'effetto, e nell'illusione di calmarsi andava a passeggiare nei cimiteri. Ormai li conosceva tutti. Davanti ai suoi occhi erano passati un'infinità di nomi e di iscrizioni di ogni tipo, dalle semplici date alle poesie più solenni.

Salì una scalinata e si trovò nella parte più alta del cimitero. Continuò a camminare fra le tombe e a leggere le lapidi. Alcune erano della seconda metà dell'Ottocento. Ogni tanto alzava lo sguardo sul millenario campanile di pietra della basilica, che si alzava da terra solido come una fortezza medievale. Guardò giù dalle mura, e nel Parco delle Rimembranze vide un paio di coppiette che si baciavano. Pensò per un attimo a Irene, poi si rimise a leggere le lapidi... *Uomo di virtù rare lasciò in tutti un gran desiderio di sé... O bellissimo e purissimo fiore tutta la nostra vita eri tu... Con lavoro intelligente indefesso nell'arte farmaceutica giunse da modesti principi alla considerazione dei suoi concittadini... Dal bel cielo d'Iseo ove Amor Patrio e dovere lo condusse e dove morbo crudele...*

Continuò a passeggiare con le mani in tasca, e si fermò di fronte a un colombario. Leggendo le lapidi dei loculi vide un'iscrizione che lo fece sorridere.

Antonio Samsa, 2 aprile 1897 – 4 novembre 1943

Quell'uomo era nato il suo stesso giorno e aveva il cognome dello scarafone che strisciava sui pavimenti nella *Metamorfosi* di Kafka. A un tratto gli sembrò di aver già avuto quel pensiero, ma non in quel cimitero. Sicuramente si stava confondendo. Continuò a passeggiare davanti alle tombe, leggendo le poesie e le frasi addolorate incise sul marmo. Ma non riusciva a dimenticare quel nome e quella data: *Antonio Samsa, 2 aprile.* A momenti gli sembrava davvero di aver già visto quell'iscrizione, anche se ovviamente non poteva essere. Comunque sia era strano che nel '43 un ebreo venisse seppellito alle Porte Sante. Tornò indietro per vedere di nuovo la lapide. Nessuna stella di Davide, solo una croce, come per le tombe dei cattolici. Mise in bocca una sigaretta e si avviò verso l'uscita del cimitero. Quell'anno, il '43, gli faceva venire in mente un sacco di cose. Dov'era nel novembre del '43? A Brindisi, se lo ricordava bene. Del periodo della guerra si ricordava bene ogni cosa, dov'era e cosa faceva in quel mese o in quell'altro. Era dal '46 in poi che confondeva date e luoghi.

Uscì dal cancello del cimitero. Passò sotto l'arco di pietra, attraversò lo spiazzo di ghiaia e s'infilò nella basilica, restando accanto alla porta. C'era la messa. Il prete stava parlando. Bordelli non ascoltava. Si guardava in giro. I marmi bianchi e neri, le colonne di pietra, gli affreschi. Dalla volta dell'abside, il grande Cristo bizantino si affacciava sul coro. Era una delle rare chiese fiorentine non trasfigurate dalla Controriforma. Per lui la più bella.

Quando i fedeli cominciarono a cantare se ne andò. Scese la grande scalinata, guardando Firenze dall'alto. Era una bellissima città, da vedere. Le chiese e le torri, i colori dei tetti, le colline che si alzavano morbide verso il cielo, davano una bella sensazione. Ma viverci era tutta un'altra cosa. I fiorentini erano infidi e diffidenti, incapaci di vivere serenamente i propri sentimenti e di accogliere i forestieri. Un siciliano o un piemontese potevano abitare per anni in quella città senza avere un solo amico fiorentino. A Bologna bastava andare a bere un bicchiere in un'osteria per avere un invito a cena. Lasciò perdere Firenze e accese la sigaretta. Uscì dalla cancellata e montò sulla 600. Aprì il finestrino, e mentre ingranava la prima si voltò a guardare la magnifica facciata bianca e nera della basilica che dominava la città.

Arrivò all'incrocio con viale Michelangelo e voltò a destra. Magari poteva chiedere il trasferimento a Bologna, oppure a Napoli. Ogni tanto gli veniva in mente questa possibilità, ma non si decideva mai. In fondo sapeva che non l'avrebbe mai fatto. Ormai era abituato a combattere ogni secondo con la città dov'era nato, e senza quella tensione non si sarebbe sentito bene.

La mattina dopo arrivò in questura verso le otto. Si mise a sbrigare un po' di burocrazia arretrata, sbadigliando di noia. Per il lavoro era un periodo abbastanza calmo, per fortuna. Anche se non da molto. Appena un mese prima aveva arrestato una donna che aveva ucciso il marito a colpi di badile, con la complicità dell'amante. Una storia squallida che non vedeva l'ora di dimenticare. A un tratto alzò la testa e guardò nel vuoto. Gli sembrò di ricordare dove aveva già letto quel nome, *Antonio Samsa*. Gli era venuta in mente un'immagine. Lui in piedi di fronte a una tomba... legge quel nome e quella data, pensa che quell'uomo è nato il suo stesso giorno e che ha lo stesso cognome dello scarafone che strisciava per terra nella *Metamorfosi* di Kafka... poi in mezzo alle croci vede una bella ragazza ferma davanti a una tomba, e pensa: «Chissà se quella bella ragazza sa chi è Gregor Samsa». Certo. Doveva essere successo al cimitero ebraico di via di Caciolle... più o meno un anno prima, sempre a primavera. O forse si sbagliava, stava sovrapponendo due nomi simili e due pensieri legati fra loro da chissà quale parentela. Fare confusione era facile. Era passato molto tempo, e la sua memoria di solito non faceva scintille. Ma il dubbio non se ne andava, anzi era sempre più sicuro di ricordare bene. S'infilò la giacca e uscì dall'ufficio chiudendosi dietro la porta. C'era un solo modo per scoprire come stavano le cose.

«Samsa, ha detto?»

«Sì, Antonio Samsa. Nato il 2 aprile 1897.»

«Non sa quando è morto?»

«No... Comunque è possibile che mi sbagli con un altro cimitero» lo avvertì Bordelli, di nuovo incerto.

«Da un pezzo gli ebrei di Firenze li seppelliscono tutti qui» fece il guardiano. Era un tipo basso sui trent'anni, con i capelli ricci che gli si alzavano sulla testa e un occhio mezzo chiuso. Si avvicinò allo schedario di ferro, diviso per lettere alfabetiche, sfilò il lungo cassetto con scritto sopra S-T e lo appoggiò sul tavolo.

«Vediamo...» mormorò, facendo scorrere i cartoncini. Leggeva con lentezza, bisbigliando i nomi. Da una finestrella in alto entrava il sole e disegnava un rettangolo sul pavimento di graniglia. Bordelli andò ad affacciarsi sulla porta della casa del guardiano, e mentre aspettava accese una sigaretta. Non aveva più tutta questa fiducia nella propria memoria... forse aveva fatto un viaggio inut...

«Eccolo qua» disse il guardiano. Bordelli si voltò di scatto.

«È sicuro?»

«C'è scritto qui, è seppellito... vicino al muro» disse il guardiano, pronunciando le ultime tre parole con un tono grave.

«Qualcosa che non va?» chiese Bordelli.

«Non posso dare informazioni sui defunti» fece il guardiano. Poi gli spiegò l'esatta collocazione della tomba, muovendo le braccia come se parlasse di una strada. Bordelli ringraziò e si avviò nei vialetti di ghiaia del cimitero. Il sole splendeva sui vecchi marmi delle tombe monumentali, e nell'aria si sentivano ronzare i calabroni. I cipressi erano pieni di uccellini che urlavano. Le iscrizioni erano più o meno quelle che si vedevano dappertutto, ma spesso appariva un riferimento alle capacità commerciali o amministrative del morto. Una lo colpì. Tre nomi, un'unica dàta di morte, 17 dicembre 1943, *Vittime innocenti della violenza nazifascista.*

Anche la prima volta che era entrato a passeggiare in quel cimitero ci aveva messo un po' a capire cosa c'era di strano. Non si vedevano croci. Era ovvio, ma finché non ci aveva pensato non se n'era reso conto. Si avvicinò al muro perimetrale, e scorrendo le lapidi trovò finalmente la tomba che cercava. Sul marmo era incisa una stella a sei punte, e sotto c'era scritto soltanto:

Antonio Samsa, 2 aprile 1897 – 25 ottobre 1954

Stesso nome, stessa data di nascita della tomba delle Porte Sante. Solo il giorno della morte era diverso. Undici anni di differenza. Magari era solo una coincidenza, ma sentiva il bisogno di saperne di più. Accanto a quella di Antonio Samsa c'erano altre tombe, e a differenza di quasi tutte le altre avevano solo il nome e le due date, nascita e morte. Chissà se voleva dire qualcosa.

Uscì dal cimitero a grandi passi e montò in macchina. Guidando verso il centro si domandava vagamente se fosse il destino o il puro caso a governare la vita delle persone. Una semplice passeggiata in un cimitero, ed ecco che era saltata fuori una stranezza. Perché proprio lui aveva scoperto quelle due tombe? Poteva succedere a un altro, o magari a nessuno. Era un po' come per molte donne di cui si era innamorato. Come le aveva conosciute? Una cena da amici, una gomma bucata, una coda all'ufficio postale... il puro caso. E chissà quante altre donne avrebbe potuto conoscere, se quella volta avesse... se quel giorno fosse andato... se in quel secondo avesse svoltato in quella strada... magari aveva mancato per un pelo la donna che cercava da sempre, e lei adesso era sposata con un coglione e aveva quattro figli...

Imboccò i viali. Doveva stare attento a non investire le ragazze in bicicletta. Viaggiavano sempre almeno in coppia, se non in tre o quattro, e stavano affiancate a chiacchierare, a volte in mezzo alla strada.

Oltrepassò il ponte Vespucci, e salì su per viale Michelangelo fino alle Porte Sante. Chiese al guardiano la stessa cosa, e dopo un po' lesse personalmente nel registro: *Antonio Samsa, 2 aprile 1897 – 4 novembre 1943*. Il guardiano aveva una cinquantina d'anni, magro, con la faccia storta come Antonio De Curtis. Sembrava contento di poter parlare con un vivente.

«La tomba è l'ultima in fondo al vialetto che...»

«Sì grazie, so già dov'è... Mi scusi, lei nel '43 lavorava già qui?» chiese Bordelli.

«No, io sono arrivato due anni fa. E quello prima di me era entrato dopo la guerra.»

«Lei sa per caso chi era il bec... il guardiano, durante la guerra?»

«No, ma se vuole posso telefonare a padre Sorrentino. Lui sa tutto» disse il guardiano.

«Se non è troppo disturbo...»

«No no» fece l'uomo, quasi allegro.

«Allora va bene. Grazie mille» disse il commissario, contento di non dover fare una richiesta ufficiale al Comune. Il guardiano fece un numero di telefono, borbottò qualche parola a bassa voce, poi passò il ricevitore al commissario. A giudicare dalla voce padre Sorrentino doveva essere piuttosto vecchio, ma aveva una buona memoria. Disse che dal '16 al '46 il guardiano del cimitero era stato Gustavo Nannini, un pistoiese che aveva lasciato il lavoro a più di settant'anni.

Ogni tanto era tornato a salutare, ma ormai era qualche anno che non si vedeva. Forse era morto.

«La ringrazio, padre Sorrentino.» Il commissario mise giù il telefono, salutò il guardiano e se ne andò con una sigaretta spenta in bocca. Rimontò sulla 600, scese verso il centro e poco dopo parcheggiò in piazza San Firenze. Quando scese sentì un brivido sotto la pelle, e barcollò appena per un leggero capogiro. Aprile stava avanzando senza pietà. C'era molta gente per strada, soprattutto donne. Le più giovani avevano le braccia nude e una strana luce negli occhi. Colpa della primavera, pensò Bordelli girando l'angolo di via de' Gondi. Entrò in Palazzo Vecchio. All'anagrafe mostrò il tesserino, e un impiegato si mise a sua disposizione. Dopo pochi minuti Bordelli si ritrovò davanti tutti i documenti che aveva chiesto. Di Antonio Samsa ne esisteva uno solo. Era nato a Genova il 2 aprile del 1897, da Arturo Samsa e Sara Bolognesi. Il 28 febbraio del 1925 si era sposato con Rachele Aime, nata a Firenze il 14 agosto 1908. Aveva avuto due figlie, Emma, nata il 19 settembre 1926, e Gisella, nata il 10 gennaio 1929. Antonio Samsa era residente a Firenze dal 1925, in piazza D'Azeglio 49. Professione: orafo. Deceduto il 25 ottobre 1954 a Firenze. La moglie e le figlie erano ancora in vita.

Il commissario chiese all'impiegato anche un controllo su Gustavo Nannini, e scoprì che aveva ragione padre Sorrentino. Il vecchio guardiano delle Porte Sante era morto tre anni prima. Peccato. Uscì da Palazzo Vecchio con una sigaretta in bocca e la testa piena di supposizioni. Quella faccenda non gli andava giù. Andò subito in piazza D'Azeglio, e al 49 trovò un campanello con scritto *Samsa-Aime*. Esitò un attimo, guardandosi intorno. Oltre i tetti si vedeva la cupola della sinagoga. Alla fine si decise e suonò. Non rispose nessuno. Provò ancora un paio di volte, e alla fine rinunciò. Tornò in questura. Appena entrò in ufficio aprì l'elenco del telefono e cercò Samsa Rachele. Trovò il numero e lo scrisse sopra un foglietto. Provò a chiamare subito, ma non rispose nessuno. Continuò a firmare carte e a fare cose altrettanto divertenti, fermandosi ogni mezz'ora per telefonare a casa Samsa. All'una rispose una donna, con la voce drammatica.

«Pronto?»

«Buongiorno... vorrei parlare con la signora Samsa, per favore.»

«Sono io, con chi parlo?»

«Commissario Bordelli.»

«Polizia?» fece la donna, allarmata.

«Non si preoccupi, non è successo nulla, la chiamo soltanto per...» Non sapeva come andare avanti.

«Pronto?» disse la signora.

«Sono qui, mi scusi...»

«Non ho sentito le ultime parole.»

«Vorrei parlare con lei, signora Samsa, ma non per telefono.»

«È successo qualcosa?» La signora era agitata.

«Stia tranquilla, non c'è nulla di grave. Vorrei soltanto parlare un minuto con lei. Posso venire a casa sua, se preferisce.»

«Quando?»

«Mi dica lei. Anche subito, se vuole» azzardò Bordelli. Ci fu un po' di silenzio.

«Preferirei alle cinque.»

Alle cinque meno dieci Bordelli parcheggiò la 600 in piazza D'Azeglio, davanti al numero 49. Era molto impaziente di parlare con la moglie di Samsa. Fumò una sigaretta, soffiando il fumo fuori dal finestrino. Quell'uomo morto due volte non gli andava giù. Alle cinque in punto scese e premette il campanello. Dopo qualche secondo il portone si aprì con uno scatto elettrico. Bordelli attraversò il grande atrio ornato di piante e imboccò la larga scala di pietra serena. Al primo piano la signora Samsa lo aspettava sulla porta, con una ruga preoccupata sulla fronte. Era una donna alta e magra, con i capelli ancora neri e gli occhi addolorati. Cinquant'anni portati bene. Aveva un vestito scuro ed elegante che la copriva dal collo fino a metà caviglia. Abbozzò un sorriso di cortesia e invitò il commissario a varcare la soglia. Appena si chiuse la porta, Bordelli ebbe la sensazione di essere entrato in un altro mondo, dove il tempo aveva un valore tutto particolare. I rumori della strada non si sentivano più. L'ingresso era vuoto, a parte un piccolo tavolo in legno scuro che serviva per il telefono. Nell'aria stagnava un forte odore di canfora. Bordelli seguì la signora lungo un corridoio, camminando sopra un tappeto. Entrarono in un salottino tetro. Una vetrinetta con i vetri piombati, un grande lampadario di cristallo, un orologio a pendola, due divani scomodi sistemati ad angolo di fronte a un televisore con il mobile di legno. I pavimenti decorati e la pendola erano le cose più preziose. A una parete era appeso il ritratto di un uomo con i capelli bianchi e un grande naso. La signora si accomodò su un divano senza appoggiarsi allo schienale, e invitò Bordelli a sedersi sull'altro.

«Mi dica, commissario» disse, dopo qualche secondo di silenzio. Stava seduta con la schiena dritta e le mani intrecciate sopra le ginocchia.

«Vorrei... farle qualche domanda, se lei me lo permette.»

«Prego» sussurrò la donna, alzando appena il mento. Bordelli fece un sorriso rassicurante, e cambiò posizione sul divano. Si sentiva a disagio. Non sapeva da dove cominciare. Senza un motivo pensò a Irene, e la vide nuda sdraiata sopra il letto. Si tossì nel pugno e cercò di apparire disinvolto.

«Suo marito... quando è scomparso?» disse.

«È morto il 25 ottobre 1954» rispose la signora.

«Posso chiederle com'è successo?»

«Come mai vuole saperlo? Cosa significano queste domande?» disse la donna, accigliata.

«Per adesso preferirei non dirglielo, ma non deve turbarsi. Non è accaduto nulla di grave, mi deve credere. Si fidi di me, signora Samsa.»

«Sì, ma... non capisco...»

«Capirà a suo tempo, le do la mia parola. Per il momento le chiedo solo la gentilezza di esaudire la mia preghiera.» In nessun'altra occasione avrebbe usato parole del genere, ma quella donna e quella circostanza lo facevano parlare in quel modo. La signora abbassò le palpebre per un lungo secondo, poi lo guardò di nuovo negli occhi.

«Mio marito si è tolto la vita» disse, strusciando appena i piedi sul pavimento.

«Mi dispiace...»

«Un colpo di pistola» aggiunse la signora, distogliendo lo sguardo. Rimasero un po' in silenzio, e il ticchettio della pendola diventò sempre più forte. Bordelli pensò di aver capito come mai il guardiano del cimitero ebraico aveva detto con quel tono grave che Samsa era stato seppellito «vicino al muro», ma voleva una conferma. Si schiarì la voce.

«È per questo che suo marito è seppellito... vicino al muro?» chiese.

«È così che succede nei nostri cimiteri» rispose la signora. Non sembrava curiosa di sapere come mai quello sconosciuto sapesse dov'era sepolto suo marito. Aveva l'aria rassegnata e vagamente impaziente.

«Mi scusi la domanda, signora. Suo marito aveva... un motivo per compiere quel gesto?» chiese Bordelli, sforzandosi di non usare un tono da poliziotto. La signora continuò a fissare le mattonelle.

«Antonio è stato deportato nel novembre del '43. È sopravvissuto al campo di Auschwitz. Quando è tornato pesava trentasei chili. Lentamente si è ripreso, ma la sua testa non era più la stessa. Il ricordo di quella umiliazione lo tormentava, così come il pensiero di essere stato uno dei pochi fortunati a salvarsi. Aveva perso tutti i suoi cari, tranne un suo vecchio zio che nel '36 era fuggito in Sudamerica con tutta la famiglia» disse, con aria serena. Restarono di nuovo in silenzio. Bordelli era un po' imbarazzato. Sentiva di essere invadente, ma non poteva farne a meno.

«Lei e le sue figlie... come vi siete salvate?»

«Noi non eravamo in Italia. Nel '38, dopo le leggi razziali e la visita di Hitler a Firenze, mio marito per precauzione ci aveva fatto espatriare in Svizzera.»

«È stato lungimirante.»

«Gli ebrei devono sempre essere pronti a partire» disse la signora, con un lampo di orgoglio negli occhi.

«E i suoi genitori?»

«Eravamo insieme in Svizzera, ringraziando Dio.»

«Dove abitavate?»

«Avevamo trovato una sistemazione a Oberulmiz, un piccolo paese vicino a Berna» disse la signora.

«Se non è troppo disturbo, posso chiederle di raccontarmi qualche particolare in più?»

«Non vuole dirmi cosa sta succedendo?»

«Le prometto che lo saprà. Ma non adesso, la prego...»

«Mi faccia delle domande precise» disse la donna, lanciando un'occhiata all'orologio a pendola.

«Le rubo solo pochi minuti» mentì Bordelli.

«Prego.»

«Di cosa si occupava suo marito?»

«Avevamo una gioielleria... in via Marconi.»

«Ora non più?»

«È andata persa con la guerra» disse la signora Samsa, con voce piatta. Non era facile tirarle fuori le parole. Ma Bordelli era deciso ad arrivare fino in fondo a quella storia, e per prima cosa doveva cercare di sapere tutto il possibile su Antonio Samsa.

«Mi scusi, perché suo marito non è venuto in Svizzera insieme a voi?»

«Era rimasto a Firenze per seguire i suoi affari.»

«Vi sentivate spesso?»

«Una volta alla settimana, sempre da telefoni pubblici.»

«Non aveva intenzione di raggiungervi?»

«Si teneva pronto, se le cose fossero peggiorate.»

«Come mai non è riuscito a fuggire al momento giusto?» chiese Bordelli, frenando la voglia di accendere una sigaretta.

«Gradisce un tè?» disse la signora, dopo aver guardato di nuovo la pendola.

«Non vorrei disturbare...»

«Nessun disturbo, lo faccio comunque» disse lei, alzandosi.
«Allora volentieri, grazie.»
«La lascio solo per qualche minuto.»
«Prego.»

Con il suo tè sulle ginocchia la signora continuò a rispondere alle domande di Bordelli, sempre meno tesa. Si abbandonava a quei ricordi con nostalgia e con un dolore che aveva qualcosa a che fare con il piacere. Doveva essere la prima volta che si trovava costretta a ripercorrere passo dopo passo quella storia, e spesso mentre parlava aveva lo sguardo di chi vede realmente quello che sta raccontando. Seguiva le proprie visioni parlando senza fatica, e Bordelli stava in silenzio ad ascoltare.

Antonio Samsa aveva vissuto i primi due anni di guerra annusando l'aria che tirava in città, attento a cogliere ogni minimo cambiamento di vento. Si faceva vedere poco in giro, e quando telefonava a Rachele, che era al sicuro in Svizzera con le figlie, diceva che stava sistemando certe faccende in previsione della fine del conflitto. Nel '41 aveva lasciato l'appartamento di piazza D'Azeglio e si era spostato in una casa di campagna subito fuori dalla città, dalle parti di Santa Margherita a Montici. L'aveva presa in affitto con dei documenti falsi che era riuscito a procurarsi.

«Non mi chieda come. Antonio aveva i suoi canali e le sue conoscenze, e anche il denaro per pagare le persone giuste.»

Un'ora dopo l'annuncio dell'Armistizio Antonio aveva chiamato in Svizzera. Era stata una telefonata concitata, piena di speranza. Dopo quel giorno lui era rimasto almeno un mese senza telefonare. Era stato un periodo terribile. Rachele si sentiva disperata e impotente.

Ascoltava le notizie alla radio e piangeva, abbracciando le figlie. Poi finalmente una notte lui aveva telefonato, e aveva detto che la situazione era precipitata. Firenze si era riempita di tedeschi, e per gli ebrei era cominciato un periodo nero. Lui stava rintanato in casa, la notte chiudeva gli scuri e accendeva delle lampade basse. Una vita da topo. Ma il prezzo era la vita, e non c'era da scherzare. Prima di nascondersi aveva sentito raccontare di persone che denunciavano i loro vecchi amici ebrei, per paura dei nazisti o semplicemente per ottenere qualche vantaggio. Ogni tanto in lontananza sentiva anche dei mitra che sparavano. Passava ore in piedi nascosto dietro la tenda di una finestra, a spiare fuori. Una mattina aveva visto sbucare dall'angolo della strada due automezzi tedeschi, che si erano fermati a una cinquantina di metri da lui. Quando aveva visto le SS che saltavano giù dai camion aveva pensato che fosse finita, invece i tedeschi erano entrati in una casa poco distante dalla sua. Avevano trascinato fuori una famiglia intera, i genitori e due figli piccoli che piangevano come fontane. Li avevano caricati sopra uno dei camion e se n'erano andati. Samsa era stato sveglio tutta la notte a pensare alle sue bambine, salve in Svizzera, e insieme a una gioia febbrile aveva provato un fortissimo senso di colpa.

Il due di novembre del '43 c'era stata un'ultima telefonata. Samsa aveva detto alla moglie di aver finalmente trovato un modo sicuro per arrivare in Sicilia. Poi con una nave mercantile avrebbe raggiunto il Libano, e da Beirut avrebbe preso un aereo per la Svizzera. Doveva solo aspettare qualche giorno, per sistemare una faccenda importantissima che riguardava il futuro di tutta la famiglia, ma non aveva detto di cosa si trattasse perché non si fidava dei telefoni, nemmeno di quelli pubblici. Le avrebbe raccontato tutto dopo pochi giorni, quando sarebbe arrivato a Oberulmiz. Per fare quella «cosa» aveva bisogno di una persona fidata, e stava cercando di mettersi in contatto con un caro amico. Poi aveva an-

nunciato che non avrebbe più telefonato. Per farlo doveva andare in una taverna delle Cinque Vie, passando per i campi. Troppo pericoloso.

« Tra qualche giorno ti bacio sulla bocca » aveva detto, e quando aveva riattaccato lei si era premuta il telefono contro il seno. Ma dopo un mese lui non era ancora arrivato. E nemmeno dopo due mesi. Tre, cinque, dodici. Lei passava dall'angoscia più nera a momenti di euforia, in cui si convinceva che Antonio fosse sano e salvo da qualche parte. Ogni tanto si sentiva dire che gli ebrei venissero deportati in massa fino in Polonia e lasciati morire di fame in grandi campi recintati... ma come poteva essere possibile? Lei non ci aveva creduto.

Era finita la guerra, ma di Antonio ancora nessuna notizia. Lei era tornata a Firenze con le bambine e aveva ritrovato la sua casa, anche se con la porta sfondata e quasi completamente vuota. Dappertutto c'era una grande confusione. Sembrava impossibile che da quel caos potesse ricominciare una vita normale.

Poi un giorno il mondo intero era venuto a sapere dell'esistenza dei lager polacchi, dei forni crematori, dei saponi fabbricati con le ossa degli ebrei, dei cuscini imbottiti di capelli, di milioni di morti, di enormi fosse comuni stracolme di cadaveri magri come scheletri. Nelle sale cinematografiche proiettavano filmati raccapriccianti, e si sentivano le donne lamentarsi o addirittura piangere. I sopravvissuti dei lager erano pochi, molto pochi in confronto ai morti, e per non lacerarsi con la speranza di un miracolo lei aveva preferito credere che Antonio fosse morto.

Ma il 20 dicembre del '45 lui era tornato. Era così magro che i suoi occhi sembravano due uova, e invece di parlare sussurrava. Dopo un mese di ospedale lo avevano rimandato a casa. La notte stava girato su un fianco con gli occhi semiaperti, e le rare volte che riusciva ad addormentarsi si svegliava di soprassalto. Di giorno mangiava enormi quantità di pane, e passava molte ore seduto in poltrona nel suo studio, ad ascoltare musica classica e a scrivere qualcosa sopra dei fogli che la sera bruciava nella stufa. Non raccontava nulla di quello che aveva passato, e Rachele rispettava il suo silenzio. Con le figlie era molto affettuoso, e quando le abbracciava si metteva a piangere.

Erano passati altri mesi. Antonio aveva ritrovato poco a poco le sue forze, e quasi ogni notte riusciva a dormire qualche ora senza ritrovarsi in un brutto sogno. Aveva cominciato a fare lunghe passeggiate, sempre da solo, per sua scelta. Anche la città stava ricominciando a funzionare. Le loro figlie erano tornate a scuola, e si parlava già della ricostruzione dei ponti sull'Arno.

Una notte Antonio aveva svegliato la moglie. Era seduto sul letto. Si era messo a parlare a bassa voce per non svegliare le bambine, che dormivano nella stanza accanto. Aveva raccontato di essere stato catturato dai fascisti, qualche giorno dopo la sua ultima telefonata in Svizzera.

«Dove? Come?» aveva chiesto lei.

«Non ha importanza» aveva risposto lui. Disse che la mattina successiva all'arresto era stato portato a Fossoli, vicino a Modena, in un campo di concentramento. Dopo una settimana era stato caricato sopra un treno per il bestiame insieme ad altre migliaia di persone. C'erano molti bambini. Il treno era partito di notte. Viaggiava lentissimo, sembrava di non arrivare mai. Nessuno sapeva dove andasse. Ma quando arrivarono rimpiansero tutti quel viaggio spaventoso.

«E lassù?» aveva chiesto lei, con il cuore che batteva forte.

«Nulla» aveva bisbigliato lui. Poi si era sdraiato e aveva chiuso gli occhi. Di quello che era successo in Polonia non voleva parlare.

«E quella faccenda importantissima che dovevi sistemare prima di venire in Svizzera?»

«Non l'ho potuta fare» aveva detto lui, senza aprire gli occhi.

La mattina dopo le aveva chiesto di accompagnarlo al cimitero di San Felice a Ema...

... e Bordelli aveva sussultato sul divano.

«Come ci andiamo?» aveva chiesto lei.

«Voglio arrivarci a piedi.» Ci erano andati a piedi, come voleva lui, mentre le bambine erano a scuola. Erano entrati nel cimitero, e Antonio si era messo a camminare fra le tombe leggendo i nomi incisi sulle lapidi. Le aveva guardate tutte, dalla prima all'ultima, con la faccia sempre più cupa. A quanto lei si ricordava, non avevano amici seppelliti in quel cimitero. Alla fine Antonio le aveva detto di aspettarlo vicino al cancello, ed era entrato nella casa del guardiano. Ci era rimasto una buona mezz'ora, e quando era uscito aveva detto soltanto che voleva tornare a casa. Lungo la strada non aveva aperto bocca. Arrivato a casa si era chiuso nel suo studio, e Rachele lo aveva sentito parlare a lungo al telefono. Dopo pranzo Antonio le aveva detto che quel sabato sarebbe venuto a trovarli Enzo Maggini, il figlio di Giulio Maggini, un loro caro amico morto prima della guerra.

«Due mesi fa è morta anche sua madre» aveva aggiunto Antonio. Enzo lavorava in Comune da prima del conflitto, all'ufficio Anagrafe, e dal '40 era vicedirettore. Non era andato in guerra, sia per il suo impiego pubblico, sia perché era figlio unico di madre vedova. Rachele lo conosceva poco, lo aveva visto sì e no cinque volte, quando suo padre Giulio era ancora vivo.

Bordelli pensò invece che quel nome, Enzo Maggini, lo aveva già sentito, ma sul momento non si ricordava in quale occasione.

«E poi?» disse, immaginando di accendere una sigaretta.

«Il sabato venne a trovarci il figlio di Giulio. Entrò in casa con un certo imbarazzo, con il cappello in mano. Lo trovai un po' ingrassato. Era fin troppo affettuoso e cordiale, ma non mi fece una bella impressione, non so perché. Abbracciò mio marito, e quasi pianse per l'emozione. Mormorò qualcosa sulla notte in cui lui e Antonio erano stati presi dai fascisti, cosa di cui non sapevo nulla. Mio marito non aveva voluto raccontarmi quei momenti, e io non avevo mai fatto domande. Poi Enzo disse con gli occhi lucidi che era felicissimo di saperci sani e salvi. Ricordo che pensai: perché tutta questa felicità? Poi mi sentii cattiva.»

Si erano accomodati tutti e tre in salotto. Enzo aveva chiesto notizie delle «bambine» con un interesse esagerato, visto che non le conosceva per niente, e siccome Samsa non rispondeva aveva risposto Rachele. La figlia più grande era al cinema con il fidanzato, la più piccola era andata a trovare un'amica che abitava nello stesso palazzo. Questa semplice notizia fece brillare di gioia gli occhi di Enzo, occhi piccoli che non si fermavano un momento. Samsa sembrava teso, parlava poco e fissava l'ospite come se volesse leggergli nel cervello. Enzo aveva continuato a parlare e parlare, come se non sopportasse il silenzio, e sulla sua faccia si alternavano di continuo un sorriso innaturale e uno sguardo che chiedeva complicità. Dopo una lunga serie di discorsi inutili aveva fatto un viso drammatico e si era messo a rievocare i brutti momenti della guerra. Ma aveva anche molta fiducia nel futuro. Diceva che le cose sarebbero cambiate in fretta. Presto ci sarebbe stata la repubblica, e lui stava pensando seriamente di entrare in politica, come poi aveva fatto. Aveva un lontano parente cardinale che gli avrebbe dato una mano...

Bordelli capì in quell'istante dove aveva visto quel nome: sui manifesti elettorali. In quelli del '53 e anche in quelli delle elezioni del prossimo maggio, che tappezzavano la città proprio in quei giorni. Enzo Maggini era un deputato della Democrazia Cristiana, e stava facendo una buona carriera.

... poi Enzo aveva scosso la testa, con aria cupa, e aveva accennato di nuovo alla notte in cui era stato arrestato insieme ad Antonio Samsa, nel novembre del '43. Mozziconi di frasi, non per raccontare, ma per evocare un ricordo, come si fa di fronte a chi conosce bene la vicenda. Aveva nominato con aria desolata quel campo di olivi e quel maledetto sentiero che scendeva verso le Cascine del Riccio. Scambiando un'occhiata con Antonio aveva aggiunto che a conti fatti dovevano ringraziare il cielo, era andata bene a tutti e due, si erano salvati. Rachele non sapeva nulla di quella faccenda, e quando aveva chiesto di sapere com'erano andate le cose Enzo l'aveva guardata con sorpresa, come se gli sembrasse assurdo che lei non fosse al corrente di un fatto così importante della vita di suo marito. Samsa invece aveva sussurrato con decisione che non voleva parlare di quella notte, e per qualche secondo era calato un silenzio pieno di disagio. Il primo a parlare di nuovo era stato Enzo. Aveva raccontato senza troppi dettagli la sua prigionia nel carcere delle Murate, dieci terribili settimane isolato dal mondo, la paura di essere ucciso, poi la fuga insieme a un detenuto politico, la corsa sulle colline per unirsi ai partigiani, fino alla liberazione della città. E poi, quando era finita la guerra...

Samsa lo aveva interrotto a metà del discorso, poi aveva detto a Rachele di lasciarli soli. Lei ci era rimasta male per via del tono, che sembrava un ordine. Ma per rispetto a quell'uomo calpestato e umiliato se n'era andata senza una parola. E per la prima volta in vita sua aveva origliato alla porta. I due uomini parlavano a bisbigli, e lei non capiva quasi nulla. Ogni tanto il sussurro di suo marito sibilava più forte, come se fosse arrabbiato, e in quei momenti emergeva qualche parola.

«Si ricorda per caso quali parole?» chiese Bordelli, fumando mentalmente una sigaretta.

«Tre me le ricordo bene: *traditore*, *nazisti* e *cimitero*.»

«Cimitero?»

«Cimitero...»

«E poi?»

«Dopo una mezz'ora Enzo uscì dal salotto e disse che doveva andare via. Si sforzava di sorridere, ma ricordo di aver pensato che i suoi occhi sembravano voler sparire dentro la testa...»

Suo marito non si era alzato per accompagnare l'ospite alla porta, era rimasto seduto dov'era. Rachele sentiva nell'aria un'atmosfera sgradevole, senza sapere perché. Non vedeva l'ora di rimanere da sola con Antonio. Sulla porta Enzo le aveva detto che se avevano bisogno di qualsiasi cosa non dovevano esitare a interpellarlo, e le aveva baciato la mano con una gentilezza troppo ossequiosa. Appena richiusa la porta lei si era sentita riavere. Era tornata in salotto dal marito, che se ne stava seduto a fissare il muro. Gli aveva chiesto cosa fosse successo, e lui aveva chiuso gli occhi.

«Non chiedermi nulla, per favore. Non solo adesso. Mai più.»

Lei come al solito aveva rispettato i suoi desideri, e non ne avevano più parlato. La loro vita era andata avanti tranquilla. Emma e Gisella avevano continuato a studiare. Samsa non accennava a voler riprendere il suo lavoro, anzi quando la moglie entrava in argomento troncava subito il discorso. Era un uomo spezzato, che non credeva più nella vita. E un bel giorno si era sparato un colpo in testa, con una piccola pistola che aveva ereditato da suo padre. Durante quegli otto anni non aveva mai raccontato nulla della sua prigionia. Ma ogni tanto diceva che avrebbe preferito morire come tutti gli altri.

La signora Samsa sfilò un fazzolettino bianco dalla manica del vestito e si asciugò gli occhi. Per pudore Bordelli distolse lo sguardo per qualche istante. Intanto cercava di mettere insieme i frammenti di quello che aveva appena saputo con quelli che conosceva già, ma non riusciva a combinare nulla di serio.

«Ha mai avuto la sensazione che suo marito nascondesse un segreto, signora Samsa?»

«Molte volte, ma aspettavo che fosse lui a parlarmene.»

«E l'onorevole Maggini? L'ha più visto?»

«Non è più venuto a casa a trovarci, e del resto nessuno lo ha mai più cercato. Però lo rividi qualche anno dopo, quando morì mio marito. Mi telefonò appena lesse il necrologio sulla 'Nazione'. Mi comunicò il suo immenso dolore, con voce commossa. Si offrì con insistenza di aiutarmi per le pratiche delle pompe funebri, per la successione e per ogni altra incombenza relativa al cimitero, alludendo con molta delicatezza ai problemi che potevano venirsi a creare quando c'era di mezzo un suicidio. La sua posizione gli consentiva di appianare ogni ostacolo in tempi molto stretti, e si metteva a mia disposizione. Cercai di rifiutare, spiegandogli che i cimiteri ebraici accoglievano senza problemi anche chi si toglieva la vita. Ma soprattutto non volevo disturbarlo. Lui affermò con decisione che non gli avrei procurato nessun disturbo. La sua era certamente una gentilezza, ma avvertii ugualmente un certo fastidio. Non sentivo nessun calore nelle sue parole, non so come dire...»

Alla fine lei aveva accettato il suo aiuto, anche perché le sue figlie erano disperate e sentiva di doversi occupare di loro. Enzo aveva pensato a tutto. Aveva sbrigato le pratiche per la sepoltura nel cimitero di via di Caciolle, e aveva anche fatto preparare immediatamente la lapide, tutto a sue spese. Il giorno del funerale era stato sempre accanto a lei, colmandola di premure. L'aveva riaccompagnata a casa insieme alle figlie singhiozzanti, con una bella macchina guidata da un autista in divisa, targata Roma. Era salito in casa della signora a prendere un tè. Le ragazze si erano chiuse in camera e la signora era rimasta da sola con lui in salotto...

«Gli ha chiesto spiegazioni su quella discussione che aveva avuto con suo marito?» disse Bordelli, impaziente.

«Non avrei voluto, per rispettare la volontà di Antonio... ma alla fine non ho resistito.»

«E lui?»

«Ha fatto una faccia triste, e ha detto che mio marito gli aveva chiesto notizie di un conoscente comune, che purtroppo era stato ucciso dai tedeschi nel '44... però...»

«Però?»

«Non so, ho avuto l'impressione che... che mentisse...»

«Perché?»

«Per nessun motivo. Era solo una sensazione» disse la signora. Bordelli infilò la mano in tasca per toccare il pacchetto di sigarette.

«E dopo?»

«Enzo mi parlò di un notaio suo amico, a cui potevo rivolgermi per la denuncia di successione. Poi se ne andò, e da quel giorno non l'ho più visto. Ogni tanto telefona per fare un saluto e per sentire se abbiamo bisogno di qualcosa. Nonostante le mie sensazioni, mi sento di dire che è una brava persona.» La signora fissava il commissario aspettando altre domande, pronta a rispondere. Bordelli aveva sperato fino all'ultimo di sapere qualcosa che lo illuminasse, che gli desse la chiave di quel mistero, e non voleva rassegnarsi.

«Signora Samsa, come faccio a parlare con le sue figlie?»

«Emma vive a Genova, e Gisella a Roma. Si sono sposate presto. Se vuole posso darle i numeri di telefono.»

«Grazie. Ma se prima ci parlasse lei mi farebbe un grande favore. Non vorrei allarmarle inutilmente.»

«Come vuole.»

«Molto gentile» disse Bordelli, cercando nelle tasche la penna e un foglietto. Trovò un biglietto del cinema e con il pollice lo spianò sul ginocchio. La signora gli dettò i numeri di telefono di Emma e di Gisella, e i loro cognomi da «maritate».

«Parlo con le mie figlie tutte le sere, e anticiperò senz'altro la sua telefonata» disse.

«Grazie.»

«Vuole sapere altro, commissario?» chiese la donna.

Bordelli aveva finito. Si alzò in piedi e ringraziò la signora per la pazienza. Lei lo accompagnò alla porta, e sulla soglia confessò che parlare di quelle cose le aveva fatto bene, anche se in certi momenti era stato molto doloroso. Bordelli accennò un baciamano.

«I miei omaggi, signora.»

«Deve tornare a spiegarmi cosa è successo, commissario. Ha fatto una promessa.»

«La manterrò.»

Quella notte Bordelli dormì male. Si svegliava di continuo con la voglia di bere acqua. Forse era anche colpa del cinghiale che aveva mangiato a cena da Totò. Nei momenti di dormiveglia continuava a pensare a quelle due tombe, cercando di trovare una spiegazione. Il fatto che Samsa fosse andato al cimitero di San Felice a Ema a cercare sulle lapidi un nome che non aveva trovato poteva avere a che fare con quella faccenda, ma poteva anche non entrarci per nulla. Come mai non era andato anche in altri cimiteri? Chi era andato a cercare? Un caro amico? Un nemico? Troppo pochi elementi per poterci capire qualcosa. Doveva parlare presto con le figlie della signora Samsa... ma se non fosse servito a nulla? Forse l'onorevole Enzo Maggini era a conoscenza di qualche particolare capace di far saltare fuori la verità, ma se quella faccenda poteva essere risolta senza parlare con lui era più contento. Non aveva nessuna voglia di infilarsi in situazioni complicate. Piuttosto che andare a *disturbare* un deputato della DC durante la campagna elettorale preferiva passare una settimana chiuso in un armadio con un maiale. Prima di rassegnarsi a quell'idea doveva provare ogni altra strada. Innanzitutto doveva riflettere, trovare un appiglio per sapere in che direzione andare. Rigirandosi nel letto cercava di mettere insieme un'ipotesi che stesse in piedi. Un omicidio? Uno scambio di persona? Un semplice errore?

Voleva scoprirlo al più presto. Fare il poliziotto aveva qualcosa a che fare con l'archeologia. Scavare nel passato, trovare cocci sparsi e metterli insieme per ricostruire il pezzo intero. E non sempre si trovavano tutti i pezzi, anzi quasi sempre mancava qualcosa. La verità completa era solo un miraggio.

Quando suonò la sveglia non stava dormendo. Andò ad affacciarsi alla finestra e sentì con piacere il vento fresco sul viso. Il cielo era senza nuvole. Si lavò in fretta, prese un caffè al bar sotto casa e andò in questura. Parcheggiò nel cortile, e quando scese di macchina lo informarono che all'alba era stato trovato il cadavere di un uomo nel giardino di Boboli, un pregiudicato appena uscito di galera. Ucciso a coltellate. Per fortuna se ne stava già occupando un giovane ispettore.

Salì al primo piano, e appena entrò nel suo ufficio spalancò la finestra. C'era puzzo di fumo vecchio. Era impaziente di telefonare alle figlie della signora Samsa, ma era ancora troppo presto.

Aspettò che fossero le nove, poi chiamò il centralino e chiese la comunicazione con la signora Emma Andreoni. Dopo un po' sentì la sua voce, con un sottofondo di bambini che giocavano. Bordelli si presentò. Emma disse che sua madre le aveva annunciato la telefonata e l'argomento, e com'era ovvio chiese il motivo di quell'interesse. Lui si scusò di non poterla accontentare, ripetendo le parole che aveva detto alla signora Rachele. Dopo qualche momento difficile, cominciarono finalmente a parlare di Antonio Samsa. Bordelli non risparmiò le domande, alla ricerca di qualche particolare importante, di una traccia da seguire. Emma aveva una voce molto dolce, e parlando di suo padre si emozionava. La telefonata durò quasi un'ora, ma purtroppo non servì a molto. Emma non era in grado di aggiungere nulla di nuovo al racconto di sua madre.

«Mio padre non ci ha mai raccontato nulla di quel periodo, non voleva sentirne parlare, e in famiglia ci siamo abituati presto a non fare domande» disse per concludere.

Il commissario salutò la giovane Emma scusandosi per il

disturbo. Abbassò la forcella del telefono con un dito e richiamò subito il centralino per parlare con la sorella, Gisella Mannoni. La centralinista disse che non rispondeva nessuno. Il commissario ringraziò e buttò giù. Accese una sigaretta, e continuò per un pezzo ad agitare in aria il fiammifero già spento. Sentiva il bisogno di fare almeno un passo avanti, e in quella situazione c'era un solo modo. Riprese in mano il telefono per chiamare il sostituto procuratore Manuzza, poi cambiò idea. Avrebbe esumato la bara delle Porte Sante senza disturbare la burocrazia, e se avesse trovato qualcosa d'importante lo avrebbe immediatamente comunicato alla Procura della Repubblica, chiedendo che gli venisse affidata l'indagine. Altrimenti, nessuno ne avrebbe saputo nulla. Fece un paio di telefonate per organizzare la faccenda, poi andò a mangiare un boccone alla trattoria *Da Cesare*.

Verso le due e mezzo era già al cimitero, per assistere personalmente all'apertura della tomba. Ad aspettarlo c'erano due operai fatti venire apposta dal Comune. Sulla strada era pronto un furgone per trasportare il cadavere a Medicina Legale, dal vecchio ed esperto dottor Diotivede. Prima di procedere Bordelli consultò di persona i registri del cimitero. I documenti sembravano in regola. Quella tomba era di Antonio Samsa, nato il 2 aprile 1897 e deceduto il 4 novembre del 1943. Evidentemente quella sepoltura non era stata registrata regolarmente all'Anagrafe, altrimenti quando Samsa era morto sul serio sarebbe saltato fuori che era già stato seppellito.

«Andiamo un po' a vedere chi c'è in questa tomba.» Il commissario si avviò dentro il cimitero seguito dai due operai. Uno era alto due metri, con la testa incassata nel collo e due braccia spaventose. L'altro lo chiamava Godzilla. Arrivarono davanti alla tomba, e gli uomini del Comune tolsero la lastra di marmo del loculo.

«Occazzo!» disse uno degli operai. Il muretto di mattoni dietro il marmo era sfondato e si vedeva la bara, di legno scurissimo. Godzilla si affacciò dentro, afferrò la cassa per le maniglie e la tirò fuori senza nessuna fatica, come una pizza dal forno. L'appoggiò in terra, sul vialetto di ghiaia.

«È aperta» disse. L'altro operaio fece un passo indietro. Bordelli si fece dare un paio di guanti e sollevò personalmente il coperchio, rovesciandolo da un lato. Rimasero tutti a bocca aperta. La bara era vuota.

«Hanno rubato il morto» disse uno degli operai, grattandosi la testa.

«Forse gli scappava da pisciare» disse Godzilla, e scoppiò a ridere da solo. Il commissario disse agli operai di caricare ugualmente la cassa sul furgone. Anche se dentro non c'era nessun cadavere, voleva che Diotivede la esaminasse. Montò sulla 600 e guidando lentamente tornò in questura. Appena entrò in ufficio provò di nuovo a chiedere la comunicazione con Gisella Mannoni, ma dopo una lunga attesa la ragazza del centralino gli disse che non rispondeva nessuno.

Si lasciò andare contro lo schienale, facendolo cigolare. Sperava di trovare presto un altro frammento da aggiungere al mucchio dei suoi cocci sparsi. Doveva cercare di saperne di più su Antonio Samsa, e sui suoi ultimi mesi prima della deportazione. Cercava di convincersi che la telefonata con Gisella gli avrebbe rivelato qualcosa di decisivo, un particolare illuminante, ma in fondo non ci credeva. Ormai era chiaro che Samsa non aveva raccontato nulla alla famiglia. Forse doveva decidersi a fare una visita all'onorevole Maggini. Ma quell'idea continuava a non entusiasmarlo. A stuzzicare i politici c'era sempre il rischio di combinare qualche casino. Un moscone indebolito volava lentamente per la stanza, a pochi centimetri dal soffitto, e seguendolo con lo sguardo cercò di farsi venire un'idea. Alla fine ripiegò sulla cosa più semplice, e cioè mandare qualcuno a parlare con i vicini di casa di Antonio Samsa, e anche con i negozianti di via Marconi, dove prima della guerra Samsa aveva la sua gioielleria. Magari poteva saltare fuori qualcosa d'interessante. Mandò a chiamare quattro agenti, e li aspettò con impazienza. Quando arrivarono si ammucchiarono davanti alla scrivania. Il commissario spiegò per filo e per segno cosa dovevano fare, e disse che voleva i rapporti sulla scrivania per la mattina di mercoledì. Gli agenti se ne andarono di corsa. Appena rimase solo, Bordelli diventò pensieroso. Poi a un tratto drizzò la schiena e tirò il primo cassetto della scrivania. Si mise a frugare tra i foglietti per cercare il numero del tenente colonnello Arcieri, un carabiniere che lavorava al SIFAR. Non erano amici, lo aveva visto una volta sola, pochi mesi prima, e ci aveva parlato qualche volta per telefono. Però gli era rimasto impresso. Si erano scambiati dei favori, e nulla impediva che la cosa potesse ripetersi. Trovò il numero e lo comunicò al centralino. Lo misero in attesa. Passò almeno un minuto, poi sentì la voce secca di Arcieri.

«Pronto?»

«Buongiorno colonnello, sono Bordelli. Si ricorda di me?»

«Salve, commissario. Mi fa piacere sentirla.»

«Come va giù a Roma?»

«Non me lo chieda, preferisco non pensarci.»

«Non ci crederà, colonnello, ma ho ancora bisogno di lei...»

«Mi dica.»

«La ringrazio in anticipo e vengo al dunque. Vorrei tutte le informazioni che riesce a trovare su un certo Antonio Samsa...» Disse anche il luogo e la data di nascita dell'ebreo, e aggiunse che era un sopravvissuto di Auschwitz. Arcieri prese nota.

«Solo questo?» disse.

«Solo questo.»

«La chiamo appena so qualcosa.»

«Grazie, colonnello.»

Si salutarono, e il commissario uscì a bere un caffè al bar di via San Gallo. Tornando verso la questura vide passare una bella ragazza mora attaccata al braccio di sua madre, e per guardarla sbatté contro una Lambretta parcheggiata sul marciapiede. La ragazza se ne accorse e scoppiò a ridere, facendo sussultare la mamma. Bordelli arrossì e continuò a camminare facendo finta di nulla. Immaginò una scena assurda... lui che tornava indietro, raggiungeva la ragazza... lei era sola, sua madre era sparita... lui le diceva che era bellissima, la faceva ridere un po' con qualche storiella sui poliziotti, poi la sorprendeva con un invito a cena... e lei...

«Commissario...» sentì dire, e si voltò. Mugnai era fuori dalla guardiola e stava facendo il saluto.

«Comodo, Mugnai» disse Bordelli continuando a camminare.

«Commissario, *Può condurre alla perdizione*, cinque lettere...»

«Donna» disse Bordelli, senza fermarsi. Mugnai corse a controllare il cruciverba, ma non tornava. Cominciava per G, e la penultima era C.

Bordelli salì le scale fino al primo piano e imboccò il corridoio. Si sentiva il rumore metallico di un paio di macchine da scrivere, e alcune persone che discutevano. Aria di casa, pensò. Aveva ancora negli occhi la bella ragazza con i capelli neri, e giurò che se l'avesse rivista non avrebbe esitato ad avvicinarla. Entrò in ufficio, spalancò la finestra e si lasciò andare sulla sedia. Vuotò il posacenere nel cestino, poi mise in bocca una sigaretta. Senza accenderla alzò il telefono e chiamò Diotivede.

«Parlo con la macelleria Peppino?»

«Sto morendo dal ridere» disse il medico.

«Non volevo farti ridere, so che non ne sei capace.»

«Perché mi hai mandato una cassa senza il morto?»

«Non dirmi che la cosa ti ha intristito.»

«No, però mi sono toccato.»

«L'avrei fatto anch'io.»

«Che ci devo fare con questo pezzo di legno?»

«Il mio sogno sarebbe che tu riuscissi a scoprire nome e cognome del morto che non c'è.»

«Vieni stasera a casa mia e facciamo una seduta spiritica» disse Diotivede. Il commissario lo immaginava con il telefono in una mano e un fegato umano nell'altra, le pupille incorniciate dagli occhiali e quei capelli corti e bianchi che gli si drizzavano sulla testa.

«Prova a fare l'autopsia a quella bara come se fosse un cadavere, e dimmi tutto quello che trovi.»

«Non potevi farla portare a quei maniaci della Scientifica?»

«Lo sai che voglio bene solo a te.»

«Non ci crederai ma sono arrossito.»

«A questo punto anche io.»

«Non vorrei spezzarti il cuore, ma devo interrompere questa magnifica discussione per andare a giocare con un intestino.»

«Non immagini quanto ti invidio.»

«Fai bene, non sai cosa ti perdi» disse Diotivede, e riattaccò. Il commissario accese una sigaretta, e si lasciò andare contro lo schienale con un sospiro. Si mise a fissare il piano della scrivania ricoperto da ogni genere di oggetti, alcuni misteriosi. Dalle due tombe il suo pensiero scivolò lentamente su Irene... distesa sopra il letto, ancora vestita, con i capelli che si allargavano sul cuscino...

Si passò una mano sulla faccia, alzò il telefono e chiamò ancora una volta il centralino per avere la linea con casa Mannoni. Finalmente riuscì a parlare con Gisella. Anche lei aveva una voce molto piacevole, come la sorella, ma sembrava meno emotiva. Disse che sua madre l'aveva avvertita della telefonata.

«Come mai vuole sapere di mio padre?» chiese, con una punta di diffidenza. Bordelli ripeté ancora una volta le sue vaghe motivazioni, sforzandosi di essere convincente, e alla fine Gisella si tranquillizzò. Presa dai ricordi si mise anche a raccontare di un certo pomeriggio...

... un anno dopo essere tornato a casa, Antonio Samsa era nel suo studio ad ascoltare musica classica, seduto in poltrona. Gisella a quei tempi aveva quasi diciotto anni. Si era affacciata alla porta per chiedere a suo padre se voleva un tè. C'erano solo loro due in casa. Emma e sua madre erano andate al cinema. Gisella non aveva mai parlato con nessuno di quel pomeriggio, perché suo padre l'aveva pregata di non farlo...

Antonio Samsa si alzò dalla poltrona, lentamente, e andò ad abbassare il volume del grammofono. Si avvicinò a Gisella, che era rimasta in piedi sulla soglia. Le fece una carezza sui capelli, guardandola con i suoi occhi neri e profondi.

«Sai cos'è questa musica?»

«No» disse Gisella.

*«È l'*Incompiuta *di Schubert» disse Samsa, spostando lo sguardo sulla finestra. Stava piovendo. I suoi occhi erano diventati improvvisamente vuoti, come se stesse seguendo le immagini della mente. Gisella sentiva che quello era l'inizio di un discorso più lungo, e non parlava. Infatti suo padre continuò.*

«Su in Polonia, i primi mesi, chiudevo gli occhi e cercavo di suonare questa sinfonia dentro la mia testa, dall'inizio alla fine» disse Samsa. Sua figlia era molto stupita di sentirlo parlare di quelle cose, e non osava fiatare.

*«Poi un giorno mi accorsi che non riuscivo più a farlo. La musica che amavo di più se n'era andata dalla mia testa.» Parlava con lentezza, facendo lunghe pause, come se non volesse perdersi le note dell'*Incompiuta. *Gisella stava immobile, per non rischiare di rompere quell'incantesimo. Era la prima volta che sentiva suo padre parlare del lager.*

«Un ufficiale delle SS mi portava ogni giorno di nascosto un po' di zuppa, rubata al suo cane. Non ho mai capito perché, ma se non sono morto di fame è solo per questo. Volevo che qualcuno lo sapesse.» Si tirò su la manica della maglia, e scoprì il numero tatuato sul polso. Lo sfiorò con la punta delle dita. In quel momento il disco finì. Samsa tirò giù la manica e andò a rimettere la puntina dall'inizio. Aspettò che la musica ricominciasse, emergendo sopra lo scricchiolio dei graffi, poi si lasciò andare sulla poltrona e chiuse gli occhi. Gisella si avvicinò, girò dietro la spalliera della poltrona e ci appoggiò sopra le mani. Rimasero così, in silenzio, ad ascoltare quella musica.

*

«Rosa, sai cos'ho trovato oggi pomeriggio?»

«La donna della tua vita?»

«Una bara senza il morto.» Bordelli era sdraiato pancia sotto sul divano di Rosa, con gli occhi chiusi. Lei stava seduta sul bordo e gli grattava la schiena con una mano infilata sotto la camicia. Si era tolta le scarpe. Portava sempre i tacchi alti, e appena poteva se ne liberava.

«Una bara senza il morto? E dove?»

«Al cimitero...»

«Quale cimitero?»

«Le Porte Sante.»

«E perché non c'era il morto?»

«Si vede che non gli piaceva il posto e se n'è andato.»

«Io voglio una tomba tutta rosa, con la mia statua alta come me e una bella scritta sul marmo: *Qui riposa la signora Rosa Stracuzzi... amata da molti più uomini di quanto lei volesse...* No, aspetta. *Qui riposa Rosa Stracuzzi*, senza *signora*. E poi: *donna che visse molto e soffrì ancora di più*. Che te ne pare?»

«Molto poetico.»

«Devo ricordarmi di scriverlo nel testamento.»

«Un po' più a destra» disse Bordelli, per guidare le unghie di Rosa...

Rosa era una donna magnifica. Bionda innaturale, sempre truccata, due grandi occhi ricolmi di ricordi. Aveva poco più di quarant'anni, e per almeno venticinque aveva lavorato nelle case chiuse. Aveva smesso da un paio di mesi. Il 20 febbraio la Legge Merlin aveva abolito le «case di prostituzione» su tutto il territorio dello Stato, fissando una scadenza di sei mesi per la piena attuazione delle nuove regole. Rosa non aveva nessuna voglia di assistere all'agonia di quel mondo, e nemmeno di contare le lacrime di zia Valeria, la *madame* che teneva il villino del Lungarno del Tempio. Si era licenziata il giorno stesso, e aveva deciso che non avrebbe mai più fatto una sola marchetta in vita sua. O il casino o nulla. Durante gli anni di duro lavoro era riuscita e mettere da parte un bel po' di soldi, e si era comprata un piccolo appartamento all'ultimo piano in via de' Neri, con vista sulla Torre d'Arnolfo. Diceva che la Merlin le aveva offerto la scusa per ritirarsi, e quasi sentiva di doverla ringraziare. Quel tipo di vita era difficile da interrompere, si doveva saper cogliere l'occasione. Ma la verità era che si sentiva stanca. Non ne poteva più di tutti quegli uomini che le sospiravano addosso, per poi parlare con malinconia rispettosa di mogli devote ma freddine. Voleva essere libera e godersi la vita, diceva. In realtà non faceva nulla di speciale, ma lo faceva con piacere. Bordelli non poteva fare a meno di lei. Andava a trovarla spesso, la sera tardi, e lei era sempre dolce come una mamma.

«E tu come la vuoi, la tomba?»

«Un po' più su... più a sinistra... Sì, proprio lì... forte... più forte...» disse Bordelli, con la bocca schiacciata contro il cuscino.

«Più forte di così ti faccio uscire il sangue.»

«Ahia... piano...»

«Allora? Come la vuoi la tomba?»

«Una lastra di marmo e una croce.»

«Con scritto cosa?»

«Non ci ho pensato.»

«Pensaci ora» disse lei, curiosa. Bordelli ci pensò qualche secondo.

«*Qui giace Franco Bordelli, il quale vorrebbe essere ancora vivo.*»

«Scemo...» fece Rosa, ridacchiando.

«La cosa più strana è che ci sono anche due tombe con lo stesso nome...» disse lui, pensando a voce alta.

«Ah, sì?»

«... e una è proprio quella senza il morto.»

«Mmm... due tombe con lo stesso nome e una bara vuota.»

«Già...»

«Una volta ho letto un romanzo dove in un vecchio cimitero avevano seppellito una cassa da morto piena d'oro e di gioielli... era divertente...» disse Rosa. Il commissario aprì gli occhi, e dopo un secondo alzò la testa.

«Potrebbe essere» mormorò.

«Che hai detto?»

«Nulla...»

«Come va con Irene?»

«Non saprei» disse Bordelli, ributtando giù la testa.

«È una donna sbagliata per uno come te.»

«Che ne sai? Non l'hai mai vista.»

«Lo so... me lo sento...»

«A darti retta nessuna donna è giusta per uno come me.»

«Potrebbe essere...»

«Forse hai ragione... Più giù... un po' più a destra...»

«Ti va un bicchierino di cognac?»

«Mi hai tolto le parole di bocca.»

Mercoledì a mezzogiorno Diotivede non aveva ancora chiamato, e nemmeno il colonnello Arcieri. Bordelli era sempre più impaziente. Aveva passato metà della mattina a leggere i verbali delle dichiarazioni su Antonio Samsa, battuti a macchina e pieni di cancellature. Nulla d'interessante. Qualcuno aveva sentito dire che Samsa prestava i soldi a usura, altri dicevano che a quanto sembrava era un sant'uomo. C'era chi lo credeva un buon padre di famiglia e chi aveva sentito mormorare che avesse un'amante, o forse anche due. Chi affermava che fosse un uomo molto socievole e chi invece ne parlava come l'individuo più scontroso che avesse mai incontrato. Erano quasi tutte notizie di seconda o terza mano, non vere opinioni. «Il tale mi ha detto...», «Ho sentito dire che...», «Una volta pare che...». Non era saltato fuori nessun particolare che potesse aiutarlo a fare anche un solo passo avanti. Non rimaneva che aspettare i risultati di Diotivede e la telefonata del colonnello Arcieri. E se anche quelle cose non fossero servite a nulla... l'onorevole Maggini?

Si mise a leggere e a firmare documenti, a correggere rapporti, pensando che la vita del poliziotto era fatta più di carte che di pistole e inseguimenti. I film non raccontavano come stavano veramente le cose. Nel suo ufficio stagnava il fumo di molte sigarette, e alla fine si alzò per aprire la finestra. Forse Rosa aveva ragione. Una tomba poteva essere un ottimo nascondiglio...

La sua pazienza era finita. Appena si rimise a sedere alzò il telefono e chiamò Diotivede.

«Come va con la cassa da morto?»

«Non mi ha dato nessuna soddisfazione» disse il medico.

«Ah, l'hai già fatta?»

«Ho finito da poco, e ti assicuro...»

«Scommetto che non hai trovato traccia di cadaveri» lo interruppe Bordelli.

«Se mi lasci parlare...»

«Scusa.»

«Dicevo, se in quella bara c'è stato un morto ci ha passato solo il fine settimana.»

«Sei sicuro?»

«Non chiedermi sempre se sono sicuro.»

«È un modo di dire.»

«Cerca un modo per non dirlo più.»

«E come farei a divertirmi?»

«Senti Bordelli, se hai finito i bulloni del Meccano non è che devi dare noia agli altri bambini.»

«Non t'incazzare... dimmi della bara.»

«Come sei morboso.»

«A parte il morto che non c'è, hai scoperto qualcosa d'interessante?»

«Molto interessante.»

«E cosa?»

«Che è una bara di mogano» disse Diotivede, impaziente di chiudere.

«Questa notizia mi sconvolge» fece il commissario.

«Cosa ne faccio di questo cassettone vuoto?»

«Non disperare, da un giorno all'altro può capitare un bel cadavere da metterci dentro.»

«Sempre le stesse battute, come al servizio militare...» fece il medico con un sospiro, e riattaccò.

Bordelli uscì dall'ufficio per andare a mangiare un boccone. Non riusciva a smettere di pensare a quella bara senza il morto. Il cadavere non era stato trafugato, semplicemente non c'era mai stato. Dunque poteva trattarsi davvero di un nascondiglio. Nel corridoio incrociò alcuni agenti che scattarono sull'attenti, ma lui non li vide nemmeno. Almeno per un po' doveva smettere di pensare a quella faccenda delle tombe. Voleva far riposare la testa e rifletterci con calma il giorno dopo. O magari anche quella sera stessa, a casa, prima di dormire. Attraversò viale Lavagnini, pensando che al cimitero delle Porte Sante si era liberato un posto... magari poteva prenotarlo lui.

Entrò nella trattoria *Da Cesare*, salutò con un cenno il proprietario e i camerieri, poi s'infilò come sempre nella cucina, dove da anni mangiava seduto sopra uno sgabello facendo due chiacchiere con Totò, il cuoco pugliese.

Alle due e mezzo era già seduto nel suo ufficio con una sigaretta spenta in bocca e i fiammiferi in mano. Si era incantato a fissare un portapenne di terracotta appoggiato nell'angolo della scrivania. Mentre era a pranzo lo aveva cercato il colonnello Arcieri, e aveva lasciato detto che avrebbe richiamato lui *alle quattordici e quarantacinque*.

Bordelli continuava a fissare il portapenne, senza più vederlo. Come al solito stava cercando di mettere insieme tutti i pezzi di quella storia, ma continuava a incepparsi. Due tombe con lo stesso nome, un ebreo deportato, una bara vuota in cui non c'era mai stato il morto. Andava dietro a un'ipotesi, poi a un'altra, finché non si perdeva nella nebbia. C'erano dei punti fermi, ma senza altri elementi chiudere il cerchio non era facile. Di sicuro in quella bara era stato nascosto qualcosa di prezioso, che qualcuno aveva poi trafugato. Ma cos'era? Denaro, oro, documenti? Era una faccenda di spie? In questo caso il colonnello Arcieri lo avrebbe scoperto. Ma quando era stata profanata la tomba? Durante la guerra o dopo? Il *tesoro* nascosto era di Antonio Samsa? Beh, se si trattava di oro era possibile. Samsa era un gioielliere e magari aveva accumulato oro prima della guerra, prevedendo il peggio. Era per cercare quella bara che aveva passeggiato per una mattina intera fra le tombe del cimitero di San Felice a Ema? Ma perché allora non era andato alle Porte Sante? Perché quella tomba portava il suo nome? Che senso aveva? Se era stato lui a organizzare quel nascondiglio, come mai non sapeva più dov'era? E se non lo sapeva, come faceva a essere roba sua quella nascosta alle Porte Sante? Forse stava cercando il tesoro di qualcun altro? E da chi aveva avuto la notizia? Dove? Nel campo di Auschwitz? E il suo arresto nel '43? Un tradimento o un caso? E se c'era un traditore, chi era? Perché Samsa stava camminando di notte, in quel sentiero sopra le Cascine del Riccio? E perché insieme a Enzo Maggini? Dove stavano andando? Chi dovevano incontrare? C'era di mezzo la Resistenza? Era una fuga? O era solo una questione di soldi? E come mai Samsa si era suicidato? Beh, a quest'ultima domanda non era davvero possibile dare una risposta. Accese la sigaretta, soffiò il fumo in alto seguendolo con lo sguardo, e in quel momento suonò il telefono.

«Sì?»

«Una telefonata per lei, dottore...»

«Arcieri?» disse Bordelli, staccando la schiena dalla spalliera.

«No dottore, è la signorina Gallo» disse Mugnai. Era Irene.

«Passamela» sospirò Bordelli.

«Subito, dottore.»

«Senti... se chiama Arcieri e trovi occupato, trattienilo. Faccio in un minuto.»

«Senz'altro, dottore. Le passo la signorina.»

Si sentirono diversi *clack*, poi un respiro e un sottofondo di voci lontane.

«Pronto?» disse Bordelli.

«Amore, sono io. Cosa stavi facendo?»
«Pensavo...»
«A un'altra donna?» fece Irene, maliziosa.
«Esistono altre donne al mondo?» disse Bordelli, per nulla convinto di quelle parole.
«Pensavi a me?» chiese Irene, facendo le fusa.
«Anche...»
«Dai, dimmi qualcosa» disse lei in un sussurro, come se non volesse farsi sentire da qualcuno.
«Qualcosa come?» fece Bordelli, guardando l'orologio.
«Non so, qualcosa di carino.»
«Di carino?» Erano le quattordici e quarantaquattro.
«Dai...» insisté lei, impaziente.
«Scusa Irene, sto aspettando una telefonata importante...»
«Uffa.»
«... se mi lasci un numero ti richiamo fra poco.»
«No, stiamo uscendo.»
«Richiama tu quando vuoi.»
«Stai cercando un assassino?»
«Nessun assassino.»
«Ti manco almeno un po'?»
«Irene, scusa ma devo proprio riattaccare.»
«Dimmi solo se ti manco, musone...»
«Moltissimo, ma ora devo lasciarti» disse Bordelli, deciso.
«Va bene, ho capito, non ti chiamo più... Uffa!» e sbatté giù il ricevitore. Non era la prima volta, anzi succedeva spesso. Bordelli si passò le mani sulla faccia, rendendosi conto che con Irene i momenti sereni erano piuttosto rari... e forse... a rifletterci bene...
Squillò di nuovo il telefono.
«Dottore, il colonnel...»
«Passamelo.»

*

Dopo cena andò a fare un giro in macchina. Guidare senza una meta precisa lo rilassava, e lo aiutava a pensare. C'era stato il sole tutto il giorno, e fuori si stava ancora bene. Prese la via Senese e dopo la Certosa del Galluzzo proseguì verso i Falciani. Era deluso. Il colonnello Arcieri non aveva trovato nulla di interessante su Antonio Samsa. Figlio di un ricco gioielliere di Genova, per molti anni aveva strizzato l'occhio al fascismo, senza sbilanciarsi troppo, e nel '38 se ne era ovviamente allontanato per via delle leggi razziali. Il resto erano notizie che lui conosceva già, o cose inutili per la sua indagine.

Soffiava il fumo fuori dal finestrino e continuava a riflettere. Doveva rassegnarsi. L'ultima possibilità che aveva era una chiacchierata con l'onorevole Enzo Maggini. Forse lui poteva aggiungere qualcosa a quella storia. Non che ci sperasse davvero, ma non aveva altra scelta. Quando arrivò a Ferrone voltò a sinistra e prese la salita per Strada in Chianti, poi scese dalla Chiantigiana e tornò verso Firenze. La guerra era finita da tredici anni, ma per colpa di quella faccenda era costretto a rimestare ancora nelle storie torbide di quel periodo.

Arrivò a casa verso mezzanotte. Si versò una grappa, poi si tolse le scarpe e si sdraiò sul divano davanti al televisore spento. A quell'ora i programmi erano finiti da un pezzo. Aveva lasciato accesa solo la lampada accanto al divano, appoggiata sopra un tavolino tondo. Il resto della stanza era in penombra. Si mise a guardare la vecchia credenza della casa dei suoi genitori. Per un po' si perse a seguire le decorazioni artigianali che aveva visto fin da bambino, pensando che spesso gli oggetti hanno una vita più lunga dei loro proprietari, e si caricano di ricordi. Certe cose avevano la capacità di fargli rivivere immagini precise. Magari semplici fotogrammi, che però si portavano dietro un mondo intero, come gli odori.

Aveva dimenticato il posacenere e per non alzarsi scuoteva la sigaretta sul tappeto, tanto domenica avrebbe passato l'aspirapolvere. Accese una sigaretta e prese dal tavolino il romanzo che stava rileggendo. *I cosacchi* di Tolstoj. Era la quarta volta che lo leggeva. Gli piaceva affondare in quella storia, gli sembrava di vivere davvero in quei posti che non avrebbe mai visto. Anche Irene adorava leggere, ma solo fotoromanzi, torbide storielle d'amore e di passione che viveva sulla propria pelle. Era molto bella, Irene. Aveva nello sguardo una luce pungente che attirava gli uomini, come certe attrici. Con lei non sarebbe durata a lungo, se lo sentiva. Lasciò perdere Irene e continuò a leggere. Dopo qualche pagina sentì che gli si chiudevano gli occhi, ma continuò ad andare avanti...

Si svegliò di soprassalto per colpa del telefono che suonava, e alzò la testa con un grugnito. Nell'aria stagnavano lunghe strisce di fumo, e il libro era caduto giù dal divano. Guardò l'ora, erano quasi le otto. Il telefono continuava a suonare. S'infilò le scarpe, e senza allacciarle andò in camera da letto a rispondere.

«Pronto?»

«Parlo con il colonnello Bordelli?» Era una voce femminile piuttosto decisa. Doveva essere una donna sui quarant'anni.

«Sono io, con chi parlo?» disse il commissario, lasciandosi andare sul letto.

«Come mai si interessa tanto alla vita di Antonio Samsa?» chiese la donna, ignorando la domanda.

«Non ho capito bene il suo nome...» fece Bordelli.

«Non ha importanza.»

«Ha qualcosa da nascondere?»

«La prego di rispondermi, colonnello... cosa sta cercando nella vita di Antonio Samsa?» disse la donna, con un'incrinatura drammatica nella voce.

«Non posso dirle niente, signora.»

«Signorina...»

«Mi scusi.»

«Lasciatelo riposare in pace» disse la donna con una certa commozione. Bordelli pensò che si stava infilando in una telefonata rischiosa. Non se la sentiva di fare lo psicologo, soprattutto alle otto di mattina dopo aver dormito vestito sopra il divano.

«Non ho nessuna intenzione di disturbare il riposo del dottor Samsa» disse, per tranquillizzare la donna. Non vedeva l'ora di riattaccare.

«Cos'è che sta cercando? Cosa vuole sapere?» chiese la donna.

«Non c'è nulla di grave, le assicuro. Sto solo cercando di risolvere un piccolo mistero.»

«Quale mistero?»

«Non posso dirle niente, signorina.»

«Non deve star dietro alle chiacchiere.»

«Quali chiacchiere?»

«Antonio era un uomo meraviglioso» disse la donna, con la voce sgranata. Nel tono di quelle parole Bordelli percepì un amore immenso, e la sua voglia di interrompere la conversazione svanì di colpo. Pensò che forse quella *signorina* poteva sapere qualcosa d'importante. Istintivamente si alzò in piedi.

«Lei conosceva bene il dottor Samsa?» disse.

Silenzio.

«È ancora lì, signorina?»

«Sì...»

«Conosceva molto bene il dottor Samsa?» ripeté Bordelli.

«Sì.»

«Eravate... amanti?»

«Perché me lo chiede?»

Erano amanti, pensò Bordelli.

«Forse lei può aiutarmi a svelare quel piccolo mistero.»

«Quale mistero?»

La telefonata con la *signorina* anonima finì verso le nove e mezzo. Il commissario si sentiva spossato, ma anche soddisfatto. Dopo quella conversazione era convinto di essere vicino alla soluzione del mistero. Era stato di nuovo il caso a lavorare per lui. Non sapeva nemmeno come aveva fatto a rassicurare la donna, ma alla fine lei si era messa a parlare di Antonio Samsa ed era andata avanti per un bel pezzo. Sembrava che avesse aspettato tutta la vita quell'occasione. In mezzo a tante chiacchiere aveva detto che il *suo* Antonio...

Era il 28 ottobre del '43. Le commemorazioni per l'anniversario della marcia su Roma non erano sfarzose come l'anno precedente, ma non avevano perso nulla del loro carattere. Da qualche settimana Firenze aveva cominciato a riempirsi di tedeschi. Antonio e la signorina avevano appena finito di fare l'amore. Lo avevano fatto moltissime volte, in quei mesi. La morte che aleggiava nell'aria, il senso di precarietà, eccitavano i nervi:.. fare l'amore era un rito divino, la possibilità di vivere per qualche minuto fuori dal mondo, da «quel» mondo. Erano abbracciati stretti, con il respiro ancora affannato. Lui aveva quarantasei anni, lei ventidue. La campagna intorno era silenziosa, gli strombazzamenti per quella infausta ricorrenza erano lontani. Fra quei lenzuoli sudati Antonio si mise a sussurrare frasi smozzicate, come se avesse la febbre. In mezzo a dichiarazioni d'amore parlò di un nascondiglio sicuro, dove aveva nascosto tutto quello che possedeva di prezioso, oro e vecchi ricordi di famiglia a cui teneva più che a se stesso... parlò di una certa faccenda che doveva assolutamente fare per completare l'opera... anche se per riuscirci aveva bisogno dell'aiuto di una persona fidata... ma l'aveva trovata, grazie a Dio... era il figlio di un suo caro amico, lavorava in Comune... una persona sicura, un caro ragazzo... avrebbe pensato lui a sistemare le cose, si erano già messi d'accordo... lo avrebbe visto anche quella notte, per parlare degli ultimi dettagli... sarebbe andato tutto bene... al ragazzo non aveva detto tutta la verità... gli aveva parlato soltanto del valore affettivo di quei ricordi di famiglia che voleva salvare dalla guerra, ma per non correre rischi non aveva detto nulla dell'oro... i soldi fanno perde-

re la testa anche agli onesti... quel ragazzo era giovane, esposto alle tentazioni... ma senza il suo aiuto Antonio avrebbe perso tutto... quel caro ragazzo lo avrebbe anche accompagnato da un tipo che in qualche modo poteva farlo arrivare in Sicilia nascosto in un camion... ce l'avrebbe fatta, ne era sicuro... poi avrebbe preso una nave per il Libano e con un aereo sarebbe arrivato in Svizzera dalla sua famiglia, dalle sue figlie... le sue bambine che amava sopra ogni cosa...

«Quando?» disse lei.

«Fra una settimana.»

Ma un giorno la guerra sarebbe finita, e lui sarebbe tornato... non le prometteva nulla, non poteva, non se la sentiva... e nemmeno pretendeva promesse... quello che stavano vivendo era distorto dallo sfacelo e dalla solitudine... nessuno poteva sapere cosa sarebbe successo dopo...

«E io? Posso fare qualcosa per te?» disse lei.

«Dammi un bacio...» Fecero l'amore un'altra volta, con violenza, per dimenticare le urla dei nazisti e il mondo intero. Fu bello perché aveva a che fare con la fine di tutto, e vissero quell'orgasmo come se fosse il loro ultimo momento di vita. Lei dopo pianse, nascondendo il viso per non farsi vedere. Sapeva che era l'ultima volta che si vedevano, e voleva accettarlo. Bisognava essere forti. Sorridere. Non doveva pensare a quello che stava perdendo, ma a quello che aveva avuto. L'aveva letta in un libro, quella bella frase. Antonio doveva portarsi dietro la dolcezza di quei momenti, e lei avrebbe fatto lo stesso.

Dopo quel giorno non si erano più rivisti. Nel '46 lei venne a sapere che Antonio era stato nei campi di sterminio polacchi, era sopravvissuto e si era riunito alla sua famiglia, alle sue bambine che adorava sopra ogni cosa. Non lo aveva mai più disturbato.

La mattina del 26 ottobre del '54 lei aveva aperto il giornale ed era rimasta senza fiato di fronte alla fotogra-

fia di Antonio. Il «suo» Antonio si era suicidato sparandosi un colpo in testa. Lei non partecipò al funerale, per ovvi motivi, ma da quel giorno aveva preso l'abitudine di andare ogni sabato al cimitero di Caciolle per lasciare un sassolino sulla sua tomba.

Bordelli andò in cucina a farsi un caffè. Ora ne sapeva più di prima, finalmente. Con pazienza mise di nuovo insieme tutti i pezzi di quella storia. Le ipotesi si stavano trasformando in certezze. Il nascondiglio di cui parlava Samsa non poteva essere che una bara, ne era quasi sicuro. Una bara dove aveva infilato le sue ricchezze materiali e i ricordi più preziosi. Il suo piano doveva per forza prevedere che la cassa da morto fosse inumata in un cimitero, perché restasse al sicuro fino alla fine della guerra. L'amico fidato era Enzo Maggini, senza dubbio. Era proprio a lui che aveva chiesto di occuparsi delle pratiche del cimitero. Maggini lavorava in Comune, aveva accesso a documenti e timbri, e soprattutto non essendo ebreo poteva circolare liberamente.

Il commissario versò il caffè in una tazzina e lo bevve in piedi, di fronte alla porta finestra della cucina, guardando fuori. Anche quella mattina c'era il sole.

Il piano di Samsa era andato a monte. La bara non era stata inumata dove voleva lui, nel cimitero di San Felice a Ema, ma in quello delle Porte Sante. E questo poteva significare soltanto che era stato un altro a farlo. A quanto pareva Samsa non ne sapeva nulla. Era stato arrestato mentre Maggini lo stava accompagnando da qualcuno che avrebbe dovuto portarlo in Sicilia, e in quel momento la bara doveva essere ancora da qualche parte. Qualcuno lo aveva tradito, e di solito chi tradisce lo fa per guadagnarci qualcosa. E cosa, se non il tesoro nascosto nella bara? E chi sapeva di quella bara? Solo due persone, Antonio Samsa e il giovane figlio di un caro amico, cioè Maggini, l'onorevole Enzo Maggini. Era stato lui a tradirlo. Sapeva che in quella cassa da morto c'era un tesoro? O lo supponeva soltanto? Non era troppo difficile da immaginare, visto che Samsa era un gioielliere. Un ingenuo gioielliere, a quanto sembrava. Ma come mai non aveva aspettato che la bara fosse al sicuro, prima di andarsene? Era stato costretto dalla situazione? O era stato lo stesso Maggini a convincerlo, per poter attuare con calma il suo piano? Comunque sia Maggini lo aveva denunciato, e lui quasi certamente non ne sapeva nulla. L'unica spiegazione era che Enzo avesse chiesto ai suoi amici fascisti di recitare una commedia al momento della cattura, fingendo di arrestare tutti e due. Forse era per via della vergogna, per non vedere gli occhi dell'amico di suo padre che scoppiavano di delusione, o magari solo per paura che Samsa tornasse vivo. E infatti era andata proprio così. Samsa era tornato vivo. Aveva invitato Enzo a casa sua, gli aveva chiesto cosa ne era stato della cassa da morto con il tesoro... e l'onorevole aveva recitato la sua commedia. Samsa gli aveva davvero creduto? O aveva sospettato che mentisse? Immaginava che dopo la guerra Maggini aveva trovato il modo di recuperare il contenuto della cassa ed era diventato improvvisamente ricco? E anche se lo aveva immaginato, cosa avrebbe potuto fare? Di sicuro, quando Samsa si era suicidato l'onorevole doveva aver tirato un bel sospiro di sollievo. Solo loro due sapevano di quella bara. Ma come mai al finto morto Maggini aveva voluto dare proprio il nome di *Antonio Samsa*? Perché era convinto che se Samsa fosse tornato non avrebbe mai cercato la *sua* bara sotto una lapide con inciso il proprio nome? O solo per senso dell'umorismo?

A parte qualche zona ancora fumosa, la storia stava in piedi da sola. S'infilò sotto la doccia, pensando che il caso a volte era davvero strano, così strano che faceva venir voglia di credere al destino. A volte, per via di una coincidenza o di una semplice stupidaggine, potevano emergere dal passato vecchie storie che fino a quel momento sembravano seppellite per sempre. E chissà quante altre restavano sotto terra.

Si vestì in fretta. Arrivò in questura alle dieci passate, entrò nel suo ufficio e si lasciò andare sulla sedia, continuando a riflettere. Aveva proprio una gran voglia di fare due chiacchiere con l'onorevole Enzo Maggini. Doveva trovare il modo di scoprire se le sue ipotesi erano giuste o sbagliate. Ma come? Non aveva in mano nessuna prova. Quasi certamente Maggini era l'unico a sapere la verità, ma ovviamente avrebbe negato tutto. La parola di un commissario contro quella di un deputato democristiano. E se invece Enzo Maggini non c'entrava nulla? Se le cose erano andate in un altro modo? Forse quella storia era destinata a rimanere sepolta per sempre insieme a Samsa... o forse era vero quello che aveva pensato... Maggini aveva tradito Antonio Samsa e si era preso il suo tesoro... forse... forse... non ne poteva più di tutti quei *forse*...

Non aveva scelta... gli restava solo un faccia a faccia con l'onorevole. Doveva scoprire se era stato davvero lui a vendere l'amico di suo padre ai fascisti, ma non poteva certo chiederglielo: onorevole Maggini, sia sincero, è stato lei a tradire Antonio Samsa e a rubare il suo oro? Ridicolo. Doveva trovare un modo indiretto, un cavallo di Troia. Accese una sigaretta e cercò di farsi venire un'idea. Soffiava il fumo verso l'alto, osservando le ragnatele annerite che ondeggiavano leggere, appese agli angoli del soffitto. Nel silenzio ascoltava i rumori della questura, voci, passi nel corridoio, macchine da scrivere. Era un sottofondo familiare che lo aiutava a pensare. A un tratto gli venne in mente come poteva fare, e sorridendo s'infilò la giacca.

Per prima cosa fece una ricerca sommaria su Enzo Maggini, andando di persona in Comune e negli uffici polverosi del Catasto Urbano. Scoprì che l'onorevole abitava a Roma dal settembre del '53, poco dopo essere stato eletto deputato. Nel '49 aveva venduto il suo appartamento di via Masaccio e aveva comprato una villa in via Barbacane vecchia.

Verso l'una s'infilò in un bar pieno di gente, vicino alla stazione. Cercò sull'elenco di Firenze il numero di Maggini Enzo, e come si aspettava non lo trovò. Ma non era un problema. Telefonò a un tipo della TETI che conosceva, si fece dare il numero e lo scrisse sopra un foglietto. Provò subito a chiamare Maggini. Rispose una voce femminile con un forte accento del sud.

«Casa dell'onorevole Maggini, chi parla?» disse la donna, ripetendo la frasetta che le avevano insegnato. Bordelli mise la mano a imbuto sul microfono e alterò la voce.

«Vorrei parlare con l'onorevole» disse, quasi sussurrando.

«Chi parla?» chiese ancora la donna, agitata.

«Sono un amico, vorrei fargli una sorpresa. Lei è la signora Maggini?» fece il commissario, volutamente un po' aggressivo.

«Sono la governante...»

«Mi passi Enzo.»

«L'onorevole non c'è, sta a Roma.»

«Quando posso trovarlo?»

«Sabato in mattinata ce lo dovrebbe trovare, ma non si può mai sapere. Vuole parlare con la signora?» disse la donna, intimorita dal tono dello sconosciuto. Dopo qualche secondo di silenzio Bordelli riattaccò senza salutare. Non vedeva l'ora di arrivare a sabato. Preferiva aspettare con pazienza che l'onorevole fosse a Firenze, piuttosto che stuzzicarlo a Roma, nel suo ambiente.

La sera andò al cinema da solo. All'Aurora davano *Ascensore per il patibolo*, di un regista francese. Un bel film, pieno di tensione, e Jeanne Moreau era magnifica.

Mentre usciva dal cinema in mezzo a un fiume di gente sentì una donna che diceva: «Peccato che li hanno presi... si amavano», parlando dei due amanti assassini.

Montò sulla 600 e andò a casa. Riordinò un po' la camera, mettendo i vestiti sporchi in un grande sacco di tela. La mattina dopo lo avrebbe lasciato in via dell'Orto, alla lavanderia della signora Lina. Doveva anche ricordarsi di comprare il caffè. Si mise a letto e spense la luce. Nel buio gli passarono davanti agli occhi le facce di alcuni dei suoi compagni morti in guerra, e per un po' si perse in quei ricordi. Molti di loro erano saltati sopra una mina, e a volte ci era voluto un po' per ritrovare tutti i pezzi. Guglielmo era rimasto incastrato fra i rami di un albero, a quattro metri da terra, senza le gambe. A riprenderlo ci era andato lui. Lo aveva sganciato e l'aveva buttato giù. Si ricordava ancora il rumore che aveva fatto il cadavere quando aveva sbattuto sul terreno...

Riaccese la luce e prese il libro dal comodino. Dopo qualche pagina non riusciva più a tenere aperti gli occhi, e spense di nuovo la lampada. Un attimo prima di addormentarsi pensò a Irene, e gli sembrò quasi di sentirla sdraiata accanto a lui, nuda, con la pelle calda.

Sabato mattina verso mezzogiorno parcheggiò la 600 in piazza della Repubblica e andò a bere un caffè alle *Giubbe Rosse*. Il bar era affollato, e parlavano tutti a voce alta. Chiese la linea e fece il numero dell'onorevole Maggini, preparandosi a bluffare. Rispose la governante.

«Casa dell'onorevole Maggini, chi parla?»

«Sono l'amico dell'onorevole, mi riconosce?» disse il commissario, con la solita voce sussurrata.

«Sì...»

«Mi passi Enzo» tagliò corto Bordelli.

«Chiedo se può venire» disse la donna, e appoggiò il ricevitore. Passò quasi un minuto di silenzio assoluto, poi Bordelli sentì dei passi che si avvicinavano al telefono.

«Pronto?» disse una voce maschile, piuttosto acuta.

«Come stai, vecchio camerata?» sussurrò Bordelli.

«Chi parla?» fece Maggini, alterato.

«Enzo, davvero non mi riconosci?»

«Se è uno scherzo non è divertente»

«È così che si trattano gli amici?»

«Non ho tempo da perdere, arrivederci...»

«Ti manda i suoi saluti Antonio Samsa» sparò Bordelli, per trattenerlo. Maggini non riattaccò, ma non disse nulla. Bordelli lo sentiva respirare nel microfono, e continuò il suo bluff.

«Antonio ti ha spedito una cartolina dalla Polonia, ti è arrivata?» Lo disse con un tono molto amichevole, che in una situazione del genere sapeva di minaccia.

«Non so di cosa stia parlando» disse finalmente Maggini. Non aveva più tutta quella fretta di riagganciare.

«Non dire bugie, onorevole... sennò va a finire che ti cresce il naso» disse Bordelli, con un tono allegro.

«Ma insomma, chi parla?» fece l'onorevole, allarmato. In lontananza si sentì la voce della moglie.

«Enzo, chi è?»

«Zitta» disse lui, nervoso.

«Cosa non si fa per denaro, vero Enzo?» fece Bordelli. Cominciava a divertirsi sul serio.

«Un attimo solo, cambio telefono» disse Maggini, e riattaccò. Nell'attesa Bordelli si guardò in giro. Tutta quella gente nel bar non poteva immaginare che tipo di telefonata fosse quella. Seduta a un tavolino d'angolo c'era una bella donna che sorseggiava un tè, con un uomo davanti e un grande cane peloso disteso ai suoi piedi. Aveva un casco di capelli castani, pettinati con cura, e un cappellino rosso. Non guardava nessuno. Ogni sua mossa era misurata, per sorridere piegava appena le labbra... e il suo braccio nudo sembrava quello di una...

«Pronto? È ancora lì?» disse Maggini, cercando di sembrare tranquillo.

«Allora che mi dici, Enzo? Hai capito chi sono?»

«Me lo dica lei...» fece Maggini. Era il momento di calcare la mano.

«Non usi più il voi, camerata?»

«Ma che dice? Non sono mai stato fascista!»

«Mi risulta il contrario» disse Bordelli.

«Dove ha sentito dire tutte queste baggianate?» disse Maggini, con un riso forzato.

«Non le ho sentite dire.»

«E allora come si permette di insinuare...»

«Io c'ero» lo interruppe Bordelli. Avrebbe dato una mano per vedere la faccia di Maggini in quel momento, ma si dovette accontentare del suo respiro irregolare.

«Che significa?» disse Maggini, con un filo di voce.

«Parlo di quella notte del '43, in quell'oliveto sopra le Cascine del Riccio...»

«Cosa? Quale oliveto?»

«È solo merito tuo se abbiamo preso quell'ebreo.»

«Ma chi sei?»

«Hai reso un grande servizio alla Repubblica, camerata Maggini. Sarebbe bello farlo sapere a tutti, non credi?»

Un lungo silenzio.

«Sei... sei Bertelli?» disse l'onorevole, con la voce rauca. Bordelli sentì un brivido sulla nuca. Aveva fatto centro, a quanto sembrava.

«Prova ancora» disse, con aria giocosa.

«Rossi?»

«Ci sei vicino.»

«Fantechi...»

«Bravo Enzo» disse Bordelli.

«Ma non ti avevano ammazzato i partigiani?» fece l'onorevole, come se parlasse a se stesso.

«Ti piacerebbe...»

«Da dove chiami?»

«Sono più vicino di quanto credi, se questo può renderti felice.» Quella bassa ironia fece sospirare l'onorevole.

«Cosa vuoi?» sussurrò.

«Sto passando un periodo difficile, e ho pensato che il camerata Enzo mi avrebbe dato volentieri una mano.»

«Cosa vuoi?» ripeté Maggini. Più che una domanda sembrava una preghiera.

«Solo un piccolo favore» disse Bordelli. Sentire l'agitazione dell'onorevole lo divertiva.

«Quale favore?»

«Una cosa da nulla, credimi...»

«Cosa?»

«Dieci milioni in contanti.»

«Sei pazzo.»

«Forse. Ma secondo te cosa succederebbe se la verità venisse a galla?»

«Quale verità?» farfugliò l'onorevole.
«Non fare il finto tonto.»
«Sono cose vecchie... acqua passata...»
«Dillo a quelli che sono morti.»
«... tutti hanno un passato da dimenticare... quando si è giovani è normale fare degli errori» disse Maggini, continuando il suo discorso.
«Non mi riguarda. Se non mi porti dieci milioni in contanti la tua faccia finirà su tutti i giornali, e non per dire che sei diventato ministro... una bella campagna elettorale, non credi?»
«Cazzo... non puoi farmi questo...»
«Diventerai una palla al piede per il tuo amato partito, ti scaricheranno senza complimenti come una zecca...»
«Mi stai ricattando...»
«Vedi che piano piano ci arrivi?»
«Sei sempre stato un figlio di puttana» disse Maggini, con un filo di voce. Quella frase era quasi una confessione. Era arrivato il momento di fare sul serio. Bordelli cercò il tono giusto, ispirandosi a Bogart.
«Apri bene le orecchie, onorevole dei miei coglioni. Quando hai messo insieme i dieci milioni monta in macchina, da solo, e prendi la strada per Vincigliata...» Gli dette tutte le istruzioni. Doveva parcheggiare in una strada sterrata sopra Vincigliata, davanti a un casolare abbandonato con due grandi portici. Poi doveva scendere dalla macchina, imboccare a piedi un sentiero che s'infilava nel bosco, depositare la borsa in mezzo al sentiero e tornare subito indietro senza voltarsi. Mentre se ne andava con la macchina doveva suonare il clacson ogni dieci secondi, così Bordelli poteva controllare se si stava allontanando. Gli disse anche il giorno e l'ora.
«Mercoledì alle sette di mattina in punto. Niente scherzi da prete sennò per te sono guai. Non ho altro da dire.»
«Aspetta... Fantechi...»
«Ciao, camerata.» Bordelli riattaccò e non trattenne un sorriso. In quel momento si rese conto di non aver mai smes-

so di guardare la bella castana con il cappellino rosso. Forse era per via di quella donna che si era divertito a fare il duro. Si era immaginato di essere in un film americano.

Durante la notte era caduta una pioggia leggera. Gli alberi gocciolavano ancora, e le pietre del sentiero erano un po' scivolose. Qua e là si vedevano grosse ragnatele disegnate dalla rugiada. Bordelli si fermò un attimo per guardare l'orologio. Le sei e trentacinque. Tra pochi minuti avrebbe saputo se Maggini aveva ceduto al ricatto.

Continuò ad avanzare sul sentiero. Il sole filtrava tra i rami e faceva brillare i cespugli bagnati. Più in basso stagnava ancora un po' di nebbia. Era una zona che conosceva bene. Da quelle parti c'era la Torre del Diavolo, un torrino di pietra che si affacciava su un laghetto lugubre. Ci andava con gli amici da ragazzo, quando faceva forca a scuola.

Aveva lasciato la macchina in una stradina di campagna, lontana da quella che aveva indicato a Maggini, e si era infilato nel bosco. Si sedette sopra una roccia che spuntava dal terreno, e accese una sigaretta. Gli uccellini strillavano come impazziti.

Pensando al suo bluff con l'onorevole gli venne in mente di quando giocava a poker, subito dopo la guerra. Tutti i giovedì si ritrovavano in cinque a casa di un amico. Giocavano forte. Lui non si affidava quasi mai al bluff, ma quando gli capitava andava fino in fondo. Una notte, proprio all'ultima mano, con una doppia alle donne aveva vinto a Gino trentasei stipendi. Gino era terrorizzato. Pallido come uno straccio giurò che avrebbe saldato il debito. Bordelli disse che non li voleva, ma da quel giorno non aveva mai più giocato. Aveva fatto un favore a un amico, ma aveva offeso il poker. Se avesse continuato a giocare avrebbe perso di sicuro, ne era più che convinto...

Sentì il rumore di una macchina che si avvicinava, e spense la sigaretta infilandola nel muschio. Mancavano pochi minuti alle sette. Doveva essere Maggini. La macchina rallentò, poi si fermò e il motore si spense. Dopo aver sentito la portiera che sbatteva Bordelli si accovacciò dietro la roccia, e si mise a spiare. Vide Maggini avanzare lungo il sentiero, con una valigetta in mano. Aveva un cappello calato sulla testa e una sciarpa che gli copriva mezza faccia. Si fermò e appoggiò la valigetta in terra. Si guardò intorno per qualche secondo, poi si voltò e camminò svelto fino alla macchina. Accese il motore, fece inversione, e si allontanò suonando il clacson ogni dieci secondi. Bordelli si alzò in piedi e andò a prendere la valigetta. Tornò con calma alla 600. Prima di salire si guardò intorno, ma non vide nessuno. Entrò in macchina e chiuse la portiera con la sicura. Si appoggiò la valigetta sulle ginocchia, e finalmente fece scattare le serrature. Alzò il coperchio. Dieci mazzette da un milione, in banconote da diecimila. Sembrava impossibile che quel mucchietto di carta potesse valere dieci milioni. Non aveva mai visto tutti quei soldi dal vero. Ci si potevano comprare più di quindici 600. Richiuse la valigetta e partì. Quei soldi erano la confessione di Maggini. Era stato proprio lui a tradire Antonio Samsa, poi aveva dirottato la bara senza il morto al cimitero delle Porte Sante, e dopo la guerra in qualche modo aveva recuperato il contenuto. Quando c'era di mezzo l'oro, nessun ostacolo era grande abbastanza.

Tornando verso il centro voltò in via Barbacane per andare a vedere la villa dell'onorevole, ma si trovò davanti un alto muro di pietra con i cocci di bottiglia murati in cima, e un grande cancello schermato da una lamiera. Spiò dalle fessure, ma si vedevano solo gli alberi del parco.

Proseguì avanti e scese giù per via delle Forbici. In viale Volta passò davanti alla casa dove era nato, e come sempre sentì uno strizzone allo stomaco. Si ricordò di quando giocava da solo in quel giardino, con le ginocchia sempre spellate. A quei tempi non immaginava che quarant'anni dopo passando in quella strada si sarebbe sciolto di nostalgia.

Arrivò in questura prima delle otto, e mentre saliva le scale incrociò il vicecommissario Gunanni che scendeva, con i pollici infilati nelle bretelle.

«Ciao, Bordelli... che minchia c'è in quella valigetta?» disse, senza smettere di scendere i gradini.

«Dieci milioni in contanti» disse Bordelli imboccando il corridoio, e sentì ridere Gunanni. Appena entrò in ufficio appoggiò la valigetta sopra la scrivania. L'aprì di nuovo. Prese le mazzette e le mise in una grande busta di carta, poi chiuse la busta con un elastico e la infilò in un cassetto.

Si mise a giocherellare con una matita. Era ormai convinto di aver trovato la soluzione di quella faccenda, ma ancora non era soddisfatto. Voleva sentire tutta la storia nei dettagli, direttamente dalla voce dell'onorevole Enzo Maggini. Era disposto a rischiare la carriera pur di ascoltare con le proprie orecchie quelle parole. Guardare in faccia l'onorevole mentre raccontava di come si era arricchito, e poi... poi non lo sapeva, si sarebbe affidato all'improvvisazione.

Aspettò le otto e mezzo, poi alzò il telefono e chiamò la casa di Maggini. Come sempre rispose la governante.

«Casa dell'onorevole Maggini, chi parla?»

«Commissario Bordelli. Vorrei parlare con l'onorevole, per favore.»

«Sento se può venire.»

«Grazie.»

Dopo un po' rispose l'onorevole.

«Pronto?»

«Buongiorno onorevole, sono il commissario Bordelli... spero di non averla svegliata.»

«Sono sveglio dalle sei, commissario. Mi dica.»

Lo so che sei sveglio dalle sei, figlio di puttana.

«Desidererei vederla, onorevole.»

«In merito a cosa, se è lecito?»

«Preferirei dirle tutto di persona, è una faccenda molto delicata.»

«Non può anticiparmi nulla?» insisté l'onorevole, un po' agitato. Quegli ultimi giorni erano stati una continua sorpresa per lui.

«Si tratta di una vecchia storia che sto cercando di chiarire» disse Bordelli, gentilissimo.

«Quale storia?»

«Le spiegherò tutto quando ci vediamo, onorevole.»

«Va bene... non so... può venire lei da me? Uscire mi costerebbe fatica.»

«Come vuole, mi dica solo quando» disse Bordelli, accomodante. La verità era che preferiva andare lui da Maggini, per vedere dove abitava.

«Venga... verso mezzogiorno. Non più tardi, nel primo pomeriggio parto per Roma» disse Maggini, con tono autoritario.

«Benissimo, grazie. I miei ossequi, onorevole.»

Una villa del Settecento, molto grande, circondata da un parco bellissimo. Tutto comprato con l'oro di Antonio Samsa, pensò Bordelli, camminando lungo il vialetto di ghiaia con una vecchia borsa di pelle in mano. Sulla porta della villa, in cima a una corta scalinata, lo aspettava la governante. Una donna un po' grassa, sui cinquant'anni, con un neo sul mento e lo sguardo sottomesso. Bordelli la seguì su per una scala monumentale, poi lungo un corridoio. Pochi mobili, ma molto costosi. Dipinti antichi e tappeti. Tutto comprato con l'oro di Antonio Samsa...

La governante si fermò davanti a una porta e bussò. Si affacciò dentro, poi con un cenno della mano fece capire a Bordelli che poteva entrare.

«Venga, commissario» disse Maggini, seduto dietro la sua scrivania. Era magro. Aveva i capelli grigi incollati alla testa con la brillantina, e le labbra sottili come fili d'erba. Bordelli si avvicinò, e prima di sedersi strinse la mano all'onorevole. Gli sembrò di toccare un pesce morto, e si ricordò di suo padre che diceva sempre: «Da una stretta di mano si capiscono molte cose».

«Lieto di conoscerla, onorevole.»

«Si accomodi, commissario.»

«Grazie.» Bordelli si sedette e appoggiò la borsa sul pavimento, in mezzo ai suoi piedi.

«L'ascolto» fece Maggini.

«Vengo subito al dunque. Il nome Antonio Samsa le dice qualcosa?» disse il commissario, fissandolo con attenzione. Maggini dilatò appena gli occhi e sussultò, ma si riprese subito.

«Certo... lo conoscevo bene, era un caro amico di mio padre. È morto qualche anno fa... perché me lo chiede?»

«Sarei curioso di sapere i dettagli di una vecchia faccenda...»

«Quale faccenda?» disse l'onorevole, con un mezzo sorriso. Bordelli si chinò per aprire la borsa, tirò fuori la busta di carta con i dieci milioni e l'appoggiò sulla scrivania. Maggini lo guardò, senza capire, poi allungò una mano e alzò appena un lembo della busta per guardare cosa conteneva. Subito cambiò faccia e ritirò la mano.

«Che significa?» disse.

«Fantechi le ha riportato i suoi dieci milioni.»

«Non capisco...»

«Senta, onorevole. Non ho fatto una gran carriera, ma per sputtanare gente come lei sono pronto a giocarmela.»

«Come si permette?» disse Maggini, facendo anche il gesto di alzarsi. Ma quelle parole gli erano uscite di bocca più per istinto che per vera indignazione. Aveva la faccia sudata. Era disorientato, e roteando gli occhi cercava un appiglio. Non disse più nulla, aspettando la mossa successiva... per capire meglio cosa stesse accadendo. Il commissario rimase in silenzio a fissare quella faccia lucida, quegli occhi tondi e smorti che sembravano immersi nell'acqua. Sentì una gran voglia di alzarsi, lentamente, di girare dietro la scrivania... afferrare con una mano l'onorevole per la cravatta e con l'altra mollargli due schiaffi secchi, uno di qua uno di là, come si fa con i vigliacchi. Ma non voleva toccare quella pelle unta.

«Mi racconti tutto» disse, e con una certa sorpresa sentì che il suo tono era stato gentile.

«Tutto cosa?» disse l'onorevole, in un sussurro.

«Tutto. Anche di quel pomeriggio del '47, quando è andato a trovare Antonio Samsa... e anche cosa c'era di preciso in quella bara.»

«Quale bara?» fece Maggini, come se cadesse dalle nuvole. Il commissario fece un lungo sospiro, e gli scappò un sorriso che non aveva nulla di allegro.

«Non le conviene fare il finto tonto, onorevole. So già tutto.»

«Ci dev'essere un equivoco...» fece Maggini, alzando il mento. Ogni tanto sbirciava la busta di carta con i dieci milioni, accigliato. Per un istante Bordelli fu preso dal dubbio di aver sbagliato le sue ipotesi. Appunto, erano solo ipotesi, congetture costruite su pochi frammenti sparsi. Forse l'onorevole aveva solo un passato fascista da nascondere, ma con l'arresto di Samsa non c'entrava nulla. Ripensò in pochi secondi a tutto quello che sapeva, rimise insieme i pezzi, ma non ritrovò la sicurezza che lo aveva guidato in quella casa. Doveva bluffare di nuovo, non aveva altra scelta. Doveva farlo fino in fondo, come quando giocava a poker.

«Lei non è mai stato arrestato dai fascisti, come invece ha raccontato ai Samsa... ho controllato» mentì. L'onorevole non disse nulla. Gli tremava leggermente una guancia. Bordelli capì di aver colto nel segno, e continuò.

«Ha denunciato Antonio Samsa ai fascisti e gli ha rubato tutto... Devo continuare?»

«Rubato?»

«Ha capito bene, ma se vuole glielo spiego meglio... Antonio Samsa aveva nascosto un bel po' di oro in una cassa da morto, pensando di farsi aiutare da lei per seppellirla, ma lei lo ha fatto arrestare per...»

«Ma che dice? Quale oro?»

«Lei deve saperlo meglio di me.»

«Ma no...»

«Oltre al dottor Samsa, solo lei sapeva di quella bara» disse Bordelli sicuro di sé. L'onorevole scosse il capo.

«Non è come pensa, commissario» disse con aria convinta, come se finalmente avesse trovato la frase che cercava. Ma Bordelli pensò che voleva solo guadagnare tempo.

«È per questo che sono venuto da lei, onorevole, per sentire come sono andate veramente le cose.»

«Deve credermi, non è come pensa...» ripeté Maggini.

«Cominci a raccontare dall'inizio, onorevole. Senza cazzate...»

«Le racconterò tutto, ma lei deve credermi» disse Maggini, asciugandosi la fronte con un fazzoletto ben stirato. Se non avesse avuto il culo sporco non sarebbe stato così mite, pensò il commissario. Il bluff era andato a segno. Con una coppia di assi stava vincendo il piatto.

«Sono tutto orecchi, onorevole, ma l'avverto che se continua a prendermi per il culo mi arrabbio. So molte cose di questa faccenda, e alla prima bugia faccio il grillo parlante... non so se mi spiego.»

«Certo...» sussurrò Maggini, un po' stordito dal tono del commissario. Si vedeva bene che non era abituato a essere trattato così, di solito era lui a dare ordini.

«Cominci dall'inizio, da quando Samsa le parlò della bara e del suo piano per fuggire in Libano» disse il commissario, tirando fuori le sigarette. Se ne mise una in bocca e accese, senza chiedere se disturbava. Maggini ignorò il gesto, forse non se ne accorse nemmeno. Aveva lo sguardo smarrito.

«La faccenda della bara è vera... ma non è... sì, insomma...»

«Non tralasci i particolari, per favore» aggiunse Bordelli senza nessuna cortesia, e soffiò il fumo verso il soffitto con aria rilassata. Maggini appoggiò i gomiti sulla scrivania, e si schiarì la voce.

«Sì... è vero... una mattina il dottor Samsa mi telefonò in ufficio... sarà stata l'ultima settimana di ottobre... parlo ovviamente del '43... e mi chiese di andare da lui quella notte stessa, dopo mezzanotte... doveva dirmi una cosa molto importante. Mi spiegò come arrivare da lui... si era nascosto in una casa di campagna, dalle parti di Santa Margherita a Montici... non lo vedevo da un pezzo, e non sapevo che fosse ancora in città... ero convinto che fosse già in Svizzera con la sua famiglia, sano e salvo... come ho già detto lo conoscevo bene, perché era un amico di mio padre... sapevo che non era uno stinco di santo... in giro si diceva perfino che prestasse i soldi a usura... ma decisi di aiutarlo senza pensarci due volte... in quel momento era solo un pover'uomo impaurito che cercava di salvare capra e cavoli...»

«Caro Enzo, grazie di essere venuto» bisbigliò Samsa chiudendo piano la porta. La casa era in penombra, e l'aria puzzava di sigarette. Si strinsero la mano.

«Vieni» disse Samsa. Enzo lo seguì ed entrarono nella cucina, illuminata soltanto da una lampadina giallognola. Un tavolo con sopra degli avanzi, tre sedie impagliate, una madia, una credenza a vetri con dentro qualche stoviglia. Gli scuri delle finestre erano chiusi con la sbarra.

«Siediti, Enzo.» Samsa aveva la barba lunga, e i capelli sporchi gli arrivavano sopra le orecchie.

Il camino era enorme, come alari aveva due blocchi di pietra, ma era senza legna. Peccato, pensò Enzo. Gli sarebbe piaciuto scaldarsi un po' davanti al fuoco. Era venuto in bicicletta, e aveva la faccia arrossata dal vento.

«Tua madre sta bene?»

«Bene, grazie. Io credevo che lei fosse sano e salvo in Svizzera» disse Enzo. Dava del lei a Samsa, e Samsa invece gli dava del tu, perché lo aveva visto nascere.

«Non potevo partire. Ora però... ascoltami, Enzo... ti sto per chiedere un grosso favore.»

«Se posso...»

«Tra qualche giorno cercherò di arrivare in Sicilia...»

«Non è una cosa facile.»

«Ce la posso fare, ho anche dei documenti falsi... ma di questo parleremo dopo. Enzo, tu sai quanto ero amico di tuo padre... un grand'uomo, tuo padre...»

«Sì» disse Enzo, con un brivido. In quella penombra gli occhi di Samsa sembravano due buchi vuoti, e nella sua voce vibrava una disperata voglia di vivere.

«So che posso fidarmi di te... ti ho visto bambino, per me sei come un figlio...»

«Certo...»

«... ho bisogno del tuo aiuto, Enzo.»

«Mi dica.»

«Vieni con me» disse Samsa. Uscirono dalla cucina, e in fondo a uno stretto corridoio imboccarono le scale. Al primo piano Samsa spinse una porta. Nella stanza c'era solo un letto matrimoniale di ferro battuto, e sopra il letto una bara chiusa.

«Chi è morto?» disse Enzo, bloccandosi sulle gambe.

«Non c'è nessun morto. Ho riempito questa cassa con tutti i miei ricordi più preziosi. Fotografie, lettere, oggetti di famiglia. Tutta la mia memoria è qua dentro... per me è più preziosa della mia stessa vita... Devo salvarla, e tu dovrai aiutarmi» disse Samsa, con le lacrime agli occhi. Poi appoggiò una mano sulla bara, e fece strusciare le dita sul legno. In quel momento Enzo pensò che là dentro non c'erano solo dei ricordi, ma anche oro, molto oro, e riuscì a malapena a inghiottire.

«Dove ha trovato la bara?» chiese, per mascherare l'agitazione.

«L'ho fatta arrivare da Pistoia qualche mese fa, mi è costata un occhio.»

«Vuole che l'aiuti a seppellirla qua intorno?»

«No, potrebbe vederci qualcuno.»

«Possiamo scavare di notte.»

«La notte è peggio... meglio in un cimitero, è la cosa più sicura... Ho già pensato a tutto...»

«Quando?»

«Il prima possibile... ma sarebbe meglio che ti occupassi della bara dopo che sarò fuggito, è più prudente... in questo periodo Firenze è piena di spie... la situazione peggiora ogni giorno... e dopo che saranno venuti i necrofori questa casa non sarà più sicura. Te la senti?» disse Samsa, fissandolo negli occhi. Enzo dovette aspettare

un attimo prima di rispondere, perché aveva la gola chiusa, e alla fine riuscì a fare un sorriso.

«Certo...»

«Che Dio ti benedica» disse l'ebreo, mettendogli le mani sulle spalle.

L'onorevole si fermò per asciugarsi la faccia dal sudore. Aveva gli occhi piccoli e arrossati. Le tende della finestra erano bianche di sole, e il fumo della sigaretta di Bordelli stagnava nell'aria in lunghe strisce evanescenti. Maggini respirava male, come se avesse fatto le scale in fretta.

«Credevo che volesse un aiuto per interrare la bara in un campo lì vicino, ma il suo piano era diverso... voleva farla seppellire in un cimitero, e chiedeva che a occuparsi dei documenti necessari per la sepoltura fossi io... a quei tempi lavoravo in Comune, ero vicedirettore dell'ufficio Anagrafe, mi era facile falsificare le carte. Per l'inumazione il dottor Samsa aveva pensato a un nome straniero... John Mallory, o Malley, non ricordo bene. Lui ovviamente non poteva muoversi in città, se lo fermavano i tedeschi non aveva scampo. Mi disse che molti suoi amici e parenti erano stati catturati e spediti in Germania... a quei tempi tutti pensavano che gli ebrei li mandassero in Germania, nei campi di lavoro. Anche io lo pensavo, e invece poi... tutto il mondo ha saputo di quel macello... che cosa terribile, inaudita... si stenta a crederci...» disse Maggini, con aria desolata.

«Vada avanti» lo incalzò Bordelli, vedendo che quelle chiacchiere servivano solo a prendere tempo. L'onorevole annuì e si affrettò a continuare. A Roma nessuno doveva averlo mai visto così arrendevole.

«Le dicevo, appunto... il dottor Samsa voleva che la bara venisse regolarmente seppellita in un cimitero, aveva anche scelto quale...»

«San Felice a Ema» lo anticipò il commissario.

«Come lo sa?» disse l'onorevole, stupito.

«Vada avanti.»

«Oltre a nascondere la bara, il dottore voleva arrivare in

Sicilia. Aveva previsto tutto, mi disse. Da Palermo avrebbe preso una nave per il Libano, e a Beirut sarebbe salito sopra un aereo che lo avrebbe portato in Svizzera, dalla sua famiglia. Mi chiese di aiutarlo a organizzare la sua fuga. Un camion, un carro bestiame... gli andava bene qualunque cosa pur di andarsene da Firenze. Aveva un po' d'oro, e poteva pagare bene il favore. Gli dissi che avrei provato a parlarne con alcuni amici fidati, ovviamente senza rivelare il suo nome. E così feci.»

«I suoi amici fascisti?»

«No...»

«Onorevole, ho un caro amico alla 'Nazione' che per certe notizie venderebbe la mamma agli zingari. Non mi faccia arrabbiare.»

«Commissario deve credermi, non sono stato io a denunciare il dottor Samsa. Può anche darsi che mi sia lasciato sfuggire qualche parola di troppo, di fronte alla persona sbagliata, e questo peso me lo porto sulla coscienza... ma non ho tradito Samsa con la volontà di farlo. Era un caro amico di mio padre... non avrei mai potuto...»

«Fantechi, sono Maggini.»

«Chi è? Parla più forte, non sento nulla...»

«Sono Maggini!» disse Enzo incollando la bocca al telefono.

«Ciao caro, ma dove cazzo sei? Sento un gran casino.»

«Sono alla stazione.»

«Dimmi tutto.»

«Senti... ti chiamo perché... potrei avere un'informazione che riguarda un... un ebreo.»

«Ah, ce ne sono ancora di quei conigli?»

«Sta per scappare.»

«Dimmi dove si è nascosto e andiamo a fargli una visitina.»

«Non lo so...»

«Parla più forte...»

«Non so dove abita!» mentì Enzo. Si era preparato la risposta, perché si aspettava quella richiesta. Doveva evitare a tutti i costi che i fascisti trovassero la cassa da morto. Quell'oro era suo, solo suo.

«Allora come lo becchiamo?» disse Fantechi, molto interessato.

«Aspetta. Se te lo faccio prendere... poi...»

«Stai tranquillo Maggini, non dimentico mai gli amici.»

«Ho la tua parola?»

«Maggini, stai parlando con un fascista, non con un senza palle badogliano.»

«Certo...»

«Dimmi come faccio a prendere quell'ebreo.» Fantechi era sempre ansioso di fare favori ai nazisti, per mettersi in luce e avere privilegi. Ad esempio quello di andare alle feste delle SS, dove c'erano belle ragazze bionde che per togliersi le mutande ci mettevano meno che a sbattere gli occhi.

«Non ti preoccupare, Fantechi. Ti chiamo nei prossimi giorni e ti dico dove passa e a che ora.»

«Bene.»

«Senti... ci sarò anche io quella notte... e ti chiedo un favore...»

«Un altro?»

«Dovete far finta di arrestare anche me.»

«Perché tutte queste fisime?»

«Non voglio che lui sappia... è uno che conosco...» mentì di nuovo Enzo, pensando all'oro.

«Va bene, va bene... per farti contento ti daremo un po' di legnate» disse Fantechi amichevole.

«Ti chiamo presto.»

«Dormi tranquillo, Maggini, e goditi la vita.»

Enzo riattaccò. Era sudato. Quando si voltò si trovò davanti una donna e sussultò, immaginando che avesse ascoltato la telefonata... sentì una vampata di vergogna e si allontanò in fretta, stizzito. Prima di uscire dalla sta-

zione si girò a guardare. La donna lo stava ancora guardando, ma nei suoi occhi non c'era nessuna espressione. Enzo alzò il colletto del paltò e si avviò sul marciapiede con il cuore accelerato. Aveva per le mani una grande occasione, e un piccolo errore poteva mandare tutto all'aria. Samsa non doveva sapere che era stato lui a...

Non pensava che l'ebreo potesse tornare vivo da quel viaggio, non era questa la sua preoccupazione. Doveva solo tenere i fascisti lontani da quella casa e da quella bara. Se l'avessero scoperta, non gli avrebbero lasciato nemmeno una briciola dell'oro di Samsa, e magari lo avrebbero anche ammazzato. Non doveva rimanere traccia di quella faccenda, nessuno doveva sapere di quella cassa da morto piena d'oro... perché là dentro doveva esserci per forza dell'oro, molto oro... non poteva non esserci, ne era sicuro, sicurissimo... lo aveva letto negli occhi di Samsa, e nella sua mano tremante che aveva accarezzato la bara. Oro. Senza dubbio. Samsa era uno strozzino, non meritava nessun rispetto, doveva ripeterselo spesso. Stava rubando a un ladro. E comunque, nel caso quasi impossibile che quell'ebreo fosse sopravvissuto alla guerra, doveva continuare a credere che Enzo era stato arrestato insieme a lui, e che per la cassa da morto non aveva potuto fare nulla. Non doveva assolutamente sapere di quel tradimento. Che lo sapessero i fascisti non gliene fregava nulla. Quei manichini avrebbero avuto altro da fare che stare a rinvangare il passato, dopo aver perso la guerra. Perché era chiaro che sarebbero stati spazzati via dagli alleati. Nessuno poteva credere il contrario.

Una cassa piena d'oro. Ne era sicuro.

«Come mai lei non è stato arrestato?» lo interruppe Bordelli. L'onorevole lo fissò con uno sguardo confuso, come se cercasse di riunire mille pensieri in un unico gregge. Poi fece ondeggiare lentamente la testa, con aria drammatica.

«Non è vero, commissario. Sono stato picchiato e umiliato in ogni modo, ma alla fine mi hanno rilasciato... è stata solo fortuna... conoscevo bene un... sì, uno di loro, uno importante... non eravamo amici... prima della guerra giocavamo insieme a bridge, gli avevo fatto qualche piccolo favore, tutto qui... e quando lui ha saputo che ero stato arrestato mi ha fatto liberare... non so, magari gli stavo simpatico... fatto sta che sono stato in carcere solo pochi giorni, e i verbali dell'arresto sono stati distrutti... forse è per questo che non ha trovato nulla in proposito... nemmeno in Comune seppero nulla, e quando tornai a lavorare dissi che ero stato malato.»

«Ai signori Samsa ha raccontato un'altra versione.»

«Ah sì? Non ricordo...»

«Non si sforzi, glielo dico io. Ha detto di essere stato in galera per diverse settimane, e che dopo essere riuscito a evadere si è unito ai partigiani...»

«Può darsi che abbia un po' esagerato le cose... in effetti, di fronte alla tragedia del dottor Samsa mi vergognavo di essermela cavata con così poco, e per giunta per l'aiuto di un fascista. Non me la sono sentita di dire la verità» disse l'onorevole. Bordelli lo guardava con la bocca leggermente piegata dal disgusto, e il deputato si affrettò a continuare.

«Beh, lo ammetto... forse volevo anche farmi bello di fronte a loro... stimavano molto mio padre, e così... non so che mi è preso... volevo far credere che anch'io avevo contribuito alla liberazione di Firenze... quando ci penso me ne vergogno, mi creda.» La classica tattica dei politici, pensò Bordelli: dare in pasto una piccola colpa per nasconderne una più grande. Ma era come coprire una merda di mucca con un francobollo...

Bussarono alla porta, e Maggini saltò sulla sedia. Si affacciò una donna bruna sui trent'anni, con i capelli pettinati come Liz Taylor e un seno grandissimo strizzato in un vestito arancione.

«Tesoro, la pasta si raffredda» disse, sbirciando il commissario. Aveva gli occhi molto truccati e il viso polveroso di cipria.

«Ora non posso» fece Maggini, duro.

«Ne hai per molto?»

«Non lo so. Adesso per favore...»

«Poi non ti lamentare se gli spaghetti sono tutti appiccicati.»

«Ti prego, Clara... non è il momento.»

«È successo qualcosa? Hai una faccia...»

«Comincia pure, arrivo subito» disse l'onorevole, e guardò il commissario per capire se era d'accordo con le sue previsioni.

«Arrivederci» disse la donna a Bordelli, con un sorriso forzato. Poi richiuse la porta e se ne andò. Si sentì il rumore dei tacchi allontanarsi lungo il corridoio. Quando tornò il silenzio l'onorevole si guardò le mani, e continuò a parlare.

«Mi detti da fare per organizzare la fuga di Samsa, e dopo qualche giorno riuscii a incontrare un tipo che vendeva sigarette al mercato nero. Se lo pagavano bene, mi disse, avrebbe portato anche il diavolo in paradiso. Aveva molte conoscenze tra i fascisti, e poteva muoversi piuttosto liberamente. Andava spesso a Napoli con un Fiat 621 a caricare frutta e verdura, e sotto il pianale del camion aveva ricavato un doppio fondo per le sigarette. Era un nascondiglio abbastanza grande per contenere un uomo. Fissammo il giorno e l'ora. Ero convinto che sarebbe andato tutto bene, ma forse ero stato poco prudente, quella faccenda era venuta all'orecchio della persona sbagliata... e così ci hanno presi.»

«E la bara?» disse Bordelli. L'onorevole si passò le dita sul mento per togliere una goccia di sudore.

«Della bara non ho saputo più nulla» disse, e abbozzò un sorriso penoso.

«Non è mai tornato nella casa affittata da Samsa per recuperarla?»

«Certo, ci sono tornato subito dopo essere stato liberato... ma la bara non c'era più.»

«Cosa ne avrebbe fatto se l'avesse trovata?»

«Quello che Samsa mi aveva chiesto di fare. Speravo con tutto il cuore che riuscisse a salvarsi.»

«Comunque sapeva bene che quella cassa da morto era piena d'oro...»

«Quale oro? C'erano i ricordi di Samsa... me lo aveva detto lui... fotografie, vecchie lettere, oggetti di famiglia... tutte cose a cui teneva moltissimo...» disse Maggini, con aria ingenua. Bordelli lo guardava fisso negli occhi.

«Come si spiega che al cimitero delle Porte Sante c'è una falsa tomba di Antonio Samsa?»

«Davvero?» fece Maggini, con meraviglia esagerata.

«Davvero. E dentro c'era una bara vuota.»

«Ah, sì?» Maggini aveva gli occhi così falsi che il commissario sentì di nuovo la voglia di schiaffeggiarlo. Riuscì a resistere, ma dovette accendere un'altra sigaretta.

«E questi dieci milioni che mi ha portato cosa dovevano nascondere? Che lei ha cercato di salvare un ebreo e il suo tesoro senza riuscirci?» disse.

«Commissario, lei m'insegna che uccide più la lingua della spada. Nella mia posizione anche una semplice calunnia può causare gravi danni, soprattutto a pochi giorni dalle elezioni... e poi non nego che... come tutti, del resto... beh, qualche contatto con i fascisti l'ho avuto... nulla d'importante, non mi fraintenda... comunque erano altri tempi, e io ero giovane. *Errare humanum est*, come recita il famoso detto... l'importante è non perseverare» concluse Maggini, con uno sguardo intelligente.

«Se quello che dice è vero, come mai si è lasciato trattare così da un commissario di polizia?» lo provocò Bordelli.

«Vede, commissario... ehm... ho capito che lei... che lei agiva per una causa giusta, in cui credeva fermamente, e ho sentito di poterla giustificare. Il paese ha bisogno di persone tutte di un pezzo come lei.»

«Lasci stare la campagna elettorale, onorevole. Non ho mai votato per il suo partito e non lo farò nemmeno a maggio.»

«Guarda guarda...»

«E voi dove andate, a quest'ora di notte?»

«Sento puzza di ebrei...»

Dieci uomini, armati di manganelli. Erano sbucati dal nulla in mezzo agli olivi, puntando le torce elettriche negli occhi dei due uomini. Sagome senza volto che si muovevano nel buio. Senza tanti discorsi cominciarono a picchiare, ridendo e urlando complimenti. Frugarono nelle tasche dei fuggiaschi. Trovarono l'oro che Samsa doveva dare al camionista, e anche quello che serviva per il suo lungo viaggio. Il fagotto sparì nelle tasche di Fantechi, che era il capo. Non trovarono nient'altro. Le chiavi del cascinale di campagna erano al sicuro, sotto un sasso ai piedi di un olivo, a una trentina di metri dalla casa. Era stato lo stesso Samsa a nasconderle, per sicurezza. Non solo le chiavi, anche diverse monete d'oro. Dovevano servire a Enzo per appianare eventuali ostacoli durante l'operazione bara senza morto, e quelle che avanzavano poteva tenersele. Era molto prudente, il dottor Samsa. Ma non aveva previsto la cosa più semplice.

Trascinarono via i traditori. Quattro di loro spintonarono l'ebreo verso una macchina e aprirono la portiera. Prima di sparire dentro l'abitacolo Samsa si voltò all'indietro, e i suoi grandi occhi smarriti incrociarono per un attimo lo sguardo di Enzo. Dalla sua bocca usciva sangue. Poi i fascisti lo spinsero nella macchina e se ne andarono cantando. Fantechi era rimasto, e aveva ordinato ai suoi di aspettarlo nella Fiat. Offrì una sigaretta a Enzo, che tremava ancora per le botte.

«Allora camerata, ti sono piaciute le legnate?»

«Pagami e facciamola finita» disse Enzo, prendendo la sigaretta. Fantechi gliela accese, ma prima che Enzo potesse buttare fuori il fumo lo colpì in faccia con la mano aperta, e lo mandò bocconi sulle zolle.

«Ti basta o vuoi anche il saldo, spione?» disse con disprezzo, massaggiandosi la mano. Enzo trovò la sigaretta, tutta spiegazzata, e se la rimise in bocca. Non gliene importava nulla delle botte. Pensava all'oro di Samsa, e dentro di sé sorrideva.

«Stammi fuori dai coglioni, mezza sega» disse Fantechi, avviandosi alla sua macchina.

«È mortificante constatare che lei non è propenso a credere alla mia sincerità, commissario... ma le assicuro che ciò che ho detto corrisponde al mio vero pensiero. Chi è guidato da alti ideali è perdonabile anche nell'errore» disse Maggini, e se non ci fosse stata quella busta piena di soldi appoggiata sulla scrivania, forse avrebbe alzato un dito in aria. Bordelli fece ondeggiare la testa con aria delusa, e soffiò una boccata di fumo verso Maggini.

«Onorevole... con tutta la buona volontà, non credo a una sola parola di quello che ha detto.»

«Sono desolato, ma mi rendo perfettamente conto che la sua sete di giustizia...»

«La prego, onorevole. Sto esaurendo la mia pazienza.»

«Le ho detto tutto, commissario... non ho tradito Antonio Samsa e non so nulla di quella bara» disse Maggini, con un tono persuasivo.

Il trentuno dicembre del '45 Enzo entrò nel cimitero delle Porte Sante con una grande borsa in mano, una mezz'ora prima della chiusura. Si nascose in una cappella mortuaria e aspettò che arrivasse la notte. Nella borsa aveva tutto quello che serviva, una torcia elettrica, un mazzuolo, due scalpelli, una lunga fune del diametro di quasi due centimetri, un panino con la mortadella, una bottiglia d'acqua e una fiaschetta di grappa.

Due anni prima, dopo aver consegnato Antonio Samsa ai fascisti, si era occupato della bara. Era tornato a Santa Margherita a Montici, di notte, per recuperare le chiavi e le monete d'oro sotto il sasso ai piedi dell'olivo. Era entrato in casa per qualche minuto, per rilassarsi e fumare una sigaretta, ma non si era neanche seduto per un secondo. Quelle stanze vuote e fredde lo avevano messo di malumore. Si era nascosto le monete d'oro e le chiavi nelle mutande e se n'era andato in fretta, peda-

lando come un pazzo. La cassa non aveva nemmeno voluto aprirla, per non rischiare di sciuparla e di creare inutili sospetti. Voleva solo sbrigare in fretta quella faccenda, prima che le cose precipitassero. Oro, altro che ricordi di famiglia, ne era sicuro. Un gioielliere sapeva bene come fare ad accumulare oro e gioielli. Adesso non restava che trovare il modo di far seppellire la cassa in un cimitero, ma ce l'avrebbe fatta. Tutto sommato l'idea di quell'ebreo era buona, anzi ottima. Il camposanto era il posto più sicuro. Il nome inglese scelto da Samsa, John Mallory, non l'aveva preso nemmeno in considerazione. Temeva che dalla bocca di Samsa potesse uscire qualcosa su quella bara, e che qualcuno si mettesse a cercarla. O magari che per un miracolo l'ebreo potesse ritornare vivo. Doveva per forza usare un altro nome, e alla fine aveva deciso. Antonio Samsa. Gli era sembrata una buona idea. I nascondigli migliori sono sempre i più assurdi.

Il commissario si alzò in piedi e appoggiò le mani sul bordo della scrivania. Si stava per buttare nell'ultimo bluff. Era disposto a rischiare, perché sentiva di non essersi sbagliato. La storiella dell'onorevole con un po' di volontà poteva anche stare in piedi, ma lui *sapeva* che le cose erano andate diversamente. Se lo sentiva nello stomaco. Doveva smascherare quell'uomo, non poteva farne a meno.

Rannicchiato nella cappella del cimitero, Enzo continuava a ricordare...

Aveva scritto un falso certificato di morte, firmandosi dottor Giovanni Costa, medico condotto. Un nome inventato. Gli altri documenti li aveva confezionati all'Anagrafe del Comune, dove lavorava come vicedirettore già da qualche anno, ma per non lasciare tracce non aveva fatto nessuna registrazione. Alle pompe funebri aveva dichiarato che Antonio Samsa era morto a Genova, ma che nel testamento aveva lasciato scritto che voleva essere seppellito a Firenze. Al becchino aveva detto che il morto era un suo conoscente, un ebreo che non era riuscito a fuggire in tempo... purtroppo, *avrebbe voluto aggiungere, ma si era fermato, per non sbilanciarsi. Anzi aveva buttato lì con noncuranza che il povero Antonio Samsa era un ebreo convertito al cattolicesimo. Aveva studiato tutto nei particolari, si era preparato a rispondere a qualsiasi domanda. Nessuno doveva insospettirsi. Aveva ottenuto di far sistemare la bara in un colombario nella parte alta del cimitero, dentro un loculo a un metro da terra. Sarebbe stato più facile recuperare l'oro, dopo la guerra. Mostrando una moneta luccicante aveva chiesto allo scalpellino di fare più in fretta possibile una lapide con il nome, le date e una croce cattolica, e il giorno dopo la lapide era pronta. Insomma le cose erano andate lisce come l'olio. In quel periodo nessuno la faceva troppo lunga. I veri problemi erano altri, primo fra tutti mettere qualcosa sotto i denti.*

«Se non la smette di prendermi per il culo appena esco di qua scateno una caccia al criminale di guerra che le farà venire la diarrea. Le do dieci secondi, come nei film con i poliziotti cattivi. Uno... due... tre...»

Maggini aveva la bocca aperta, e il labbro inferiore gli pendeva come fosse stato tagliato.

«... quattro... cinque...»

L'onorevole era paralizzato.

«... sei...»

La sua testa cominciò a tremare.

«... sette... otto...»

Unì le mani.

«... nove...»

Maggini scoppiò a piangere... prima un singhiozzo, con gli occhi tondi, poi le sue spalle cominciarono a sussultare senza che dalla sua bocca uscisse alcun suono... alla fine serrò le palpebre, e mentre la sua faccia si accartocciava in modo mostruoso, grosse lacrime gli uscirono quasi a spruzzo dagli occhi. Si mise a singhiozzare come un bambino.

Chinò la testa e si coprì il viso con i pugni chiusi. Andò avanti per almeno un minuto, poi si calmò. Senza alzare la testa si soffiò il naso a lungo, scosso da piccoli conati. Tossì, poi alzò la testa e guardò il commissario.

A mezzanotte tutta la città era in festa. La guerra era finita da pochi mesi, e l'inizio del nuovo anno era carico di speranze. Nessuno pensava ai cimiteri, nemmeno i becchini. Enzo uscì dal suo nascondiglio e si avviò verso la tomba di Antonio Samsa. In lontananza si sentivano grida di gioia e qualche sparo. C'erano ancora molte armi in giro. Enzo imboccò la scalinata di destra e salì nella parte alta del cimitero. A sua madre aveva detto che andava a fare festa da amici. Tolse delicatamente la lapide di marmo del loculo, e l'appoggiò in terra. Poi si piegò sulle ginocchia e cominciò a demolire la parete di cemento che lo separava dall'oro. Dava grandi martellate e si fermava di continuo, perché gli sembrava di sentire dei rumori. Tendeva l'orecchio, si guardava in giro, poi ricominciava a picchiare. Erano solo i rumori della festa. Faceva un gran freddo, ma lui sudava come un porco e la sua pelle mandava vapore. Via via spazzava i calcinacci con lo scalpello e li faceva cadere per terra. Ogni tanto gli appariva in mente un'immagine: Antonio Samsa che si voltava, un attimo prima di sparire dentro la macchina dei fascisti, e lo guardava con gli occhi smarriti. Finalmente bucò la parete, e con il mazzuolo finì di spaccare i mattoni. La cassa era lì. L'afferrò per le maniglie, e con l'aiuto di qualche bestemmia riuscì a farla scivolare verso di sé. Non la tirò fuori tutta, lasciò la parte superiore appoggiata allo spigolo del loculo, per non doverla poi sollevare da terra. Scardinò il coperchio della bara, emozionato e quasi tremante. Lo sollevò e fece luce con la torcia. La sua tenacia era stata premiata. Nella cassa c'erano delle sacche di pelle piene di lingotti d'oro, gioielli e monete. C'erano anche le fotografie e le lettere di cui aveva parlato Samsa. La sua memoria. Enzo gettò tutto giù dalla muraglia, e sentì i tonfi dell'oro che cadeva sul prato del parco. Bevve un sorso di grappa, e si asciugò le labbra con le dita. Il cuore gli batteva forte, ma non solo per la fatica. Gli sembrava che un vento caldo gli passasse attraverso la pancia. Richiuse la bara, e con un ultimo sforzo la spinse dentro il loculo. Poi prese da terra i calcinacci con le mani, li sparpagliò ai lati della cassa e rimise la lapide al suo posto. Controllò che non si vedesse niente, e cancellò le tracce sulla ghiaia passandoci sopra una scarpa. Bene, ora doveva pensare a uscire dal cimitero. Tirò fuori la corda e buttò anche la borsa giù dal muro. Fece passare la fune dietro la sbarra di ferro di un'aiuola, senza fare nodi, e tenendola per tutti e due i capi si calò giù lentamente aiutandosi con i piedi. Quando arrivò in terra lasciò un capo della fune e tirò l'altro. Si sentì un sibilo, e un istante dopo la fune si afflosciò ai suoi piedi. Caricò tutto sulla sua macchina, che aveva parcheggiato là vicino. Quando arrivò a casa rovesciò tutto l'oro sul tappeto, e passò qualche ora a guardarlo. Ce l'aveva fatta. Non restava che bruciare le lettere e le fotografie di Samsa nel caminetto.

«Dieci» disse Bordelli, ispirandosi a James Cagney. L'onorevole aveva gli occhi piccolissimi, rossi come il culo di una scimmia. Rimise il fazzoletto in tasca, tirando su con il naso. Continuò a fissare il commissario senza parlare, con uno sguardo smarrito. Bordelli sentiva la faccia dell'onorevole che invocava i suoi schiaffi. Non era più sicuro che sarebbe riuscito a resistere. Quel desiderio aveva la stessa potenza della voglia di fumare.

Poi successe una cosa. L'onorevole allungò lentamente le braccia sopra la scrivania, appoggiò con delicatezza le mani ai lati della busta con i dieci milioni... e la fece scivolare di un centimetro verso il commissario. Poi, sempre con movimenti lentissimi ritirò le mani e le appoggiò sul bordo della scrivania. I suoi occhi adesso erano pieni di domande e di speranza.

«Si tenga i suoi soldi, onorevole. Ma le do una settimana per dimettersi da ogni carica politica» disse Bordelli.

«Dim... dimettermi...» balbettò l'onorevole.

«Se non lo fa di sua spontanea volontà la costringerò io, ma dopo non si lamenti se a scuola i suoi figli saranno additati con disprezzo.»

«Io... non...»

«Il suo futuro è nelle sue mani, onorevole. Ci pensi bene.» Bordelli continuava a sentire quella voglia irresistibile di schiaffeggiarlo, ma riuscì a resistere fino in fondo. Spense la cicca sulla scrivania e senza dire più nulla si avviò alla porta, ignorando i mugolii dell'onorevole. Quando uscì dalla stanza vide nel corridoio la signora Maggini che si allontanava di corsa, sculettando sui tacchi. Aspettò di vederla sparire dietro una porta, poi scese la grande scala di marmo che portava a pianterreno. In quel punto il soffitto era alto almeno otto metri. Arrivò all'ingresso, dove spiccava un dalmata di ceramica a grandezza naturale, seduto sulle zampe di dietro. Aprì il portone, scese con calma i gradini di pietra e s'incamminò sul vialetto di ghiaia che portava fino al cancello. Dappertutto aiuole fiorite, gonfie di primavera. Lungo le siepi d'alloro erano allineati grandi vasi di fiori e statuette di marmo. C'erano anche delle fontanelle. Bordelli accese una sigaretta, e quando arrivò al cancello l'aveva già finita. Appena mise i piedi sulla strada si sentì più leggero, ma anche più pesante. Montò sulla 600 e partì. Leggero perché era uscito da quella casa, perché non aveva più davanti l'onorevole Enzo Maggini. Pesante perché aveva avuto a che fare con lui. Era riuscito a svelare il mistero delle due tombe, ma forse avrebbe preferito non riuscirci. Ci aveva guadagnato solo nausea e amarezza.

In fondo a via Barbacane imboccò viale Volta verso le Cure. Nessuno avrebbe mai condannato l'onorevole Maggini per aver tradito Samsa, e nemmeno per avergli rubato l'oro o per aver fatto passare da un camino i suoi ricordi di famiglia. Di cosa lo potevano accusare? Su quali basi? Non esisteva nessuna prova, soprattutto per la faccenda della cassa da morto. E per il tradimento, poi... anche se i tre fascisti nominati dall'onorevole, Bertelli Rossi e Fantechi, fossero stati ancora vivi, e lui fosse riuscito a trovarli, a cosa poteva servire? Era ovvio che quei signori non avevano nessun interesse a raccontare la verità. E anche se l'avessero detta? Loro non sapevano nulla di quella cassa da morto. E poi... beh, più di dieci anni prima c'era stata la famosa amnistia « pacificatrice »... niente Norimberga in Italia, paese di pizza e mandolini. C'erano più fascisti in circolazione che pesci in Arno... e nessuno aveva voglia di rimestare ancora nelle vicende torbide di un passato che era meglio seppellire. Tutti volevano dimenticare. L'unica possibile giustizia poteva venire dalla demolizione della carriera politica di Enzo Maggini...

Non passò davanti alla casa dov'era nato. Voltò in via Pacinotti, attraversò il Ponte del Pino e arrivò fino a piazzale Donatello. Costeggiò il cimitero degli Inglesi, pensando che quella domenica sarebbe andato a fare due passi in mezzo a quelle tombe. Voltò a destra in via Alfieri e parcheggiò in piazza D'Azeglio, di fronte al numero 38/bis. Scese e si fermò di fronte al portone. Si voltò a guardare la cupola verde della sinagoga, poi alzò la mano per suonare, appoggiò l'indice sul campanello... rimase così per qualche secondo, a pensare, poi abbassò il braccio. Fece un passo indietro e sollevò lo sguardo verso le finestre del primo piano. Fra le stecche delle persiane vide un po' di luce. Immaginò la signora Rachele che prendeva il tè seduta sul divano, con la schiena dritta.

Salì in macchina e se ne andò, con una sigaretta spenta in bocca. Adesso Antonio Samsa aveva una sola tomba, ma le date erano comunque sbagliate. Lui non era morto a Firenze nel '54, ma su in Polonia, ad Auschwitz, in una data imprecisata, forse il giorno in cui non era più riuscito a cantare nella mente l'*Incompiuta* di Schubert...

No, il commissario Bordelli non avrebbe mantenuto la sua promessa. Non avrebbe detto alla signora Samsa che suo marito era stato venduto ai fascisti dal figlio di un caro amico, per una bara piena d'oro. Non gli sembrava giusto.

Quella donna forte era riuscita nel tempo a mitigare il dolore creandosi intorno un fragile edificio di ricordi e di speranze, che uno scossone del genere poteva far crollare. Lui non aveva il diritto di cambiare le cose. No. La Procura non avrebbe mai saputo nulla di quella storia. Il fallimento della carriera politica di Enzo Maggini era un obiettivo importante, ma non valeva la serenità di Rachele Samsa e delle sue figlie. Loro non dovevano sapere. Avevano pagato un prezzo molto alto alla guerra, e riscrivere la vera storia di quei giorni sarebbe servito solo a farle soffrire ancora. No, non dovevano sapere. Bordelli poteva solo sperare in una cosa: che Enzo Maggini cedesse alle minacce di un commissario di polizia e per salvarsi dall'infamia gettasse nel cesso la sua carriera politica. Ma se non lo avesse fatto, Bordelli lo avrebbe lasciato in pace. Non poteva fare altro. Non poteva far scoppiare uno scandalo senza che la signora Samsa e le sue figlie venissero a sapere com'erano andate le cose. E quello non doveva succedere. E poi, anche se avesse cercato di rovinare un onorevole della Democrazia Cristiana... ci sarebbe davvero riuscito? Avrebbe sollevato un bel polverone, questo è certo, ma fino a che punto? E per quanto tempo? Magari avrebbe solo rischiato di perdere il posto... e alla fine gli italiani avrebbero comunque dimenticato, come sempre.

Ringrazio Enneli Poli e Leonardo Gori per le utili indicazioni che hanno saputo darmi in fase di correzione.

Biografie

Gianni Biondillo (Milano, 1966) è architetto e saggista. Ha scritto per il cinema e per la televisione. I suoi romanzi, *Per cosa si uccide*, *Con la morte nel cuore* e *Per sempre giovane*, sono pubblicati da Guanda.

Christine von Borries è nata a Barcellona nel 1965. È Pubblico ministero a Palermo, dove vive. Presso Guanda ha pubblicato i romanzi *Fuga di notizie* e *Una verità o l'altra.*

Enzo Fileno Carabba è nato nel 1966 a Firenze. È autore di diversi romanzi, tra cui *Jakob Pesciolini*, *La regola del silenzio* e *La foresta finale*, tutti editi da Einaudi, e di *Pessimi segnali*, pubblicato in Francia nel 2003 nella «Série Noire» di Gallimard e poi in Italia da Marsilio.

Massimo Carlotto è nato a Padova nel 1956. Ha esordito nel 1995 con il romanzo-reportage *Il fuggiasco*, cui hanno fatto seguito, tra gli altri, *La verità dell'Alligatore*, romanzo che ha dato avvio a una fortunata serie noir, *Arrivederci amore, ciao*, *L'oscura immensità della morte*, *Niente, più niente al mondo* e, con Marco Videtta, *Nordest*, tutti pubblicati da E/O.

Teresa Ciabatti è nata nel 1975 a Orbetello. Ha pubblicato il romanzo *Adelmo, torna da me* (Einaudi-Stile Libero), da cui è stato tratto il film *L'estate del mio primo bacio*, e il racconto

I desideri di Rossella O'Hara nell'antologia *Ragazze che dovresti conoscere* (Einaudi-Stile Libero). Collabora con «Diario».

Marcello Fois è nato a Nuoro nel 1960. Ha esordito nel 1992 con il romanzo *Ferro Recente* (Granata Press, poi ristampato da Einaudi), cui sono seguiti, tra gli altri, *Picta* (Marcos y Marcos), la trilogia *Sempre caro*, *Sangue dal cielo*, *L'altro mondo* (Frassinelli) e, da Einaudi, *Dura madre*, *Piccole storie nere* e *Sheol*. Scrittore anche per il teatro, è stato sceneggiatore della serie televisiva Distretto di Polizia.

Emiliano Gucci è nato a Firenze nel 1975. Ha cambiato vari lavori, dall'operaio al disegnatore di cartoni animati, e ha suonato in una punk rock band. Ha pubblicato racconti su riviste e in antologie, e i romanzi *Donne e Topi* e *Sto da cani*, entrambi usciti da Lain-Fazi.

Gianluca Morozzi è nato nel 1971 a Bologna, dove vive. Ha pubblicato i romanzi *Despero*, *Dieci cose che ho fatto ma che non posso credere di aver fatto, però le ho fatte*, *Accecati dalla luce* e la raccolta di racconti *Luglio, agosto, settembre nero*, tutti usciti da Fernandel. Presso Guanda ha pubblicato *Blackout*, *L'era del porco* e *L'Emilia o la dura legge della musica*.

Marco Vichi è nato nel 1957 a Firenze. Vive nel Chianti. Presso Guanda sono usciti: *L'inquilino*, *Donne donne*, *Il commissario Bordelli*, *Una brutta faccenda*, *Il nuovo venuto* e *Perché dollari?*.

INDICE

Fotocomposizione:
Nuovo Gruppo Grafico s.r.l. - Milano

Finito di stampare
nel mese di luglio 2006
per conto della Ugo Guanda S.p.A.
dalla Mondadori Printing S.p.A.
Stabilimento N.S.M. - Cles (TN)
Printed in Italy

CITTA' IN NERO
PRIMA EDIZIONE
AA.VV.
UGO GUANDA
EDITORE - MI